"十四五"职业教育国家规划教材

U0564540

专科层次小学教师培养规划教材　　　总主编　蒋　蓉

教育部卓越教师培养计划改革项目"基于实践取向的卓越小学教师培养"成果

小学语文
课程与教学

（第2版）

主　编　张廷鑫　宋祖荣　姚世贵

副主编　张　涛　韦祖庆　杨丽萍
　　　　苏丽琴　李梅兰

参　编（排名不分先后）

陈真海　陈　怡　帅泽兵

谢　韵　曾赛男　吴　芳

唐谊锋　李　仁　邓彦妮

匡　薇　舒　洲　蔡德莉

蔡　敏　阳小玲

主　审　曾晓洁

湖南大学出版社·长沙

内 容 简 介

随着教师专业化进程不断加深，小学教育专业和语文教育专业建设不断推进，中小学对高等院校培养的"未来教师"的专业实践能力的要求日益提高。本教材共八章，既有对小学语文课程教学理念、教材和教学设计理论知识的介绍，也有案例分析、扫码听课等内容，重视对学生教学实践能力的提升。

本教材是在广泛调研高师院校"小学语文课程与教学"课程教学现状的基础上，结合小学语文教学的实际要求和高师院校学生的学习情况，组织国内各高师院校的一线教师编写的。其具有理论性、系统性、实用性等特点，既可作为高师院校"小学语文课程与教学"课程的教材，也可作为中小学语文教师和课程爱好者的参考用书，还可作为教师在职培训的教材。

图书在版编目（CIP）数据

小学语文课程与教学/张廷鑫，宋祖荣，姚世贵主编 . —长沙：湖南大学出版社，2020. 9（2025. 1 重印）

专科层次小学教师培养规划教材/蒋蓉总主编

ISBN 978-7-5667-1977-5

Ⅰ.①小…　Ⅱ.①张…　②宋…　③姚…　Ⅲ.①小学语文课—教学研究　Ⅳ.①G623. 202

中国版本图书馆 CIP 数据核字（2020）第 139335 号

小学语文课程与教学
XIAOXUE YUWEN KECHENG YU JIAOXUE

主　　编：张廷鑫　宋祖荣　姚世贵
丛书策划：刘　锋　罗红红
责任编辑：肖晓英
印　　装：湖南省众鑫印务有限公司
开　　本：787 mm×1092 mm　1/16　　印　　张：15. 25　　字　　数：320 千字
版　　次：2023 年 7 月第 2 版　　　　　　印　　次：2025 年 1 月第 4 次印刷
书　　号：ISBN 978-7-5667-1977-5
定　　价：44. 50 元

出 版 人：李文邦
出版发行：湖南大学出版社
社　　址：湖南·长沙·岳麓山　　　　　　邮　　编：410082
电　　话：0731-88822559（营销部），88821343（编辑室），88821006（出版部）
传　　真：0731-88822264（总编室）
网　　址：http://press. hnu. edu. cn
电子邮箱：501267812@qq. com

专科层次小学教师培养规划教材
编 委 会

主 任

李艳红

副 主 任

张 华　王玉林　高金平　彭平安　陈美中

张廷鑫　李晓培　焦玉利　汪华明　邓昌大

石纪虎　李振兴　刘宝国　江来登　李 毅

孙 彤　李来清　李 武　李梦醒

执行主任

王胜青

编 委（排名不分先后）

张永明　宋祖荣　吴桂容　杨建东　杨新斌

何仙玉　周述贵　李云莲　许名奇　林祥春

林肖丽　李 辉　郑浩森　康玉君　梁 平

曾健坤　蒲远波　潘瑞祥　潘伟峰　黎 斌

钟 林　李小毛　王新乐　成丽君　刘芳艳

刘东航　薛 辉　马小飞　贺珊刚

总 主 编

蒋 蓉

序

2018 年 1 月，中共中央、国务院印发了《关于全面深化新时代教师队伍建设改革的意见》（以下简称《意见》）。这是新中国成立以来党中央出台的第一个专门面向教师队伍建设的文件，具有重要的战略意义。这是在习近平新时代中国特色社会主义思想指导下，贯彻落实十九大精神，深化教育改革的重大战略决策。

当前，中国特色社会主义进入了新时代，开启了全面建设社会主义现代化新征程。面对新方位新征程新使命，教师的思想政治素质和师德水平需要提升，专业化水平需要提高。为此，《意见》中提出要培养造就"高素质专业化创新型"教师。所谓"高素质"，就如习近平总书记所讲的，教师要"有理想信念""有道德情操""有扎实学识""有仁爱之心"；所谓"专业化"，就是要求教师掌握教育规律和青少年儿童成长发展规律，因材施教，为学生提供适合的教育；所谓"创新型"，就是要求教师有创新精神，勇于改革，在教育教学改革中积累新的经验，培养创新人才。

培养"高素质专业化创新型"教师，无疑是师范院校的任务。改革开放四十多年来，我国的师范教育的规模由小到大，为我国基础教育培养了大批合格教师，现在在岗的 1400 余万名中小学教师基本上是改革开放以来培养起来的。但是，随着时代的发展，教师教育也需要改革创新。但不得不说，有一段时间，师范院校在改革大潮中迷失了方向，师范教育走过一段弯路。1999 年 6 月，中共中央、国务院发布的《关于深化教育改革全面推进素质教育的决定》提出："鼓励综合性高等学校和非师范类高等学校参与培养、培训中小学教师的工作，探索在有条件的综合性高等学校中试办师范学院。"目的是通过高水平综合性大学和非师范类高等学校的参与来提高教师队伍的建设水平。但是，这次尝试并没有让师范教育加强，反而削弱了，因为非师范类高等学校除了培养少量教育专业硕士外，几乎没有参与其他层次的教师培养。失误在于：一是一千多所中师被撤销，小学教师的学历提高了，但适合小学教育的能力却降低了；二是许多师专纷纷扩展为综合性高校，热衷于升格，不关心教师的培养，极大地削弱了师范教育；三是许多师范院校为了挤入名牌高校发展为综合大学，热衷于扩充非师范专业，甚至抽调师范专业的教师去充实其他新建立的学科，这必然削弱了师范专业的实力。这些做法与改革的宗旨背道而驰。

《意见》中提出，要大力振兴教师教育，要加强师范院校建设，并对各级各类教师提出了高标准新要求。我国的国情是人口多，学生多，区域间教育发展不均衡，师范院校在一个较长的历史时期还是教师教育的主体。师范院校要认真学习习近平总书记教育思想，认真贯彻《意见》提出的改革要求，加强教师教育专业训练，夯实教育实践环节，把学校真正办成培养"高素质专业化创新型"教师的基地。

当前教师队伍建设，短板在农村。长期以来，贫困乡村，特别是边远山区，由于地理条件的制约，教育很不发达。为了改变农村教育的落后面貌，十八大以来，党和政府采取了多种措施来提升农村的教育水平。比如，实施了"公费师范生""特岗教师计划""乡村教师支持计划"等政策，大幅扩大了中西部地区和乡村的教师规模，提高了教师队伍的素质。但是由于东中西部经济发展差距、城乡发展差距尚未得到根本解决，农村基础教育，尤其是中西部贫困地区的农村基础教育，仍然面临着许多困难，最主要的困难是师资匮乏、教育观念落后、人才培养模式错位等等。近几年来，国家教育咨询委员会"推进素质教育改革"工作组走访了几个省的农村，发现那里学校的办学条件逐年改善，孩子也十分活泼可爱，但课堂教学却不尽如人意。如有些地方课程还开不齐全，有些教师的教学水平不高，照本宣科，甚至于概念都讲不清楚。因此，如何进一步加强乡村教师队伍建设是当前实现教育现代化必须解决的问题。

加强乡村教师队伍建设，我们要改变一些思路。高质量并非高学历。过去为片面追求高学历，将小学教师学历一下子提高到本科水平，许多学校办起了本科层次的小学教育专业。这确实对提高小学教师队伍整体质量起了一定的作用，特别是对城市小学而言。但从现实情况来看，这些本科师范毕业生不愿去农村，小学教师还是以专科师范毕业生为主。目前进行专科层次小学教师培养的学校有300多所，年培养毕业生近10万人。由于大部分学生生在乡村、长在乡村，更熟悉和热爱乡村，对乡村有天然的情感，他们扎根乡村的意志更坚定，专业情意更浓，可以"下得去、留得住"。因此，加强高等师范专科学校的建设，应该成为当前小学教师培养工作的重点。

培养专科层次的师范生，需要有一套适合他们的教材。但是，目前还没有一套专门针对农村小学教师培养的专科层次的教材。湖南大学出版社秉承岳麓书院传统，重视农村文化教育建设，以教育部卓越教师培养计划改革项目"基于实践取向的卓越小学教师培养"为依托，组织全国20多所多年从事小学教师培养的专科学校，共同编写了本套教材，填补了当前专科层次小学教师培养教材的空白。这套教材具有以下特点：

一是针对性。针对学生的文化基础、地区差异和培养目标的需要，教材力求符合学生的认知规律和能力培养规律，注重与学生已有的知识、经验与环境的联系。在注重知识传授的同时，强调对学生教学能力特别是学习能力的培养，为学生毕业后从事教学和专业发展做好充分的准备。

二是科学性。这套教材是在精心研究大纲的基础上编写的，力求培养基础知识宽厚、专业知识扎实、综合素养高、具有推进基础教育新课程改革能力的小学教师队伍。在教材内容的选择上，既考虑学科的系统性和完整性，更注重学生必需的知识。

三是时代性。教材重视"课程思政"，着重强调社会主义核心价值观与师德教育，引入课程改革和教育研究最新成果以及优秀小学乡土教育教学案例。与教材配套的音频、视频、课件、阅读资料等教学资源都将以二维码方式呈现，做到纸质文本与数字资源相结合、线下面授与线上学习相结合。

四是实践性。这套教材注重学生实践能力的培养，增加了小学教师职业道德与法律法规、小学教育实践、小学生班级管理、小学教育科学研究方法等课程，加强了见习和实习环节。

这套教材立意高远、特色鲜明，既有传承性，更有开拓性，对于快速提高农村小学教师培养质量、全面提升农村小学教育水平以及有序推进新课程改革，都有重大的意义。

2020 年 8 月 15 日

序

科技的进步、社会的发展以及基础教育新课程改革的不断推进，对教师的知识、能力和素质提出了新的要求，而当前的小学教师队伍，尤其是广大乡村地区的小学教师队伍建设，不同程度存在师德弱化、年龄老化、结构失衡、素质不高、流失严重、补充不畅等一系列问题。

党中央和国务院高度重视乡村教师队伍建设，出台了一系列政策和措施。《中共中央 国务院关于全面深化新时代教师队伍建设改革的意见》要求"采取到岗退费或公费培养、定向培养等方式，吸引优秀青年踊跃报考师范院校和师范专业"。《教师教育振兴行动计划（2018—2022年）》提出："推进本土化培养，面向师资补充困难地区逐步扩大乡村教师公费定向培养规模，为乡村学校培养'下得去、留得住、教得好、有发展'的合格教师。"

为增加乡村教师培养数量，提高培养质量，促进城乡义务教育均衡发展，湖南省从2006年开始在全国率先启动实施了乡村教师公费定向培养计划。在培养五年制公费定向乡村小学教师方面，制订了《湖南省五年制专科层次小学教师培养课程方案（试行）》，并组织省内师范院校编写了五年制专科层次小学教师培养教材。"公费定向培养计划"实施十多年来，吸引了一大批优秀初中毕业生顺利完成五年学业，走向小学教师岗位。其中，很多毕业生迅速成为学校的教学骨干或者管理骨干，在很大程度上缓解了湖南乡村小学教师队伍人才的短缺现象。同时，该培养计划也得到了教育部的高度肯定，很多兄弟省份纷纷来湘考察学习。

"五年制大专层次小学教师培养教材"自2006年出版以来，在学校教育教学、小学教师培养等方面发挥了积极作用，但由于课程体系、教材内容、呈现方式久未更新，已经不符合当下小学教育教学的实际。鉴于此，在湖南省教育厅的规划和指导下，湖南大学出版社组织省内所有承担五年制专科层次小学教师培养的学校及省外的部分师范学校，以教育部卓越教师培养计划改革项目"基于实践取向的卓越小学教师培养"为依托，在教育部高等学校小学教师培养教学指导委员会的指导下，编写了这套"专科层次小学教师培养规划教材"。从总体上来看，这套教材有如下鲜明特点：

一是倡导以学生为中心，创新教材体系。严格按照小学教师专业标准、小学教师教育课程标准、师范专业认证标准的要求构建教材体系和内容，给学生提供未来进行小学教育教学所需要的基本理论、方法、规律，使学生能运用理论知识和科学方法探寻和剖析小学教学中诸多问题，并能举一反三。

二是凸显产出导向，注重能力培养。教材品种、内容选择完全覆盖毕业生核心能力素质要求的各项指标。每种课程教材都与小学教师培养目标及毕业生要求相对应，从而实现学习效果良好、切实提高人才培养质量的目的。根据小学教育专业认证的新要求，除了开发传统文化课、教育理论课和实践课，还增加了四门课程，分别是践行师德的课程——小学教师职业道德与法律法规、学会教学的课程——小学教育实践、学会育人的课程——小学班级管理、学会发展的课程——小学教育科学研究方法。

三是强化知行合一，坚持实践育人。这套教材由全国各地多年从事小学教师培养学校的一线教师编写，充分考虑了当地学生的文化基础水平与接受水平，注重学生实践能力的培养，体现小学教育的科学性、时代性、针对性、实用性，强化课程思政，强化社会主义核心价值观与师德教育；充分吸收学科前沿知识，引入课程改革和教育研究最新成果以及优秀小学乡土教育教学案例，并根据教学要求及时更新，以满足专业教学不断改进的需要。

四是顺应数字时代需求，推进教材融媒体化。这套教材除了纸质教材采用双色印刷、体例上大胆创新采用章节体与模块化结合外，还将与教材配套的音频、视频、课件、阅读资料等教学资源以二维码方式呈现，做到纸质文本与数字资源相结合、线下面授与线上学习相结合，极大地方便教师教学，提高学生的学习兴趣和主动性。

这套教材的编写坚持立德树人的指导思想，以学生的需要为出发点，以学生的专业发展为目的，注重学生教学能力、育人能力和研究能力的培养，必然能够充分调动学生学习的积极性、主动性、创造性，对顺利达成专科层次小学教师培养的预期目标、有效促进基础教育教学改革，将发挥重要作用。

王玉清

2020 年 8 月

目　次
CONTENTS

第 一 章

小学语文课程与教学设计概述

学习目标

+ 了解小学语文课程的概念、性质及目标。
+ 了解小学语文教学设计的概念及基本要求。
+ 了解小学语文教材的发展历程。
+ 了解统编版小学语文教材的总体构思。

案例导入

"小朋友们，大家好。今天老师要带大家去一个美丽的地方。你们想不想去?"

"想。"

"噔噔噔噔——""大家看这是什么?"老师边说边把荷花贴在黑板上。

"荷花""漂亮的荷花""美丽的荷花"……大家兴奋地喊了起来。

"大家都很棒，一下子就认出来了。有的同学还能分享自己的感受，值得表扬。今天我们去的地方就是美丽的荷花池。小朋友们，荷花池里除了有荷花还有什么呢?"

"荷叶""小鱼儿""浮萍""小蝌蚪"……

"荷花池里的景物可真多呀，有粉红的荷花，翠绿的荷叶，游来游去的小鱼儿、小蝌蚪，还有圆圆的水泡泡。它们玩得真开心。你听，滴答滴答，是谁来做客了呢?"

"是雨点儿来了。"

"雨点儿，沙啦啦，沙啦啦，荷花池里蹦出来一只大青蛙。青蛙要做什么呢?"

"青蛙要写诗啦!"大家齐声回答。

"那就让我们一起走近荷花池，去看看青蛙写的诗吧!"

老师板书"青蛙写诗"。

…………

这是统编版语文教材一年级上册课文《青蛙写诗》的课堂实录。教师创设了一个有趣的情境，让孩子们快速地进入课堂。童言童语拉近了课本和孩子们的距离，激发了孩子们的学习兴趣，让他们有了表达的欲望。

第一节 小学语文课程概述

语文具有复杂多样性，它囊括了中华民族几千年源远流长的历史。从文字的演变到语序的转变，语文是陪伴人类终身的科目，而小学语文课程的启蒙学习，将影响人的一生。

一 小学语文课程的概念及发展

（一）小学语文课程相关概念

1. 语文

"语文"这一名称最早见于 1949 年华北人民政府教育部教科书编审委员会选用的中小学课本。曾经主持过这项工作的教育家叶圣陶先生在 1962 年的一次讲话中明确指出："什么叫语文？平常说的话叫口头语言，写到纸面上叫书面语言。语就是口头语言，文就是书面语言。把口头语言和书面语言连在一起说，就叫语文。"① 这段话简明扼要地揭示了"语文"的本质含义。

语文是口头语言与书面语言的合称，是人类最重要的交际工具和信息载体，是人类文化的重要组成部分。作为基础教育课程体系中的一门教学科目，语文是学习其他学科和科学的基础，也是一门重要的人文课程。

2. 课程

课程是指学校学生所应学习的学科总和及其进程与安排。课程是对教育目标、教学内容、教学活动方式的规划和设计，是教学计划、教学大纲等实施过程的总和。广义的课程是指为了实现学校教育目标而规定的教育内容及其进程的总和，包括学校教师所教授的各门学科和有目的、有计划的各种教育活动。狭义的课程是指某一门学科。

3. 小学语文课程

语文课程是一门学习祖国语言文字运用的综合性、实践性课程。中国古代没有独立的语文

① 叶圣陶. 叶圣陶语文教育论集［M］. 北京：教育科学出版社，1980.

课程。清朝末年，废科举兴学堂，实行分科教学，语文才从多学科的融合中分化出来，单独设科。1904—1949 年，其使用过中国文字、中国文学、讲经读经、国文、国语等课程名称，直至1949 年中华人民共和国成立后，才正式使用语文这个名称。小学语文课程是为了实现小学语文教学目标、提升学生语文素养而规定的教育内容及其进程的总和。

（二）小学语文课程的地位与意义

语文在任何时代，无疑都是一门重要的学科。在如今新课改的背景下，语文学科的重要性更加凸显。它是听、说、读、写、译、编等语言文字运用能力和语言知识及文化知识的统称。

小学语文课程致力于培养学生的语言文字运用能力，提升学生的综合素养，为学好其他课程打下基础；为学生形成正确的世界观、人生观、价值观，形成良好个性和健全人格打下基础；为学生的全面发展和终身发展打下基础。小学语文课程对继承和弘扬中华民族优秀文化传统和革命传统，增强民族文化认同感，提高民族凝聚力和创造力，具有不可替代的作用。

小学语文课程激发和培育学生热爱祖国语言文字的思想感情，指导学生正确地理解和运用祖国语言，丰富语言的积累，培养语感，发展思维，使他们具有适应实际需要的识字与写字能力、阅读能力、写作能力、口语交际能力。小学语文课程还重视提高学生的品德修养和审美情趣，使他们逐步形成良好的个性和健全的人格，促进德、智、体、美的和谐发展。小学语文课程的多重功能和奠基作用，决定了它在九年义务教育中的重要地位。

（三）小学语文课程的改变

当今世界，经济全球化趋势日渐增强，现代科学和信息技术迅猛发展，新的交流媒介不断出现，给社会语言生活带来了巨大变化，也给语言文字运用的规范带来了新的挑战。时代的进步要求人们具有开阔的视野、开放的心态、创新的思维，对人们的语言文字运用能力和文化选择能力提出了更高的要求，也给语文教育的发展提出了新的课题。随着时代的发展，小学语文课程也在不断发展和改变。近年来，我国小学语文课程的改变主要体现在以下几个方面。

1. 强调热爱国家通用语言文字，树立中华文化自豪感和自信心

语文课程，其本质是学习语言文字的运用，是实践性的课程，涉及的目标非常广泛，是综合性的课程。语文教学的目标指向是语言文字运用，使学生初步学会运用祖国语言文字进行交流沟通，在此过程中，吸收古今中外优秀文化，提高思想文化修养，促进自身精神成长。这就是工具性与人文性的统一。继承语文教育"文以载道""以文化人"的传统，课程理念、目标、内容、学业质量等部分都明确要求，引导学生热爱国家通用语言文字，继承和弘扬中华优秀传统文化、革命文化、社会主义先进文化，提升对中华文化的认同感和自豪感，建立文化自信。坚持以文化人，培根铸魂，启智增慧，彰显语文课程育人功能。同时加强语文课程的基础性，引导学生在学习语言文字运用的过程中，掌握适应社会生活和终身发展需要的语文知识和关键能力。

2. 凝练义务教育阶段语文学科核心素养，构建素养型课程目标

学科的课程标准是国家意志的体现。依据我国的国情，突出社会主义核心价值体系的构建，依据语文学科的特性，突出人文熏陶。需要注意的是，此两者必须与语文目标融合、渗透，而不是离开语言文字，专谈思想政治。我们提倡教学尽可能做到水乳交融、紧密结合。

在阐释内涵方面，更加突出核心素养是学生发展的应然结果，是学生内在的价值观念、必备品格和关键能力，淡化外在的活动、具体的行为或发展过程。依据义务教育语文课程的特点和要求，阐释核心素养的内涵，明确核心素养的关键表现特征、指向及其价值。"文化自信"强调培养学生认同中华文化，对中华文化的生命力有坚定信心；"语言运用"强调培育学生感受语言文字的丰富内涵，对国家通用语言文字具有深厚感情；"思维能力"强调培养学生好奇心、求知欲，崇尚真知，勇于探索创新；"审美创造"强调涵养高雅情趣、健康的审美意识和正确的审美观念。

3. 探索结构化的语文课程内容

语文课程积极探索并构建了结构化的语文课程内容，设计了不同的语文学习任务群。每个任务群贯穿四个学段，螺旋发展，体现学段特征；坚持阶段性、层次性与整体性的统一，既突出义务教育阶段的基础性，又与普通高中教育相衔接。每个语文学习任务群融合了学习主题、学习活动、学习情境和学习资源等关键要素；按照学段呈现学习内容，实现了课程内容的结构化，体现了典型性；引导学生通过典型内容的学习，经历典型的学习过程，掌握典型的方法和策略，获得典型的情感体验，提升学生未来学习、生活和发展所需的核心素养。

4. 突出评价导向，明确学生语文学业成就表现

课程实施部分的评价建议，从学生核心素养发展出发，对语文课程实施中的过程性评价与学业水平考试命题提出明确要求。针对忽视过程性评价、课堂教学评价效果不明显、作业评价数量为先、阶段性评价干扰日常教学等突出问题，分别提出针对性强、可操作的具体建议。强调过程性评价应遵循的基本原则：要有助于教与学的及时改进，要统筹安排评价内容，要发挥多元评价主体的积极作用，要综合运用多种评价方法以及拓宽评价视野倡导学科融合等。结合各学习任务群的具体内容，强调义务教育阶段学生学习态度、意志品质、沟通合作等共同素养的培育，力求简明、实用，充分发挥评价与考试的导向作用。

5. 回应语文教学和社会语言文字运用中的突出问题

近年来，关于识字、写字和汉字教育，有三个方面的问题比较突出：一是错别字情况严重。不光是中小学教育，社会用字错误情况也很严重。二是书写质量普遍偏低。学生写的字不行，很多老师写的字也不行。有的老师只做PPT，不敢写字。三是有的地区写字教学负担过重。有的地区，特别是农村地区，识字环境比不上城市，而识字、写字的量过大的问题却比较突出。修订后的语文课程标准对具体目标有改动：控制识字、写字的字量，提高常用字的书写

质量要求。

小学语文课程的性质与基本理念

（一）小学语文课程的性质

义务教育阶段的语文课程，应使学生初步学会运用祖国语言文字进行交流、沟通，吸收古今中外优秀文化，提高文化修养，促进自身精神成长。语文课程是一门学习祖国语言文字运用的综合性、实践性课程，工具性与人文性的统一，是语文课程的基本特点。

1. 工具性

语，语言；文，文字，文章，文学，文化。不同的时期，人们对"文"的解释不同。我们认为，在小学时期，"文"是指文字。

语言和文字，是我们生活中必不可少的交际工具。在我们小的时候，通过肢体语言和咿咿呀呀的声音，父母便知道我们的需求。慢慢长大后，我们熟练掌握了一定的语言和文字，语言和文字便在我们生命中起到了不可或缺的作用。

（1）我们通过语言和文字进行交际和交流。在日常生活中，我们一天要说几千个字，几百句话，我们利用语文和亲人、朋友沟通，使我们生活得更好。由此可见语文至关重要。

（2）我们利用语言和文字传递文化。中国上下五千年的文明，通过文字留下了浩如烟海的书籍，也使我们有机会研究我们伟大先辈的著作和了解他们的生活情况。一首首朗朗上口的诗句和一篇篇感人肺腑的文章，如今都是我们学习的文库。一些世代相传的歇后语和民间故事也成为我们宝贵的财富。

（3）我们利用语言和文字学习知识和增长才干。语文是学习其他学科的基础和前提，其他各门学科的学习，都以语言文字为载体。学习好语文，可以提高理解能力和阅读能力，还可以增强逻辑思维能力，增长才干。

（4）语文是发展思维和开发智力的工具。思维的发展必须依靠语言的训练，而语言能力的加强必然能够促进思维的发展，所以语文是促进学生思维发展和智力开发的工具。

2. 人文性

（1）语文教材中包含着丰富的人文精神和传统文化。语文教材里有许多弘扬正能量的内容。小学生通过语文的学习，可以更好地培养独立意识、爱心、责任感，树立正确的世界观、人生观、价值观。

（2）语文教学过程中所表现出来的人文情怀。教师在教学过程中以学生为主，做到一切为了学生，为了学生一切，为了一切学生。教师只有做到以人为本，以学生为本，尊重学生，关心学生，为学生服务，才能在把知识传授给学生的同时，帮助学生更好地发展。语文教育绝不仅是概念的分析、概括，也不仅是工具的掌握，更重要的是一种精神的熏陶和健全人格的培养。

3. 工具性与人文性的统一

语文是最重要的交际工具，是人类文化的重要组成部分。工具性与人文性的统一，是语文课程的基本特点。

工具性和人文性的关系不是简单结合，而是相互统一、相互融合、你中有我、我中有你。工具性是"表"，人文性是"里"。工具性是载体，人文性是灵魂。没了工具性，语文课便失去了存在的价值；没了人文性，语文课只有孤立的、机械的语言，便失去了生机、情感。所以说，工具性和人文性的统一是语文课程的基本特点。

（二）小学语文课程的基本理念

理念即指导思想，小学语文课程的基本理念是从小学语文教育实践中提炼出的且对语文教学有指导意义的思想与观念。树立正确的课程理念是进行有效语文教学的先决条件。小学语文课程的基本理念体现为以下几个方面。

1. 立足学生核心素养发展，充分发挥语文课程育人功能

《义务教育语文课程标准（2022年版）》（以下简称《语文课程标准》）。在课程理念上实现了从"语文素养"到"核心素养"的自觉转向，在课程目标上充分体现了语文课程的育人价值和以人为本的教育立场，具有一定的统摄作用。党的二十大报告指出，"办好人民满意的教育，全面贯彻党的教育方针，落实立德树人根本任务，培养德智体美劳全面发展的社会主义建设者和接班人，加快建设高质量教育体系，发展素质教育，促进教育公平"。语文核心素养作为语文课程的重要育人目标，是落实立德树人根本任务的重要内容，也能培养学生适应未来发展和社会发展所需要的正确价值观、必备品格与关键能力，它契合了我国全面深化基础教育课程改革的基本理念和价值旨归。

教师应深刻理解语文核心素养的内涵，全面把握语文教学的育人价值，将立德树人作为语文教学的根本任务，确保清晰地体现教学目标的育人旨归。坚持以文化人，突出中华优秀传统文化、革命文化、社会主义先进文化方面的主题和载体，同时选择反映世界文明优秀成果、科技进步、日常生活特别是儿童生活等方面的主题和载体。加强语文基础，注重培养学生良好的语文学习习惯，引导学生在学习语言文字运用的过程中，掌握适应社会生活和终身发展需要的语文知识和关键能力。

2. 构建语文学习任务群，注重课程的阶段性与发展性

《语文课程标准》大力提倡构建语文学习任务群，即以生活为基础，以语文实践活动为主线，以学习主题为引领，以学习任务为载体，整合学习内容、情境、方法和资源等要素，设计语文学习任务群。学习任务群的安排注重整体规划，根据学段特征，突出不同学段学生核心素

养发展的需求，体现连贯性和适应性。

根据义务教育语文课程四个学段内容整合程度不断提升的特点，《语文课程标准》分三个层面设置了6个学习任务群。"语言文字积累与梳理"为基础型学习任务群，"实用性阅读与交流""文学阅读与创意表达""思辨性阅读与表达"为发展型学习任务群，"整本书阅读""跨学科学习"为拓展型学习任务群。每个任务群都贯穿四个学段，螺旋发展，体现各学段特征的同时，突出了义务教育阶段的基础性，又与普通高中语文课程相衔接。在实际操作中，按照学段特征呈现的6个学习任务群，实现了语文课程内容的结构化，注重课程的阶段性。每个语文学习任务群融合了学习主题、学习活动、学习情境和学习资源等关键要素，由相互关联的系列学习任务组成，共同指向学生的核心素养发展，注重课程的发展性。

3. 突出课程内容的时代性和典范性，加强课程内容整合

语文课程内容建设应继承我国语文教育的优良传统，在保持典范性的基础上，密切关注现代社会发展的需要，课程内容与时俱进。课程学习注重跨学科的学习和现代科技手段的运用，加强内容整合，确立适应时代需要的课程目标，开发整合与之相适应的课程资源，使学生在不同内容和方法的相互交叉、渗透和整合中开阔视野，提高学习效率，初步养成现代社会所需要的语文素养。

《语文课程标准》提倡以学习任务群的形式呈现结构化的语文课程内容，打破单一且独立的学科内容，实现了课程内容的统整与整合。每个学习任务群都由若干个单元组成，同类的单元可组成一个学习任务群。因此，教师要深入挖掘学习任务与学习任务群间的内在关系，明确学习任务群的定位和功能，把握学习任务群所指向的学习内容的侧重点及其所对应的课程目标方面的内容，准确理解每个学习任务的学习内容和教学提示。在此基础上，教师应结合语文教科书内容和学生学情，整合教学内容，借由学习任务来整合学习的情境、内容、方法等，巧设语文实践活动，使学生经由丰富多样的学习任务群促进其核心素养的发展。

4. 增强课程实施的情境性和实践性，促进学习方式变革

《语文课程标准》提出了诸多新概念，如核心素养、学习任务群、整本书阅读、跨学科主题学习、过程性评价等。新的理念引领着教学内容和方式的变革，也将对学生的语文学习产生深远的影响。

《语文课程标准》从学生语文实际生活出发，创设了丰富多样的学习情境，鼓励学生积极开展自主、合作、探究学习，培养学科实践能力。一是课程的性质方面。语文课程是实践性课程，应着重培养学生的语文实践能力。通过专题学习、综合实践活动等方式，创设学习情境，沟通课堂内外，沟通听说读写，增加学生语文实践的机会。其二是实践的内容方面，课标关注学生生活，以学习任务群为载体，整合了学习内容、情境、方法和资源等要素，通过中华优秀传统文化、革命文化、社会主义先进文化等学习主题来进行课程内容的统整设计。其三是实践

的方式方面，课标主张通过系列学习任务群开展有目的、有计划的实践活动，强调将语文学习和生活实践相结合，创设符合学生认知水平的学习情境，开展语文实践活动，引导学生从"会做题"走向"会做事"，从"会解题"走向"会解决问题"，达到知行合一、学以致用，也就是"学语文，用语文"。

5. 倡导课程评价的过程性和整体性，重视评价的导向作用

语文课程中必不可少的阶段是评价，评价具有检查、诊断、反馈、激励、甄别和选拔等多种功能，其目的是考查学生实现课程目标的程度，检验和改进学生的学习和教师的教学，改善课程设计，完善教学过程。应发挥语文课程评价的多种功能，尤其应注意发挥其诊断、反馈和激励的功能，有效地促进学生的发展。

如何倡导
自主、合作、探究
的学习方式

《语文课程标准》倡导课程评价的过程性和整体性，以核心素养为考查目标，通过识字与写字、阅读与鉴赏、表达与交流、梳理与探究等语文实践活动，全面考查学生核心素养的发展水平。课标从学生核心素养出发，针对语文课程实施中的过程性评价与学业水平考试命题两方面提出明确要求。如过程性评价重点考查学生在语文学习过程中表现出来的学习态度、参与程度和核心素养的发展水平。评价要尊重学生的个体差异和不同阶段，要理解和尊重学生的自我评价与相互评价，注重考察学生的语文综合运用能力、探究精神与合作态度，着眼于学生在综合性学习过程中的表现，要发挥多元评价主体的积极作用，关注学生学习的整个过程，增强评价的科学性、过程性及整体性，充分发挥评价的导向作用，促进教与学方式的变革。

总之，语文课程应该是开放而富有创新活力的，具有时代性、情境性、实践性的，应尽可能满足不同地区、不同学校、不同学生的需求，并能够根据社会的需要不断自我调节、更新发展，应当密切关注当代社会信息化的进程，推动语文课程的变革和发展。

三 小学语文课程的目标

小学语文课程目标是按照国家的教育方针、小学生的身心发展规律及规定的小学语文教育任务内容，使学生达到的培养目标。九年义务教育语文课程目标，应以马克思主义、毛泽东思想、邓小平理论、三个代表重要思想、科学发展观和习近平新时代中国特色社会主义思想为指导，坚持以人为本，继承我国语文教育的优良传统，汲取当代语文教育科学理论的精髓，借鉴国外母语教育改革的经验，遵循语文教育的规律，努力提高学生的语文素养，培养德、智、体、美、劳全面发展的社会主义建设者和接班人，发挥积极的作用，为学生的终身发展奠定基础。

（一）语文课程核心素养

党的十八大以来，党中央、国务院发布了一系列深化基础教育改革的文件。为落实党中央的新部署，应对人才培养的新挑战，满足教育改革发展的新要求，教育部新修订的《语文课程标准》已正式颁布。新课标充分体现党和国家对新时代义务教育人才培养的指导思想，聚焦中国学生发展语文核心素养。

《语文课程标准》阐明，义务教育语文课程培养的核心素养是学生在积极的语文实践活动中积累、建构并在真实的语言运用情境中表现出来的，是文化自信和语言运用、思维能力、审美创造的综合体现。核心素养导向是《语文课程标准》的灵魂，是贯穿《语文课程标准》的主旋律，更是语文教学的终极目标，语文老师在教学中要以核心素养为导向，培育"三有"时代新人。

1. 文化自信

文化自信即认同中华文化，对中华文化的生命力有坚定信心。党的二十大报告指出："全面建设社会主义现代化国家，必须坚持中国特色社会主义文化发展道路，增强文化自信，围绕举旗帜、聚民心、育新人、兴文化、展形象建设社会主义文化强国，发展面向现代化、面向世界、面向未来的，民族的科学的大众的社会主义文化，激发全民族文化创新创造活力，增强实现中华民族伟大复兴的精神力量。"

文化自信主要包括文化认同、文化积淀、文化理解、文化参与等要素。其中文化认同是文化自信的出发点，也是最终归宿。文化自信基于文化认同，如果丧失了文化认同，文化自信也就成了无源之水、无本之木。文化积淀是文化自信的有力证明，认同带来接纳，接纳形成积淀，长期积淀使文化自信更坚定。文化自信强调培养学生继承和弘扬中华优秀传统文化、革命文化和社会主义先进文化，强调学生关心社会文化生活，积极参与文化活动，对于外国文化特别是我们说的人类文明的优秀成果，引导学生了解和借鉴，或者是让学生感受多样的文化，吸收人类优秀文化的精华。

2. 语言运用

语言运用即培养语感，形成个体语言经验，发展语言运用能力，培育对国家通用语言文字的深厚感情，简而言之，是语言运用的能力。语言运用主要包括语料积累、语感建构、语理习得、语言表现等部分。具体体现在："一个人在听、说、读、写行为中所表现出来的技巧、水平和风格。"其中"读"的能力又可分为感知认读、理解整合、评价鉴赏、迁移运用。"写"的能力又可分为审题、立意、选材、组材、语言表达，在听说读写中，积累梳理和整合过程不断帮助学生获得一个良好的语感。特别强调的就是要在义务教育阶段正确规范地运用语言文字的意识和能力，在此基础上，学生能够感受语言文字的丰富的内涵，对国家通用语言文字的深厚的情感。

3. 思维能力

思维能力是指学生在语文学习过程中的联想想象、分析比较、归纳判断等认知表现和良好的思维品质。思维能力包括直觉思维、形象思维、逻辑思维、辩证思维和创造思维的培养。其中直觉思维是一切思维的基础，而逻辑思维与辩证思维的联系更为密切，具有鲜明的理性思维特征，创造思维则是以上所有思维类型的综合与融通，是一切创造活动的灵魂与核心。思维能力强调培养学生的好奇心、求知欲，崇尚真知，勇于探索创新和积极思考的习惯。

4. 审美创造

审美创造是指学生通过感受、理解、欣赏、评价语言文字及作品，获得审美经验，具有感受美，发现美和运用语言文字表现美、创造美的能力。审美创造主要包括审美感受、审美理解、审美鉴赏、审美欲望等环节，其中审美感受是一切审美活动的基础，审美鉴赏是对文本的真实性、真理性、道德性所做的一种价值判断，审美理解使学生对文字底蕴的把握变得更加深刻，审美欲望促使学生追求美、创造美，为了美奋斗不息。语文课堂通过对语言文字和文学作品的感受、理解、欣赏、评价来培养审美能力，涵养高雅情趣，强调培养学生的高尚情趣，使其具备健康的审美意识和正确的审美观念。

5. 四者之间的关系

语文课程核心素养的每一个方面既是相对独立的存在，又与其他几个方面相互依存，同时核心素养的四个方面是一个整体，呈现一种多维关联、有机统一的状态。学生的思维能力、审美创造、文化自信都是以语言运用为基础的。学习语言文字的过程也是学生文化积淀与发展的过程。在语文课程中，语言运用是基础，其他三个方面都是以此为基础，并在学生个体语言经验发展过程中实现的。也就是说，文化自信、思维能力、审美创造都离不开语言运用这个基础和前提。

文化传承是保证核心素养深度的源泉。小学语文教学过程中强调文化传承，小学语文教师非常有必要以基本的教材文本内容为出发点，将世界各地的文化尤其是中华民族历史文化加以适当阐释，从而展现出这些内容的深厚文化底蕴，发挥出它们的传承与育人价值。语言运用是保证核心素养形成的前提。语言基础是小学语文教学中的先行内容，学生应当得到语言及文字方面的科学系统训练，才能逐步满足他们的深度感受及体验要求。思维能力是确保核心素养巩固的要点。教师应注意到课堂教学和学生思维发展之间的关系，以文章为载体，关注学生联想能力、理解能力等多元智能的进步，提升核心素养之下思维能力的建构速度。审美创造是拔高核心素养水平的措施。通过引导学生感受、理解、欣赏、评价语言文字及其作品，在体验语言文字及其作品的过程当中能够获得丰富的审美经验，其宗旨就在于满足人性的需求，让学生体验到文学带给人的愉悦、情趣，唤醒学生对文学的渴望与热爱，在审美鉴赏过程中培养个性创造力。

总之，四个维度是紧密联系、不可分割的整体，四个维度相互渗透，融为一体，注重语文素养的整体提高。成功的一堂课，就是教学内容应当与核心素养的四个维度的高度统一。

（二）小学语文课程的目标

义务教育语文课程标准总目标即义务教育阶段语文课程在育人方面要达到的总体的综合性的目标。其具体内容为：

（1）在语文学习过程中，培养爱国主义、集体主义、社会主义思想道德，逐步形成正确的世界观、人生观、价值观。

（2）热爱国家通用语言文字，感受语言文字及作品的独特价值，认识中华文化的丰厚博大，汲取智慧，弘扬社会主义先进文化、革命文化、中华优秀传统文化，建立文化自信。

（3）关心社会文化生活，积极参与和组织校园、社区等文化活动，发展交流、合作、探究等实践能力，增强社会责任意识。感受多样文化，吸收人类优秀文化的精华。

（4）认识和书写常用汉字，学会汉语拼音，能说普通话。主动积累、梳理基本的语言材料和语言经验，逐步形成良好的语感，初步领悟语言文字运用规律。学会使用常用的语文工具书，运用多种媒介学习语文，初步掌握基本的语文学习方法，养成良好的学习习惯。

（5）学会运用多种阅读方法，具有独立阅读能力。能阅读日常的书报杂志，初步鉴赏文学作品，能借助工具书阅读浅易文言文。学会倾听与表达，初步学会用口头语言文明地进行人际沟通和社会交往。能根据需要，用书面语言具体明确、文从字顺地表达自己的见闻、体验和想法。

（6）积极观察、感知生活，发展联想和想象，激发创造潜能，丰富语言经验，培养语言直觉，提高语言表现力和创造力，提高形象思维能力。

（7）乐于探索，勤于思考，初步掌握比较、分析、概括、推理等思维方法，辩证地思考问题，有理有据、负责任地表达自己的观点，养成实事求是、崇尚真知的态度。

（8）感受语言文字的美，感悟作品的思想内涵和艺术价值，能结合自己的经验，理解、欣赏和初步评价语言文字作品，丰富自己的情感体验和精神世界。

（9）能借助不同媒介表达自己的见闻和感受，学习发现美、表现美和创造美，形成健康的审美情趣。

义务教育语文课程总目标，紧紧围绕语文课程核心素养制定，是对核心素养的具体化、类别化。小学语文新课标总目标从五个角度进行了概述，把"立德树人"的根本任务和核心素养的培养提升进行了分解式的阐释。分别为立德树人（第 1 条）、文化自信（第 2、3 条）、语言运用（第 4、5 条）、思维能力（第 6、7 条）、审美创造（第 8、9 条）五个方面。如表 1-1 所示。

表1-1　义务教育语文课程总目标简要说明

总目标	对应的语文课程核心素养	对应的核心素养要素
第1条	立德树人	凸显正确价值观
第2条	文化自信	侧重于文化传承
第3条		侧重于文化参与
第4条	语言运用	侧重于语言梳理
第5条		侧重于语言表达
第6条	思维能力	侧重于感性思维
第7条		侧重于理性思维
第8条	审美创造	侧重于审美鉴赏
第9条		侧重于审美表现

目标的设计着眼于语文核心素养的整体提高。《语文课程标准》在"总目标"之下，按1~2年级、3~4年级、5~6年级、7~9年级几个学段，分别提出"学段要求"，体现语文课程的整体性和阶段性。各个学段相互联系，螺旋上升，最终全面达成总目标——语文核心素养的培养。相应地，总目标的每一条也都与语文课程核心素养的各个方面存在关联。例如，总目标第1条直接对应的是立德树人，但同时也对应着语文课程核心素养的语言运用、思维能力、审美创造等方面。语文课程立德树人，要遵循文道统一的原则，在丰富多彩的语言理解和运用中加以实现，对应语言运用。而立德树人需要对问题进行分析、比较、辨识、判断，与思维能力锻炼息息相关。同时，语言文字具有审美价值，因而与审美创造也密不可分。总之，就内在逻辑看，总目标的每一条都对应着语文课程核心素养的多个方面，只是在发展核心素养过程中，各有其侧重的价值和使命。

四　小学语文课程实施建议

课程实施是指把课程计划付诸实践的过程，它是实现预期教育结果的手段。一般来说，课程设计得越好，实施起来就越容易，效果也就越好。

（一）立足核心素养，彰显教学目标以文化人的育人导向

从学生核心素养发展来看，要凸显出语文课程独特的育人功能和奠基作用，必须通过一系列的语文实践活动来构建核心素养型的课程目标体系，且核心素养型的课程目标始终要面向全体学生和突出其基础性。

在小学阶段，语文教学应将语文核心素养培养贯穿始终，即在实际的教学活动中，力求使学生的语言知识修养、文风情趣相对稳定。这与以往只注重知识的记忆和运用的小学语文教学

相比，具有更大的深度和广度。因此，在目前的小学语文教育中，除了注重知识、能力、情感目标的培养外，更要注重学生对目标的内化，将其提升到语文的美学趣味和良好的个性以及健全人格的建构。素养型课程目标具有情境性、实践性和整合性等特征，它也要求学生在积极的语文实践活动中予以实现。另外，教师还要引导学生在学习语言文字运用的过程中，传承与弘扬中华优秀传统文化、革命文化、社会主义先进文化等"三大文化"，逐步树立正确的世界观、人生观、价值观，提升其对中华文化的认同感和自豪感，建立文化自信。

（二）体现语文学习任务群特点，整体规划学习内容

学习任务将以"群"形式呈现，不再是一个一个，而是一组一组，且具有内在逻辑关联，呈系列化特点。设计学习任务群，要整体规划学习内容，要围绕学习主题，确定具有内在逻辑关联的语文实践活动，设计相互关联的系列学习任务。这就要求教师对课程育人目标、教学内容有更加系统性、结构化的认识，研究探索以学生为主体的教学方法和策略。

教师需要用好现有的统编教材，对所用教学资源进行提取整合，要从碎片化的、单篇的教学改成任务导向的、结构化的教学，不应再如以往一样执着于单篇教学，而是应创造性地提取关键内容及篇目，尽可能多篇章整合来设计教学。比如单元的整组教学或者教读单篇、略读全文、读整本书的三位一体教学。

在任务驱动下，语文学习不仅是读懂一篇篇课文，学习一个个静态的语文知识，还需要围绕学习任务。教师应积极引导学生，要有更为积极自觉的态度、主动探索的精神、持之以恒的毅力，以及调动各种资源的能力才能圆满完成任务。引导学生主动从课文中汲取营养，在课外阅读与生活中搜集学习材料，进行综合性的加工与运用，获得自主学习与挑战的精神愉悦感。

（三）创设真实而富有意义的学习情境，凸显语文学习实践性

教师要合理安排学习内容和组织语文实践活动，通过创设真实的学习情境、提供学习支架等方式有机结合单元任务教学与单篇选文教学，使学生在完成学习任务的过程中习得语文知识和技能，积累语文学习经验。另外，在学习任务群的难度上，教师也要依据不同学段差异和学生个体的差异，减缓任务的坡度和降低其难度，增强学生的学习兴趣和求知欲。同时，教师还应该重视不同学习任务群之间的内在联系，各个学习任务群与学习主题之间的关系，以及同一学习任务群在不同学段学生间的差异性和连续性。

语文课堂应重视学生读书、写作、口语交际、搜集处理信息等语文实践，提倡多读多写，改变机械、粗糙、烦琐的作业方式，让学生在语文实践中学习语文，学会学习。善于通过专题学习等方式，沟通课堂内外，沟通听说读写，增加学生语文实践的机会。充分利用学校、家庭和社区等教育资源，开展综合性学习活动，拓宽学生的学习空间。

（四）关注互联网时代语文生活的变化，探索语文教学方式的变革

时代在飞速发展，我们已经走进互联网时代。新时代教师当顺应时代的发展趋势，了解当

今时事政治与教育最新政策，紧跟时代脚步，及时更新教育教学理念，实现教与学的变革。为取得更好的教学效果，做到人文性与工具性的统一，教师需在备课时花大量功夫搜集相关教学资料进行整合，设计最佳教学方案。为丰富教学内容，教学 PPT 成为我们课堂上不可或缺的教学资源，通过多媒体的展示，教学课件可以十分直观地展示教学内容，能通过图片、动画、视频、音频等方式将内容传递给学生，帮助学生更好地理解教学内容，这在很大程度上解决了那些光靠被动听讲而无法理解的内容。教师应打破课堂的局限性，利用互联网，将课堂"搬回家"。比如，学生可利用"出口成章"APP 收听正确的朗读示范，查看自己的朗读成绩，完成课文朗读的任务，教师亦可以在后台查看学生的完成情况。再如，微信成为大家普遍使用的联络工具，教师可以利用微信群，对学生作业进行检查、上传、批改、指导。

（五）课标对小学语文课程实施的具体建议

《语文课程标准》依据"六三"学制，围绕核心素养确立课程目标，将义务教育语文课程目标一共分成四个学段，每个学段分成识字与写字、阅读与鉴赏、表达与交流、梳理与探究四个板块，每个板块又分成若干要素。所有这些板块与要素，都紧扣课程总目标，是对九条总目标的具体化呈现。四个板块也是语文四大实践活动，体现了以促进学生核心素养发展为目的的素养型课程目标体系。

1. 关于识字与写字教学

识字与写字是阅读与鉴赏、表达与交流的基础，是第一学段的教学重点，也是贯串整个义务教育阶段的重要教学内容。小学三个阶段学生的识字写字能力、"会认"与"会写"的字量要求有所不同，如表 1-2 所示。

表 1-2　识字与写字教学各阶段的要求

板块	第一学段	第二学段	第三学段
识字与写字	识字能力：学习独立识字	识字能力：有初步的独立识字能力	识字能力：有较强的独立识字能力
	识字数量：识字 1600 个，写字 800 个	识字数量：累计识字 2500 个，累计会写字 1600 个	识字数量：累计识字 3000 个，累计会写字 2500 个

在教学过程中要"多认少写"，要求学生会认的字不一定同时要求会写。《语文课程标准》附有"识字、写字教学基本字表"，建议先认先写"字表"中的 300 个字，逐步发展识字与写字能力。识字教学要注意儿童特点，将学生熟识的语言因素作为主要材料，结合学生的生活经验，引导他们利用各种机会主动识字，力求识用结合。要运用多种识字教学方法和形象直观的教学手段，创设丰富多彩的教学情境，提高识字教学效率。

2. 关于阅读与鉴赏教学

阅读是运用语言文字获取信息、认识世界、发展思维、获得审美体验的重要途径。阅读与鉴赏教学是学生、教师、教科书编者、文本之间对话的过程。在《语文课程标准》中阅读与鉴赏教学板块以阅读学习为中心，涉及"语言文字积累与梳理""实用性阅读与交流""文学阅读与创意表达""思辨性阅读与表达""整本书阅读"和"跨学科学习"等六个学习任务群。而其中所设置的学习要求，不同阶段从朗读能力、默读能力、整本书阅读、阅读总量等提出了不同的任务目标，如表1-3所示。

表1-3　阅读与鉴赏教学各阶段的要求

板块	第一学段	第二学段	第三学段
阅读与鉴赏	朗读能力：学习用普通话正确、流利、有感情地朗读	朗读能力：用普通话正确、流利、有感情地朗读	朗读能力：熟练地用普通话正确、流利、有感情地朗读
	默读能力：学习默读	默读能力：初步学会默读，做到不出声，不指读	默读能力：默读有一定的速度，默读一般读物每分钟不少于300字
	整本书阅读：尝试阅读整本书	整本书阅读：阅读整本书，初步理解主要内容	整本书阅读：阅读整本书，把握文本的主要内容
	背诵积累：背诵优秀诗文50篇（段）	背诵积累：背诵优秀诗文50篇（段）	背诵积累：背诵优秀诗文60篇（段）
	阅读总量：课外阅读总量不少于5万字	阅读总量：课外阅读总量不少于40万字	阅读总量：课外阅读总量不少于100万字

阅读与鉴赏是学生的个性化行为。阅读与鉴赏教学应引导学生钻研文本，在主动积极的思维和情感活动中，加深理解和体验，有所感悟和思考，受到情感熏陶，获得思想启迪，享受审美乐趣。要珍视学生独特的感受和体验。教师应加强对学生阅读的引领、点拨和指导，但不应以教师的分析来代替学生的阅读实践，不应以模式化的解读来代替学生的体验和思考；要善于通过合作学习解决阅读中的问题，但也要防止用集体讨论来代替个人阅读。

（1）阅读与鉴赏教学应注重培养学生感受、理解、欣赏和评价的能力。这种综合能力的培养，各学段可以有所侧重，但不应把它们机械地割裂开来。在理解课文的基础上，提倡多角度、有创意的阅读，利用阅读期待、阅读反思和批判等环节，拓展学生的思维空间，提高学生的阅读质量；但要防止逐字逐句的过深分析和远离文本的过度发挥。

（2）阅读与鉴赏教学应重视朗读和默读。各学段关于朗读的目标都要求"有感情地朗读"，这是指，要让学生在朗读中通过品味语言，体会作者及作品中的情感态度，学习用恰当的语气、语调朗读，表现自己对作者及其作品情感态度的理解。朗读提倡自然，要摒弃矫情做作的腔调。

（3）阅读与鉴赏教学应加强对学生阅读方法的指导。让学生逐步学会精读、略读和浏览。有些诗文应要求学生诵读，以利于丰富积累、增强体验、培养语感。

（4）阅读与鉴赏教学应重视培养学生广泛的阅读兴趣，扩大阅读面，增加阅读量，提高阅读品位。提倡少做题，多读书，好读书，读好书，读整本的书。关注学生通过多种媒介阅读，鼓励学生自主选择优秀的阅读材料。加强对课外阅读的指导，开展各种课外阅读活动，创造展示与交流的机会，营造人人爱读书的良好氛围。

3. 关于表达与交流教学

口语交际与写作是运用语言文字进行表达和交流的两种重要的方式。口语交际是听与说双方的互动过程，而写作是认识世界、认识自我、创造性表述的过程。良好的口语交际与写作能力是语文素养的综合体现。表达与交流教学各阶段的要求如表 1-4。

表 1-4　表达与交流教学各阶段的要求

板块	第一学段	第二学段	第三学段
表达与交流	口语交际：逐步养成说普通话的习惯；能认真听他人讲话	口语交际：能用普通话交谈，学会认真倾听，听人说话时能把握主要内容，并能简要转述	口语交际：听人说话认真、耐心，能抓住要点，并能简要转述；注意语言美
	写话习作：写自己想说的话；乐于运用阅读和生活中学到的词语	写话习作：能不拘形式地写下自己的见闻、感受和想象，注意把内容写清楚；课内习作每学年 16 次左右	写话习作：能写简单的记实作文和想象作文，内容具体，感情真实；课内习作每学年 16 次左右

关于口语交际活动主要应在具体的交际情境中进行，不宜采用大量讲授口语交际原则、要领的方式。应努力选择贴近生活的话题，采用灵活的形式组织教学，重视在语文课堂教学中培养口语交际的能力，鼓励学生在各科教学活动以及日常生活中锻炼口语交际能力。

关于写作教学应贴近学生实际，让学生易于动笔，乐于表达，激发学生自信心与兴趣。第一学段定位于"写话"，第二学段开始"习作"，这是为了降低学生写作起始阶段的难度，重在培养低年级学生写作兴趣和自信心。写作教学应抓住取材、构思、起草、加工等环节，指导学生在写作实践中学会写作。重视引导学生关注现实，热爱生活，积极向上，表达真情实感，并在自我修改和相互修改的过程中提高写作能力。

教师教学中要重视写作教学与阅读教学、口语交际教学之间的联系，善于将读与写、说与写有机结合，相互促进。要关注作文的书写质量，要使学生把作文的书写也当作练字的过程。

积极合理利用信息技术与网络的优势，丰富写作形式，激发写作兴趣，增加学生创造性表达、展示交流与互相评改的机会。口语交际能力是现代公民的必备能力。应培养学生倾听、表达和应对的能力，使学生具有文明和谐地进行人际交流的素养。

4. 关于梳理与探究教学

"梳理与探究"是在《义务教育语文课程标准（2022 年版）》中首次提出，是《语文课程标准》中出现的高频词之一。梳理即梳爬整理，是对语文学习内容进行挑选、整理、分析，能帮助学生更好地整理信息、发现规律，主动建构，查漏补缺。探究即探索追究，是从问题开始进行探索，帮助学生对知识与方法进行观察、比较、辨别、想象、推理、判断等，学会思考，学习探究的技巧。两者先梳后探究，前后承接又密不可分。梳理与探究教学各阶段的要求如表 1-5。

表 1-5　梳理与探究教学各阶段的要求

学段	梳理与探究
第一学段	①观察字形，体会汉字部件之间的关系。梳理学过的字，感知汉字与生活的联系 ②观察大自然，热心参加校园、社区活动，积累活动体验。结合语文学习，用口头或图文等方式整理、表达自己在活动中的见闻和想法 ③对周围事物有好奇心，能就感兴趣的内容提出问题，结合其他学科的学习和生活经验交流讨论，尝试提出自己的看法
第二学段	①尝试分类整理学过的字词。尝试发现所学汉字形、音、义和书写的特点，帮助自己识字、写字 ②学习组织有趣味的语文实践活动，在活动中学习语文，学会合作。结合语文学习，观察大自然，观察社会，积极思考，运用书面或口头方式，并可尝试用表格、图像、音频等多种媒介，呈现自己的观察与探究所得 ③能提出学习和生活中的问题，有目的地搜集资料，共同讨论，尝试运用语文并结合其他学科知识解决问题
第三学段	①分类整理学过的字词，发现所学汉字形、音、义和书写的特点，发展独立识字能力和写字能力 ②感受不同媒介的表达效果，学习跨媒介阅读与运用，初步运用多种方法整理和呈现信息 ③初步了解查找资料、运用资料的基本方法。利用图书馆、网络等渠道获取资料，解决与学习和生活相关的问题。尝试写简单的研究报告 ④策划简单的校园活动和社会活动，对所策划的主题进行讨论和分析，学写活动计划和活动总结。对自己身边的、大家共同关注的问题，或影视作品中的故事和形象，通过调查访问、讨论演讲等方式，开展专题探究活动，学习辨别是非、善恶、美丑

梳理与探究学习提倡跨学科学习，注重"观察发现、问题解决、活动探究"等，体现为语文知识的综合运用、听说读写能力的整体发展、语文课程与其他课程的沟通、书本学习与生活实践的紧密结合，体现整合型思维。

梳理与探究学习应贴近现实生活，联系生活中的实际问题开展学习活动，在实现语文学习目标的同时，提高对自然、社会现象与问题的认识，追求积极、健康、和谐的生活方式，增强抵御风险和侵害的意识，增强在与自然、社会和他人互动中的应对能力。学习中应突出学生的自主性，重视学生主动积极的参与精神，主要由学生自行设计和组织活动，特别注重探索和研究的过程，要加强教师在各环节中的指导作用。综合性学习应强调合作精神，注意培养学生策划、组织、协调和实施的能力。梳理与探究学习的设计应开放、多元，提倡与其他课程相结合，开展跨领域学习，积极构建网络环境下的学习平台，拓展学生学习和创造的空间，支持和丰富语文综合性学习与实践探究活动。

5. 关于"学段要求"的四个板块的关系

正因为"学段要求"是对总目标的具体化，所以，从横向的角度看，"学段要求"的四个板块之间有着高度的逻辑关联性。例如"表达与交流"板块，则是在口头语言和书面语言的真实运用和交际过程中，进一步巩固了"识字与写字"的收获，促进了"阅读与鉴赏"的深化；同时，也为"梳理与探究"提供了语言运用经验的积淀、语言文字知识的储备以及跨学科学习能力的支撑。从纵向的角度看，四个学段分成四大板块，每个板块的层次性非常明晰。以"阅读与鉴赏"板块中的"默读能力"为例，第一学段的具体要求是"学习默读"，难度和要求都是最低的；第二学段的具体要求是"初步学会默读"，难度和要求显然有所提高，但属于初步掌握阶段；第三学段的具体要求则是"默读有一定的速度"，这是在初步掌握基础上的更高要求，因为速度不仅跟默读方法和技巧有关，也跟默读目的和专注度有关，还跟默读背景和前理解有关，属于默读的较高阶段。

总之，语文课程核心素养是一个整体，由此演绎、细化而成的语文课程总目标和学段要求，同样是一个相互关联、秩序清晰的整体，它们贯通课程内容和学业质量水平，是课程实施、课程评价、课程改进的质量标准和衡量尺度。

（六）《语文课程标准》对小学语文课程实施的评价建议

课程实施评价是指检查课程的目标、编订和实施是否实现了教育目的，实现的程度如何，以判定课程设计的效果，并据此作出改进课程的决策。

1. 小学语文课程评价的目的与功能

小学语文课程评价的根本目的是促进学生学习，改善教师教学。小学语文课程评价应准确反映学生的学习水平和学习状况，全面落实语文课程目标。应充分发挥语文课程评价的多重功能，恰当运用多种评价方式，注重评价主体的多元与互动，突出语文课程评价的整体性和综合性。要根据不同年龄学生的学习特点，按照不同学段的课程目标，抓住关键，突出重点，采用合适方式，提高评价效率。小学语文课程评价应该改变过于重视甄别和选拔功能的状况，突出评价的诊断和发展功能。

小学语文课程评价具有检查、诊断、反馈、激励、甄别和选拔等多种功能，其目的是考查学生实现课程目标的程度，检验和改进学生的学习和教师的教学，改善课程设计，完善教学过程。应发挥小学语文课程评价的多种功能，尤其应注意发挥其诊断、反馈和激励的功能，以有效地促进学生的发展。

2. 小学语文课程实施的评价建议

（1）重视形成性评价。形成性评价关注学习过程，有利于及时揭示问题、及时反馈、及时改进教与学活动。终结性评价关注学习结果，有利于对教学活动作出总结性的结论。形成性评价和终结性评价都是必要的。应加强形成性评价，注意收集、积累能够反映学生语文学习与发展的资料，可采用成长记录袋等各种方式，记录学生的成长过程。对学生语文学习的日常表现，应以表扬、鼓励等积极的评价为主，采用激励性的评语，从正面加以引导。

（2）坚持定性评价和定量评价相结合。定性评价和定量评价相结合可以全面反映学生语文学习的状态及水平。评价方法除了纸笔测试以外，还有平时的行为观察与记录、问卷调查、面谈讨论等各种方法。语文学习具有重视情感体验和感悟的特点，更应重视定性评价。学校和教师要对学生的成长记录和考试结果进行分析，评价结果的呈现方式除了等级或分数以外，还可用代表性的事实客观描述学生语文学习的进步，并提出建议。

（3）评价方法设计要注重可行性和有效性。各种评价方法都有其一定的适应性，在评价的客观性和深刻性上也各有差别，因此，评价设计要注重可行性和有效性，力戒烦琐，防止片面追求形式。

（4）注意多种评价方式、方法相结合。小学语文课程实施应注意将教师的评价、学生的自我评价与学生之间的相互评价相结合，加强学生的自我评价和相互评价，促进学生主动学习，自我反思。评价要理解和尊重学生的自我评价与相互评价，要尊重学生的个体差异，这样才有利于每个学生的健康发展。

 **案 例**

《荷花》 教学实录片段[1]

师：（朗读）"白荷花在这些大圆盘之间冒出来。"句子很简单，不仔细品味，你是很难发现它的美的。

生1：我觉得这个"冒"字写得特别美。到底美在哪儿，我也说不清楚。

师：好！既然大家都觉得这个"冒"字很美，那我们就来好好地体会体会。你们觉得，这个"冒"字还可以换成别的什么字？

生1：露；生2：钻；生3：长；生4：顶；生5：穿；生6：伸。

《荷花》教学实录

---

① 王崧舟，林志芳. 诗意语文课谱——王崧舟十年经典课堂实录与品悟 ［M］. 上海：华东师范大学出版社，2011.

师：但是，你们说的这些字眼作者用了没有呢？没有！尽管意思差不多，但作者都没用，就用了这个"冒"字，是不是？为什么？为什么呢？（学生都没有反应）不着急，好的字眼，美的字眼，是需要用时间慢慢去咀嚼的。你们先读读这段课文，体会体会。（学生自由朗读）

师：谁嚼出"冒"的味道来了？你们觉得怎么样长出来才叫冒出来？

生1：我觉得比较快地长出来是冒出来，不是很慢地长。

师：迅速地长出来。好，这是你的感觉。

生2：悄悄地长出来。

师：悄悄地长出来。有点害羞的味道，嗯，这是你嚼出来的味道。

生3：争先恐后地长出来。

师：争先恐后地长出来。这一朵急着要长出来，那一朵也急着要长出来，谁也不让谁。我们从中体会到了荷花的一种心情，什么心情？

生4：急切的心情。

师：冒是怎样地长？冒是急切地长。

生5：迫不及待的心情。

生6：非常高兴的心情。

生7：非常激动的心情。

生8：欢天喜地的心情。

师：太好了！迫不及待地长，兴高采烈地长，非常激动地长，欢天喜地地长，这就是冒出来呀！你们还有别的体会吗？

生9：心花怒放地长出来。

生10：快快乐乐地长出来。

生11：亭亭玉立地长出来。

师：是啊，同学们，作者不用"长"、不用"伸"、不用"钻"，就用了"冒"这个字眼。为什么？因为"冒"让我们嚼出了荷花的急切、荷花的激动、荷花的争先恐后、荷花的迫不及待、荷花的心花怒放。

想不想看一看这样冒出来的荷花？

生：（齐答）想！

师：（播放课件，随着音乐和画面，教师旁白）白荷花在这些大圆盘之间冒出来，那么急切，那么激动，那么争先恐后，那么心花怒放。看看这一朵，很美；看看那一朵，也很美。白荷花们仿佛想说些什么？仿佛又想做些什么？

（学生欣赏摇曳多姿的荷花）

师：同学们，尽情地展开你想象的翅膀。你就是一朵白荷花，白荷花就是你自己。现在，你最想说些什么？最想做些什么？请写在练习纸上。

（音乐响起，学生独立写话）

白荷花们，此时此刻，此情此景，你想说些什么？你想做些什么？

生1：（读话）我是一朵美丽的荷花，从这些大圆盘之间冒出来，我想让前来观看的游人们更早地看到我美丽的面孔。

生2：（读话）我是一朵洁白的荷花，从这些大圆盘之间冒出来，我骄傲地说："瞧！我长得多美呀！"

生3：（读话）我是一朵亭亭玉立的荷花，从这些大圆盘之间冒出来，我变成了一个美丽的小姑娘，穿着洁白且美丽的上衣，穿着碧绿的裙子，在随风飘舞。

师：荷花仙子来了！真是三生有幸啊！（笑声）

生4：（读话）我是一朵招人喜欢的荷花，从这些大圆盘之间冒出来，我想要跟别的荷花比美，你们谁也没有我这样美丽动人。

师：我欣赏你的自信！自信的荷花才是美丽的荷花。

生5：（读话）我是一朵姿态万千的荷花，从这些大圆盘之间冒出来，我想说："我终于长成一朵美丽而漂亮的荷花了，可以让许多游客来观赏我。"

师：将自己的美献给游客，你不但有一个美丽的外表，更有一颗美丽的心灵。

生6：（读话）我是一朵快乐的荷花，从这些大圆盘之间冒出来，我想说："夏天可真美，我也要为夏天添一些色彩。"

生7：（读话）我是一朵孤独的荷花，从这些大圆盘之间冒出来，我多想找几个小伙伴跟我一起捉迷藏啊！

师：谁想跟这朵荷花交朋友？

（学生纷纷举手）

师：不孤独，孩子，不孤独。你有朋友，瞧！他们都是你的朋友。

生8：（读话）我是一朵充满希望的荷花，从这些大圆盘之间冒出来，我希望自己变得越来越美丽，这样我就可以成为花中之王了！

这是诗意语文倡导者王崧舟老师执教三年级课文《荷花》时的课堂实录片段。王老师的《荷花》一课，上得情趣盎然，让人印象深刻。整堂课以"美"为主线，让学生在潜心会文的过程中，去发现、感悟荷花的美，将荷花拟人化、生命化、情态化，进而用自己的情感和语言去创造荷花的美。

（1）彰显了语文课程的工具性与人文性的统一。

王老师充分抓住"冒"这个字眼去感受荷花的生命状态，通过换"冒"字、添加"冒"

字的状态及感受"冒"字的情感状态来体会荷花的神韵，一个"冒"字四两拨千斤，充分锻炼了学生的语言文字运用能力，在悟性及灵性的滋养下，学生读出了一个风情万种的"冒"字，这体现了语文这门学科的工具性、人文性及两者之间的辩证关系。

（2）实现了语文课程三维目标的整合统一。

王老师非常注重对学生的表象与语言的整合能力的训练，学生将所看到的通过自己的语言表达出来，在这个过程中一步步地提高自己对文字的把握能力。语文是文化，而不是科学，王老师的课蕴含着思维、思想情感、审美情趣、价值判断和人文精神，是人的灵魂的教育，让学生从内心去感受、体验荷花的美，陶冶情操，实现了知识与能力、过程与方法、情感态度与价值观的整合统一。

（3）充分落实了语文课程的基本理念。

王老师深入落实了语文教学的基本理念，充分认识语文课的特点，以提高学生语文素养为宗旨，上了一堂开放而有活力的语文课。王老师遵循主体性原则，以学生为中心，尊重学生的个人感受和独特见解，鼓励、引导学生努力寻求独特的认识和感受。另外，王老师的提问注重时机性原则，让问题之间环环相扣。在王老师多种评价方式的引导下，整个课堂生机勃勃，氛围热烈。

这节课深刻把握了第二学段学生的特点及语文课程的基本理念，帮助学生从形象思维向抽象思维过渡，让学生有了较为丰富的感性知识，实现了教学中段的教学目标，为我们提供了很好的小学语文课堂实施的范例。

第二节　小学语文教学设计

加涅在其著作《教学设计原理》一书中指出，教学设计是一个系统化规划教学系统的过程，教学系统本身是对资源和程序作出有利于学习的安排。

一　小学语文教学设计的概念与基本要求

小学语文教学设计是指小学语文教师以现代语文教学理论为依据，基于其对学生学情、学生心理和具体的学习目标、相关知识的深入理解和把握，综合考虑小学语文课程的要求和教学内容的特点，有序安排和组织诸多教学要素，选择合适的教学计划和过程的一种整体性方案。小学语文教学设计作为通常意义上的教学设计的一部分，和其他科目的教学设计一样，都遵循着相应的教学理念和原则，有着共同的规律和特性，如教学设计的目的性、综合性和有序性等。

教学设计的目的性，是指教学设计的初衷和要义，都要服从于某一个或某一系列教学目标的达成，都是为创设具体教学情境、分解相应教学任务、实现总体教学目标而服务的。任课教师在制定教学设计、实施教学过程时，需要从一开始就确立一个总的教学目标和若干个子目标。教师在上课前所制定的教学设计的各个组成部分、各个不同阶段，实际上都受到了总体教学目标的规制和影响，都需要在教学目标的总体框架下发挥作用，都是达到预期教学目标的有效因子。

教学设计的综合性，具有多方面内涵。随着社会的发展和信息化时代的到来，课程形态的综合性和全面性也越来越明显。从教学设计制定者即任课教师自身发展的角度来说，任课教师需要具有渊博的学识和聪敏的眼光，需要准确把握具体学情，对繁杂的知识体系由此及彼、去粗取精。从教学设计本身来说，它涵盖了教学目标、教学方法及手段、教学重难点、教学过程、教学反思等多个要素，也需要对各个知识点进行综合处理，实现知识点的融会贯通。

教学设计的有序性，是指任课教师对知识内容的处理和教学环节的安排，不能随意而凌乱，一定要有某种内在的逻辑，要体现一定的次序，要呈现一个有序性的整体。在实际的教学过程中，任课教师有必要高度重视学生认知发展的心理顺序，对重要知识点和关键疑难点的传授，要遵循由点到线（面）、由易到难的原则，以提高学生对相关学科知识内容的接受和理解程度。

具体到小学语文教学设计，除了要遵循教学设计的普遍规律以外，它也有着作为语文学科教学设计和小学阶段教学设计的特殊性。小学语文教师有必要直面小学语文教学的诸多任务、目标和问题，采取特定的教学手段、方式和方法，在"小学语文教学"这样一个特定的具体操作层面深思熟虑，以完善和达成小学语文教学设计的基本要求。

（一）口语交际教学和书面语教学相统一

从"语文"的本质来讲，它主要包括语言和文字两个方面。以"语文"的这种质的规定性作为逻辑起点，在教学实践活动中，势必要通盘考虑口语交际教学和书面语教学的辩证关系以及听、说、读、写这四种语文能力之间的复杂关联。和成年人相比，小学生在口头交流和语言表达方面肯定还存在着这样或者那样的不足。小学生的综合语言表达能力，是小学生将外部的有效信息转化为知识文化素养的必要途径，也是其个人成长和社交行为调整的重要依据，在很大程度上，直接影响了其认知、情感和人际交往能力的发展。因此，在小学语文教学设计中，小学语文教师有必要突出口语交际教学，强化听、说训练，以便切实提高小学生尤其是低龄段小学生的交流和沟通表达技巧，满足其人际交往、个性成长的迫切需要。

此外，语文学科也是一门注重基础、强调积累、讲究文学艺术品位和思想文化内涵的学科，无论是字词的辨识和句意的把握，还是个人情感的抒发和书面形式的表达，抑或是对文学作品的鉴赏和交流，都不可能一蹴而就，必须通过大量的阅读和写作实践才能得以提高和发展。在小学语文课堂教学中，小学语文教师通过读、写环节的设置，来考查和训练学生的读写能力，属于常规的教学操作之一。阅读和写作等书面语教学能让小学生掌握更多的文化知识，吸收更多人类文化的优秀成果，也能切实帮助小学生培养良好的语感和阅读理解能力，借此达到初步鉴赏文学作品、扩展自身精神内涵和文化品格的目标。

但需要注意的是，口语交际教学和书面语教学是同属于小学语文教学体系中不可分割的两部分，更不能将二者简单理解为听、说、读、写四项内容的简单相加。在具体的课堂教学设计中，小学语文教师有必要根据具体学情和相应的教学任务，科学、合理地分配时间和权重，将听、说、读、写有机联系起来，使其彼此相融，有序轮转；将口语交际教学和书面语教学统一起来，使其相互促进，和谐发展。

（二）语文知识教学和实践应用教学相统一

语文学科知识体系庞大而繁杂，涉及大量的字音字形、重点词语、标点符号、语法规范、行文结构和海量的文学作品，也牵涉浩如烟海的历史背景、民俗文化和文史常识。这些都是小学语文教师在教学设计中要相应处理，并在语文课堂上要向学生一一讲授的相关知识内容。"师者，所以传道受业解惑也。"（韩愈《师说》）向学生传播道理、教授课业、解答疑惑，本来就是教师的本职工作。无论小学语文教师在小学语文课堂上寄寓了多少宏大的教育理想，有多少玄妙而丰富的情感体验要向学生传递，它都必须建立在小学语文教师对基础性知识内容的传授的基础之上，小学语文教师要引导学生在初步掌握了相关知识内容的前提下展开思索和探究。

除了着力向学生传授大量语文知识以外，小学语文教师还应当高度重视语文学科的实践性特质。语文不仅是一门文化课程，还是一门实践性课程。有研究者指出，以语言应用为重要任务的语文课程，其所涉及的内容具有综合性、丰富性和多样性，但语文课程关注的核心要素不是文学、文化、科学等学科知识，而是语言运用知识及行为。在此前提下，小学语文教学也理应以实践应用为主要导向之一，面向小学生所熟悉的具体化的生活场景，引导学生不仅要掌握语文学科的相关知识性内容，还要力求学以致用，将所学到的语言文化知识应用到生活实践之中。结合语文学习，学会倾听、理解和欣赏，也要学会观察、交流和展示；要能够学会运用语文学科知识，通过搜集资料、调查访问、分析讨论、撰写报告等，来研究和解决生活中的一些简单问题。唯有在小学语文教学设计中将知识传授教学和实践应用教学相统一，才能进一步提高语文学习效率。

（三）语言文字教学和文学鉴赏教学相统一

学校语文教学是一种系统的、有目的、有计划、有组织的语言学习活动，一定的语言知识的学习必不可少。尤其是在小学阶段，字音的辨读，笔顺的书写，字词的识记、掌握和应用，词汇量的积累和语法规范的理解，以及遣词造句的练习等，都可以说是小学语文课堂中的常规教学项目。以这些字词积累和训练为重要内容的语言文字教学不仅是小学语文口语交际教学和书面语教学的核心范畴，还在小学生个体成长和人际交往方面发挥着相当重要的作用。所谓交际主体必须具备的基本语言素养，主要表现为运用交际语言进行表达的能力与技巧和对语言的感受与理解能力。它能够促使学生增进对母语文字的亲切感和熟悉感，以更简练、准确、生活化的语言表达自己的所思所感，提高审美趣味和思考深度，也有利于激发学生对祖国语言文字的热爱，通过这种母语知识教育，来培育学生爱国主义、集体主义的情怀。鉴于此，小学语文教学必须突出语言文字教学的基础性地位，强化语言知识训练环节，稳步发展小学生的语言知识运用能力。

但语言文字教学不等于抱着一本汉语词典从头学到尾，尤其是在小学阶段，对语言文字的学习，需要有大量的优秀文学作品作为范本和媒介。优秀文学作品是获得了历代读者高度肯定和广泛传播的文学精品，具有极高的文学性、可读性和形象性，也具有恒久的阅读价值和丰富的语言魅力。小学语文教学通常都需要借助相应的优秀文学作品，以这些优秀文学作品为教学样本，来设置具体的教学情境和相关的语言知识教学模块。在这个过程中，势必要涉及对优秀文学作品的分析、鉴赏、阐释和解读，涉及对优秀文学作品的模仿及对其语言实践价值的开发和利用，这些都属于文学鉴赏的范畴，也因此决定了文学鉴赏教学在小学语文教学中的重要价值和独特地位。简言之，语言文字教学是文学鉴赏教学的起点和基础，文学鉴赏教学是语言文字教学的发展和目标，二者相辅相成，不可或缺。

（四）语文专业化教学和综合性课程教学相统一

小学语文是基础教育课程体系中的一门专业化程度极高的课程，无论任务还是内容都有着鲜明的特色，与同属于小学基础教育课程体系中的数学、道德与法治、科学、体育、音乐、美术等学科有着迥然不同的性质和面貌，如字词拼读、名句默写、朗诵示范、文本梳理、语法修辞、作文评改等教学活动，人文性和工具性相结合等显著特点，都是语文学科所独有，而其他学科（英语除外）所基本没有的。小学语文教师应当高度重视语文课程的这种专业化特征，立足于小学语文课程的实际需求，并能在日常教学设计中有所考虑和安排，充分挖掘小学语文作为一门专业化课程的基本特质和相对优势。

与此同时，小学语文也是一门学习语言文字运用的综合性课程，涉及字音学、语言学、文艺学、历史学、文化学、哲学、自然科学等多个学科门类，同时也是学习中小学其他科目的基础，占据着义务教育阶段主干课程的显要地位。它在小学综合性学习中，理应发挥出一种基础引领作用。具体在小学语文教学设计中，必须高度重视综合性探究与学习，准确契合综合性课程教学的要求和普遍规律，将语文专业化教学和综合性课程教学统一起来，既能够在文本选择、内容编排、教学目标、组织形式、能力指标等方面，体现出小学语文课程的专业化特征，也能够整合相关知识内容，体现出语文作为一门综合性课程的重要内涵。

总而言之，小学语文教学设计反映了小学语文教师对小学语文教学的种种设想和展望，也在很大程度上决定了课堂实际教学的推进过程和风格面貌。小学语文教师理应遵循语文学习的教学规律，深入理解语文学科教学和小学阶段教学的诸多特性，将口语交际教学和书面语教学、语文知识教学和实践应用教学、语言文字教学和文学鉴赏教学、语文专业化教学和综合性课程教学统一起来，以便更好地达成教学意图。

二　小学语文课堂教学设计的主要内容

小学语文课堂是小学生进行语文学习的主要场所，是小学语文教师开展教书育人活动的主要途径。以小学语文课堂教学为导向的教学设计，囊括了教学目标设计、教学重难点设计、教学方法设计、教学过程设计、教学板书设计等一系列相关内容，充分体现了小学语文教师的教育理念和教学艺术。

（一）教学目标设计

在小学语文课堂教学设计的过程中，教学目标设计是极其重要的一个环节。教学目标既是课堂教学的起点，也是课堂教学的归宿。说它是起点，是因为教学目标规定了上课的教学内容、重难点以及学生要达到的认知水平，为具体教学过程指明了方向。说它是归宿，是因为它能有效检测教学效果，也可以说它是教学评价的一个重要标准。要想达到预期的理想的教学效果，我们在设计教学目标时就要遵循以下原则。

教学目标设计要体现教材意图。《语文课程标准》对教材的编写提出了实施建议，涵盖其指导思想、内容及形式等。《语文课程标准》是语文教材编写的依据，语文教材是实施《语文课程标准》的重要载体。所以在设计教学目标时，我们首先就要学习并认真钻研《语文课程标准》，理解小学语文课程的性质和地位、基本理念以及设计思路，明确小学阶段的培养目标以及各学段、各年级的相应要求。如林海音的散文《窃读记》，曾被不同版本的教材收录在不同年级，既被选为鄂教版语文教科书九年级下册第1课课文，又被选为人教版语文教科书五年级上册第1课课文。对于小学生而言，其更多是关注"我"很爱看书、"我"对知识的渴求；而中学生则对"窃读"那种复杂的滋味和陌生人对"我"的关怀有更深刻的体会。教师在设计教学目标时，要充分考虑编者编写教材的意图和不同学段的阶段性教学目标，着眼于学生语文素养的整体提高，从知识与能力、过程与方法、情感态度与价值观三个维度来设计，并使三者相互渗透，融为一体。

教学目标设计要以学生为本。教学活动是一个有组织、有目的的活动，也是一个教与学的双边活动。在新课程理念中，学生是学习的主体，我们的教学目标要本着"以生为本"的原则，尊重受教育者的个性特点和身心发展规律，采取多种形式激发其学习动机，创建愉快、和谐的学习氛围，充分发挥他们的主动意识和进取精神，使其积极地参与到学习中去。同时，因已有的学习经历、学习基础、学习方法、家庭教育背景等各要素的影响，学生之间也有着一定的差异性。教师应了解每一个学生的情况，关注其全面发展，面对不同发展基础、不同发展需求的学生，要因材施教，让每个学生都学有所获。

（二）教学重难点设计

教学的重难点不是语文教师主观上随意确定的，它是客观的，符合教学规律和学生的认知规律。所谓重点，就是教学中最基本、最核心、最重要的内容，它是面向全体学生、具有普遍性的教学知识点，同时它也有着连续性，能对后续知识的学习产生重要的影响。而教学难点则不同，它是教学中难以解决的部分，通常是学生难以理解和掌握的知识点。教学重难点受教学目标制约，又与其相辅相成，它围绕教学目标展开，为教学目标服务。从某种层面来说，教学重难点的解决过程就是教学目标逐渐实现的过程。

为此，语文教师要认真钻研《语文课程标准》和教材。《语文课程标准》指出：语文课程致力于全体学生核心素养的形成与发展，为学生学好其他课程打下基础；为学生形成正确的世界观、人生观、价值观，形成良好个性和健全人格打下基础；为培养学生求真创新的精神、实践能力和合作交流能力，促进德智体美劳全面发展及学生的终身发展打下基础。《语文课程标准》规定了语文课程的性质、语文课程的基本理念以及课程目标与内容等，这是语文教师教学的大方向，不能偏离。在把握大方向的前提下，语文教师要结合各学段的目标和内容，整体把握教材的编写体系，揣摩编者意图，根据不同年级各单元教学的特点，对文本进行全面解读，挖掘每篇课文的亮点，大胆取舍和创新，进行重难点设计。

（三）教学方法设计

教学方法是教学活动中，任课教师在处理相关教学内容时，为实现一系列教学目标和教学任务所采取的特定的教学组织形式的总称。它体现了任课教师最为基本的教育教学理念和教书育人的功底，是判断任课教师教学水平的重要依据。教学方法种类很多，其中小学语文课堂中最为常见的教学方法包括讲授法、讨论法、演示法、练习法、陶冶法、探究法等。

那么，如何选择教学方法呢？首先，教师可以从教学目标和内容出发选择教学方法。每个学段的目标和内容都不一样，对学生的要求也不一样。我们必须根据学生每个阶段的身心发展特点去选择教学方法。如第一学段"表达与交流"部分："对写话有兴趣，留心周围事物，写自己想说的话，写想象中的事物。在写话中乐于运用阅读和生活中学到的词语"。低年级的孩子才开始学习写字，写单个字尚且困难，如何调动起他们"写话"的兴趣呢？根据他们的身心发展特点，我们可以设计"每日分享"栏目，分享他们在放学路上的见闻，校园发生的趣事乐事，每日的收获等。优秀的"写话"稿可以上班级宣传栏、班级广播站，做成优秀写话本等。用多元化的评价方式去肯定孩子们的"写话"，激发他们"写话"的热情。而第二、三学段"表达与交流"中则由"写话"变成了"习作"，对内容、体裁、表达形式等提出了更高的要求，如"注意把自己觉得新奇有趣或印象最深、最受感动的内容写清楚""学写读书笔记，学写常见应用文"等，那么教学方法也要随之改变。

其次，教师可以根据教学实际选择教学方法。统编版小学语文三年级上册《富饶的西沙群岛》中描绘的场景，对于住在南海的同学们来说并不陌生，他们每天都生活在这片富饶的土地上，对大海、珊瑚、鱼群、海鸟已司空见惯。而对于居住在内陆地区的同学们来说，这些场景却有些陌生，教师可以通过一些图片、视频和语言的引导设置具体的情境，带领同学们走进课文。教师在设计教学方法时，要考虑到教学场地、教学设备等教学实际，不要超条件去设计，否则会适得其反。

最后，教师选择教学方法时要考虑到自身的专业素质和教学风格。教师语言的组织能力，对课堂的把控力，教学中随机应变的能力……这些都限制着教学方法的选择。我们可能会有这样的感受，一个非常好的教学设计，名师上课，课堂上精彩纷呈，大家赞不绝口。而当我们用同样的教学设计去实施课堂教学时，则有可能"东施效颦"，贻笑大方。这就是忽略了教师自身的专业素质和教学风格所导致的结果。每个教师的专业成长背景不一样，个性、特点也不一样，教师在设计和选择教学方法时，一定要扬长避短，找到适合自己的方法，优化课堂教学效果。

（四）教学过程设计

教学过程，简单地说，就是课堂教学实施的过程，即怎样开始、怎样发展、怎样结尾的过程。它包括教师的教和学生的学两种活动。教学过程不是无的放矢，它是教师有目的、有计划、有组织的安排。教师精心选择教学内容和教学资源，研究不同的教学方法和手段，最终达到教学目标。教学过程反映着教师的教学理念，凝结着教师的教学个性和风格，关系着学生能力的发展。

教学过程的设计要求教师更新教育理念。叶澜教授在《人生杂感》中写道："教学在互动中生成，在沟通中推进。"教师应该创设互动情境，在课堂中展开师生之间、生生之间、生本之间的多元对话，丰富学生的学习经验，培养学生"自主、合作、探究"的学习方式。这样，学生的思想才会碰撞出智慧的火花，心灵才会得到自由，潜能才能得到释放；课堂才不会是死气沉沉的课堂，而是充满生机与活力的、真实的课堂。

教学过程的设计需要我们紧紧围绕教学目标展开。教学目标就是教学过程设计的方向标，我们要将这些目标合理地分解与分配，落实到课堂的每个环节，搭建实现教学目标的支架。不同课型的教学目标不同，我们设计的教学过程也不一样。新授课更多的是基于课文去设计教学过程，如统编版小学语文一年级《江南》的教学目标：要认识"江、南"等 9 个生字，会写"可、东、西"3 个生字。练习课更多的是注重学生对方法的掌握及运用。而复习课更关注对以前所学内容的巩固与记忆、充实和提高。针对不同的教学内容设计不同的教学方式、活动方式是设计教学过程时不能不考虑的因素。

教学过程的设计需要从学生认知规律的实际出发。学生是独立的个体，有自己的认知经验和心得体会。在课堂教学过程的设计中，教师要让学生充分地表达自己的理解和感受，而不是将自己的想法强加给学生。同时教师也要培养学生倾听的习惯，使学生学会倾听不一样的看法和见解，并从中得到启示。这样，师生互动、生生互动才不会是表面的热闹，而是真实的交流，是建立在对文本理解的基础上的。学生在表达自己的理解和感受时，同时也是在倾听，在别人的分享中获得启示。这样才会产生思维碰撞的火花，才能让学生的能力得到发展。

教学过程的设计应充分挖掘我们身边的教学资源，贴近学生生活。我们要活用教材，但是不局限于教材。倘若身在农村，我们可以引导学生在静谧的夏夜听蛙鸣，赏繁星明月，广阔的田野、奔腾的河流、高耸的大山，都可以成为课堂的一部分。倘若身处热闹的都市，我们可以引导学生去博物馆探寻文化的魅力，去超级商店感受新颖且独特的购物体验……我们可以在不同的环境中打造不一样的课堂。教学条件的差异造就了教学资源的独特性，使得我们的课堂呈现多彩的光芒。

小学语文教学实效的提高离不开我们对教学过程各环节的精心设计，只有充分重视它，我们的课堂教学才能真正培养学生的能力，更好地达成教学目标。

（五）教学板书设计

由于信息化教学的普及，板书在小学语文课堂中的作用有所下降，但仍然发挥着一定作用。它是指小学语文教师根据自身理解和教学实际需要，用文字、简笔画、特定数字和符号等在黑板上再现和强调重要教学内容的教学行为。因此，板书绝对不是随意涂画，它是教师精心设计的课堂缩影，是教师上课的脉络和主线，反映出课堂教学的重点，为教学目标服务，是语文课堂教学的一个重要组成部分。

一般来说，好的板书设计应该具备以下条件：一是板书内容简练精要。板书是教师开展教学的辅助手段，它提取了教学内容的重点，将每一个知识串珠成线，形成整体性的知识结构，变成学生易于理解和记忆的刺激点。简练精要的板书内容需要教师深入钻研教材，在理解文本的基础上，将有效信息提炼出来，其既能反映整堂课内在的知识逻辑结构，也能反映教学过程，做到主线清晰，枝蔓有序，条理清楚，层次分明。二是板书形式多样灵活。板书的设计并没有固定的模式，针对不同教材、不同内容、不同课型以及不同的学生，板书设计应该是不一样的。记叙文一般会体现叙事脉络、人物品质（精神）；说明文一般要求抓住说明对象的特点及运用恰当的说明方法等；而小说更加关注的是故事情节、人物形象和典型环境。第一学段的语文板书设计内容以字词的展示、学习为主，板书风格应生动有趣，能够图文并茂，引起学生的兴趣。如"生字开花""开火车"组词学习。而第二学段的学生处在从形象思维到抽象思维的过渡阶段，教师在设计板书时要注意培养学生的逻辑思维能力，可以设计脉络式的板书。第三学段应该更加注重学生的探究能力，板书设计可以抓住文中的一些关键词句，给学生以启发，让学生自主探究，唤醒学生对知识的探索欲望和进取心，给学生以学习的动力。

总之，板书的设计是在认真钻研教材、备课的基础上进行的，它有着明确的目的性，为教师的教和学生的学提供有利条件。它体现了教师对文本的处理情况，也是教师个人教学风格的展示。它既能让学生加深对内容的理解和记忆，培养其思维的连贯性和概括能力，也能激发起学生的学习兴趣，培养学生良好的学习习惯。设计和运用好板书，是每一位教师进行教学实践的必要过程，应当予以充分重视。

案 例

统编版教材六年级上册《少年闰土》 教学设计①

一、教学目标

1. 会写"郑、拜"等12个字，会写"一望无际、家景"等14个词。

2. 借助相关资料，读通、读懂文中难理解的语句，理解课文内容。

3. 学习作者"通过事情写一个人，表达出自己的情感"的写作方法。

4. 体会闰土在"我"心中的美好形象，并在此基础上有感情地朗读课文，背诵第一自然段。

二、教学重难点

1. 重点：理解课文内容，体会闰土在"我"心中的美好形象。学习作者"通过事情写一个人，表达出自己的情感"的写作方法。

2. 难点：借助相关资料，读通、读懂文中难理解的语句。

三、教学过程

(一) 谈话揭题，走近鲁迅

1. 学习单元篇章页，初识鲁迅。

(1) 出示脸部有特征人物图片2幅，认一认（从外貌、所在场景等了解）。

(2) 依次出示篇章页上的鲁迅特写照片、个人简介，了解鲁迅。

小结：通过篇章页上鲁迅的照片、文字，我们初步认识了他。

---

① 执教者：杭州师范大学附属嘉兴经开实验小学曹珠凤。案例出自公众号"嘉兴小语". http：//mp. weixin. qq. com/s？＿＿biz＝MzU3MjU0NTIxMQ＝＝&mid＝2247486121&idx＝1&sn＝9ff80e30df214ce8e25d7d5f53177f7b&chksm＝fcce0b7dcbb9826b827816d444e686debf7abd9fa8f6a412c12290a552b6
ce537515a1925dd7&mpshare＝1&scene＝23&srcid＝07179R7LVDnbQiGVUMNSMXeF&sharer_ sharetime＝1594947362702 &sharer_ shareid＝f109f6f700bef2fb6200f00a17d67b6d#rd.

（3）出示篇章页上臧克家《有的人》中的一段话，齐读，说说读懂了什么。

小结：要认识一个人，我们还可以听听别人对他的评价。

（4）读一读鲁迅说的话，又了解到鲁迅是个怎样的人？出示：

横眉冷对千夫指，俯首甘为孺子牛。

什么是路？就是从没有路的地方践踏出来的，从只有荆棘的地方开辟出来的。

友谊是两颗心的真诚相待，而不是一颗心对另一颗心的敲打。

小结：鲁迅，一个有血有肉的民族英雄！这个单元我们将走近鲁迅，读读他写的文章，更好地认识他。

2. 揭题，解题。

（1）今天，我们就来读读鲁迅写的文章——《少年闰土》。课文选自小说集《呐喊》中《故乡》的一段插叙。伸出手和老师一起写课题。（教师边写边指导会意字"闰"：王在门中）

（2）读题，体会写标题的方法：写人的文章，可用文中主要人物作为标题。

（二）初读课文，知晓大意

1. 了解背景，自学课文。

（1）小说《故乡》创作于1921年，文言文与白话文交替时期，有些文字表达和现在不同。我们碰到不理解的字词，怎么办？（预设：可看注释，联系上下文，借助工具书、书上插图……）

（2）学生根据要求自学课文，教师巡视。

2. 词语检查，朗读交流。

秕谷　　鹁鸪　　獾猪　　祭祀　　供品　　神佛

第一组解决难读的词：朗读。

第二组解决难懂的词：朗读，发现这组词的特点（祭祀：旧俗备供品向神佛或祖先行礼，表示崇敬并求保佑。供品：供奉神佛、祖宗用的瓜果、酒食等。神佛：神和佛。教师小结：是呀，经济落后，生活条件差，知识又缺乏，人们只能祈求神明保佑家人平安富足）。

3. 梳理课文情节，了解主要内容。

（1）第四单元我们学了小说。回顾小说三要素（人物、情节、环境）。

（2）出示打乱后的下面四个关键词，梳理本课情节：

（回忆）—（相识）—（相处）—（离别）

（3）看板书，教师引导学生说主要内容，帮助学生建立人物闰土与情节的关系。

小结：这其实是文章的主要内容。我们把握了小说情节，就把握了它的主要内容。

（4）同桌互说主要内容。

（5）这篇文章的情节顺序和一般的故事情节顺序有何不同？（板书：倒叙）

（三）回忆中的闰土，正面感知人物形象

1. 教师范读第一自然段，感知画面。

2. 学生齐读，说说：你看到一个怎样的少年？

3. 抓住人物外貌，尤其是动作进行交流（根据学生交流板书闰土形象），并请学生加上动作读读描写闰土的句子，体会闰土形象。

（四）相识中的闰土，了解闰土特点

1. 读2~5自然段，提取相关信息，为闰土制作一张人物信息卡。

人物信息卡	
人名	闰土
名字由来	闰月生的，五行缺土
年龄	十多岁，和我仿佛年纪
身份	"忙月"的儿子
外貌	紫色的圆脸，头戴一顶小毡帽，颈上套一个明晃晃的银项圈

2. 学生书上圈画——填人物信息卡。

3. 四人小组内交流。

4. 集体交流，逐个交流表格中的内容。（请代表上台汇报，或投影展示一生作业实物，或组员分工汇报；教师适时打断并提出问题，请该组回答，或请台下学生补充）

（1）第一格：闰月生的，五行缺土。

重点理解"五行缺土"。（勾连第六单元"日积月累"，感知当时人的迷信，父亲对他的疼爱）

（2）第二格：十多岁，和我仿佛年纪。（可借助上文（第一段）知道：十一二岁）

重点理解"仿佛"。（出示词典意思、进行选择，明确：我们可以借助工具书查阅资料，理解内容）

（3）第三格："忙月"的儿子。

（4）第四格：紫色的圆脸，头戴一顶小毡帽，颈上套一个明晃晃的银项圈。

5. 聚焦外貌描写。

（1）从外貌描写看出闰土是个怎样的少年？（根据学生汇报板书）

（2）点拨：可它没有我们平时写的眉毛、眼睛、鼻子，这样写好吗？

（3）出示书上第二幅图，辨认哪个是闰土，为什么这么快找到？

小结：只要抓住人物特点刻画，人物形象就更清晰、鲜活了。（板书：特点）

（五）相处中的闰土

过渡：继续观察第二幅图，图上的闰土在干吗？（讲新鲜事）

1. 默读6~18自然段，用小标题概括四件新鲜事：

雪地捕鸟—（　　　）—（　　　）—（　　　）

2. 交流反馈"海边拾贝"时，概括小标题的写作方法（地点或时间+事件），再交流后面两个。交流时，请概括得好的学生在带磁条的白纸上写下小标题，并将其贴在黑板上。

预设1：雪地捕鸟—（海边拾贝）—（瓜地刺猹）—（潮汛看鱼）

预设2：雪地捕鸟—（夏日拾贝）—（月夜刺猹）—（沙地观鱼）

…………

3. 闰土给"我"讲了四个具体事例，教师指板书，学生说。

4. 思考：哪件事给"我"的印象最深？过渡到第一自然段的"瓜地刺猹"。

（六）再次聚焦第一自然段，侧面感知闰土形象

1. 齐读第一段，思考：这段主要写了闰土，还写了什么？（猹、景）

2. 怎么写猹、景？读出了什么？（指名说、读）

3. 既然写闰土，为什么还要写猹、景？（指名说，教师小结：直接写人物的是正面描写，用其他物、景衬托人物的叫侧面描写。板书：正面　侧面）

4. 配乐朗读（教师先读正面描写，学生读侧面描写；再男女生配合读）。

小结：用正面、侧面的方法把机智勇敢的少年写得活灵活现。

5. 师生合作读，看教师手势（手按文字内容依次指向：上面，下面，其间）：深蓝的天空中挂着（　　　），下面是（　　　），都种着（　　　）。其间有一个（　　　），头戴（　　　），颈套（　　　），手捏（　　　），向一匹猹（　　　）。那猹（　　　），反从（　　　）。

6. 借助插图，尝试背诵。

（七）根据板书，总结学法

这节课我们走近了回忆中的闰土，认识了一个机智勇敢的闰土，走近了初次相识的闰土，认识了一个活泼可爱的闰土；还学到了一些描写人物的方法。（教师手指板书，学生说）

（八）下节课我们继续听闰土讲述其他几件新鲜事

【板书设计】

24. 少年闰土

倒	回忆	机智勇敢		正面　侧面
	相识	活泼可爱		特点
叙	相处	雪地捕鸟	瓜地刺猹	
		夏日拾贝	潮汛看鱼	具体事例
	离别			

《少年闰土》是统编版语文六年级上册第24课。本单元以"走近鲁迅"为主题，此篇是本单元第一篇精读课文。

教学目标设计科学、合理、全面。从《语文课程标准》来看，第三学段的学生应具备"较强的独立识字能力。累计认识常用汉字3000个左右，其中2500个左右会写"。在阅读方面要能"用普通话正确、流利、有感情地朗读课文"，并能"阅读叙事性作品，了解事件梗概，能简单描述自己印象最深的场景、人物、细节，说出自己的喜爱、憎恶、崇敬、向往、同情等感受"。根据课标要求，曹老师结合本单元的教学目标"借助相关资料，理解课文主要内容"和"通过事情写一个人，表达出自己的情感"两个关键点展开。"借助相关资料，理解课文主要内容"，学生可以根据教师的要求去寻找相关资料，教师为学生提供学习的支架。四个教学目标从"知识与能力、过程与方法、情感态度与价值观"三个维度去设计，考虑全面，设计科学、合理。

教学重难点符合教学规律和学生的认知规律。曹老师根据《语文课程标准》第三学段识字与写字、阅读等的各项要求和教材的单元目标确立了教学重点。它具有普遍性和延续性，对于后续学生学习抓住人物特点、把握人物形象、写出真实情感有很大帮助。而这篇课文的难点在于作者所处的时代背景与学生所处年代很不一样，有些句子难以理解，而这些句子正是理解课文内容的拦路虎，把它作为教学难点符合学生的实际情况。

教学过程设计为实现教学目标服务。六年级的学生已经具备独立识字的能力，写字习惯也已逐步养成，曹老师针对一些难读的字词设计了"朗读交流"活动，旨在正音，也为不同程度的学生提供了展示的平台。如何借助相关资料，读通、读懂文中难理解的语句，从而去理解课文内容？在"初读课文，知晓大意"的环节中，曹老师预设了解决难懂字词的具体方法，包括可看注释，联系上下文，借助工具书、书上插图等。在"梳理课文情节"时，提供了打乱的四个关键词"回忆、相识、相处、离别"，通过关键词引导学生去说主要内容，将大目标化为一个个具体的小目标，降低了学习的难度，有助于学生快速掌握课文的情节，同时也抓住了课文的表达顺序——倒叙，可谓一箭双雕。

在"初读课文，知晓大意"的基础上，曹老师带领学生一步步走入课文，去感知闰土的人物形象。在讲解"回忆中的闰土"时，曹老师引导学生抓住人物的外貌、动作，用品读的方式去体会闰土的形象，既锻炼了学生的朗读能力，也加深了学生对闰土人物形象的理解。讲解"相识中的闰土"时，曹老师引导学生为闰土制作人物信息卡。采用小组合作的方式，充分挖掘各类学生的优点、长处，引导学生合作。汇报形式多样化，有代表上台汇报、作业实物投影展示、组员分工汇报，充分考虑学生多样化的需求，为学生提供更多展示的平台。在"聚焦外貌描写"环节，曹老师抓住"紫色的圆脸，头戴一顶小毡帽，颈上套一个明晃晃的银项圈"这一关键语句引导学生描绘人物形象要抓住人物特点，水到渠成。在"相处中的闰土"讲解环节，在概括具体的事例时，曹老师展示了小标题概括法（地点或时间+事件），学生通过学习马上就能够迁移运用。接下来又自然而然地过渡到印象最深刻的事件，聚焦到第一自然段，通过寻找、品读、理解相关词句，侧面感知闰土形象。在配乐中，师生一起走进当时的情境，感受人物机智勇敢的特点。最后，借助插图，结合手势，将背诵第一自然段的教学目标融入其中。不同层次的朗读目标，多样化的朗读方式，让学生一步步沉浸于课堂。

板书设计的内容非常清晰，一目了然。我们可以通过板书很快地回忆起课文的内容，串联起整堂课的脉络。左边是文章采用了"倒叙"的表达方法，右边是刻画人物的方法：正面和侧面描写相结合，抓住人物特点，通过具体事例刻画人物形象。板书的正中央是文章的主要内容。板书的词语简练、精当，便于学生记忆和理解。

整体来看，整篇教学设计以《语文课程标准》为标准，以单元目标为导向，对文本充分解读，遵循学生的发展规律，将识字、阅读、口语交际等有机结合，为学生的多样化学习提供支点和平台，各教学环节相互独立又衔接自然，教学方法和方式多样，板书设计简洁、清晰，不失为一篇优秀的教学设计。

第三节　小学语文教材

随着社会的发展，小学语文教材编写也要与时俱进，以立德树人为宗旨，利用语文学科善于熏陶、感染的特点，将社会主义核心价值观化为语文的血肉，很自然地实现其在语文教材设计中的整体渗透，发挥语文教材在育人方面的独特优势。

 ## 一　小学语文教材的发展历程

（一）概念的界定

在了解小学语文教材的发展历程前，我们先要明确"小学"和"课本"这两个概念。

1. 小学

何谓小学？小学是指人们接受最初阶段正规教育的学校，是基础教育的重要组成部分。目前我国实行九年义务教育，其中小学阶段的教育年限为六年。在这一阶段接受教育的适龄儿童一般都是6~12岁。语文课程是小学的核心课程之一。语文是人文社会科学的一门重要学科，它是人们相互交流思想的汉语工具。它既是语言文字规范的实用工具，又是文化艺术，同时也是用来积累和开拓精神财富的一门学问。正如先前所提及的，小学语文课程不仅承担着语言文字教育的重任，还是儿童价值观念社会化的重要途径。

2. 课本

何谓课本？课本是指在学校学习期间用于学习课程的教材，也被称作教材。作为教师教育学生的蓝本，它是师生进行教学互动必不可少的工具。教材能够提供丰富的阅读材料，营造自主学习的情境，促进学习方式的改变。学生通过教材，能够学习系统的知识，能够启迪美好的情感，能够陶冶高雅的情操。教材能够让学生在学好本领的同时树立正确的、科学的价值观、人生观和世界观。小学语文教材即指在小学学习阶段用于语文课程学习的课本，其内容主要是各类文章以及需要掌握的文字、词汇等。

（二）蒙学读本（1840 年以前）

蒙学读本是指为实现启蒙教育目标而编写的各种读物，古代蒙学读本主要有《急就篇》和"三百千"。

1.《急就篇》

《急就篇》是史游在西汉元帝时期（约公元前 40 年）所著，其主要特点是：

（1）生字密度大，有 2144 个字。

（2）整体押韵，便于记忆。三言、四言、七言韵语，读起来上口，儿童容易记住。

（3）包含丰富的知识。2000 多个字分为三部分："姓氏名字""器服百物""文学法理"。所涉及的内容广泛，有助于儿童增长知识。

2."三百千"

"三"是指《三字经》，相传是宋代王应麟所编，全书共 1140 个字。《三字经》的主要特点是：

（1）内容上，涉及面广，包含了中国的传统教育、历史、天文、地理、伦理道德、民间传说等。

（2）语言上，三言韵语，朗朗上口，便于背诵。

"百"是指《百家姓》，是宋人所编，用宋朝皇帝的姓打头，算是尊国姓。《百家姓》的主要特点是：

（1）内容上，都是姓氏。

（2）语言上，400 多个字用韵语编写，流畅和谐，儿童容易记忆，而且具有实用价值。

"千"是指《千字文》，是南北朝梁武帝时期周兴嗣所编，选用王羲之书法作品中 1000 个不同的字，编成四言韵语，共 250 句。它的主要特点是：

（1）内容丰富，条理清楚。

（2）语言方面，整齐押韵，便于儿童诵读。1000 个字不重复（极少量重复字是由于汉字简化而引起的字形变化），都是古书上的常用字。

（三）国文教材（1904—1920）

1904 年清政府颁布《奏定学堂章程》，对"中国文字""中国文学"的学习提出了要求，语文教材也走上了近代化道路。1906 年，清政府设立编纂审查机构，颁布了《教材审定办法》，实行教材审查制。1907 年，清政府颁布《奏定女子小学堂章程》，不再设置"读经"课程，而是设置"国文"课程，这标志着学科意义上的语文教学开始进入学校课程。

1.《最新国文教科书》

1904—1908 年，商务印书馆出版了中国近代第一部形式和内容都比较完善的教科书——《最新国文教科书》，其中给初等小学用的共 10 册。该套书还另编有供教师使用的各章课文的讲授和详解资料。

《最新国文教科书》的主要特点是：

（1）以识字为主，简易的字在前，繁难的字在后，选取言文一致的字。

（2）内容上贴近儿童生活的字编在前面，离儿童生活较远的字编在后面。

（3）在阅读上有大体安排，先识字，再读句子，最后读篇章。

（4）全书各课皆附有精美的图画，并与课文配合，以引起儿童的兴趣。

《最新国文教科书》在当时教育界产生了很大的影响。由于时代原因，内容上有封建的忠、孝、仁、义、尊孔、崇道思想和资产阶级自由、平等、博爱等口号。

2.《女子高等小学国文教科书》

1914 年中华书局出版了《女子高等小学国文教科书》。该书的主要特点是：

（1）课文内容非常丰富，共 6 册，每册 40 课，共 240 课。

（2）编纂理念比较先进，除了开启童蒙，扩展知识，使学生能读会写外，这套书还肩负起涵养性情、培植道德、养成现代公民意识的责任。

（3）教材使用文言文，文字有深度。

（四）国语教材（1920—1949）

1. 1920—1927 年的国语教材

1920 年以后出版的小学一、二年级教材都采用白话文编写。教材由各家书坊自行组织编写，国民政府教育部统一审定。经审查的国语教材，一共有 21 套。这些教材的特点是：

（1）用白话文编写语文课本，这是我国教材史上的重大发展。

（2）增强了语文的文学性和趣味性。以儿童文学为主，增加拟人体童话故事类材料，丰富儿童的想象，唤起儿童的兴趣。

（3）受"五四"运动的影响，增加了反帝反封建爱国的内容。

（4）受美国杜威"儿童本位"理论的影响，不适当地强调趣味性。

（5）当时中国改革学制，教材编写忽视民族特点，由模仿日本转向模仿美国。

2. 1927—1937 年的国语教材

1927—1937 年的小学国语教材分为两类：一类是国民政府小学国语读本，另一类是苏区政府小学国语读本。

（1）国民政府小学国语读本。

这个时期的国语教材编审，是"审定制"和"国定制"并存。"审定制"是指编辑教材允许自由竞争，但必须经过审定组织的审查。审定组织由国民政府教育部聘请人员组成。"国定制"是指国民政府规定内容，组织编辑成书。

教材主要有沈百英和沈秉廉编写的《复兴国语教科书》、叶圣陶编写的《开明国语课本》。《复兴国语教科书》的主要优点是：注意运用图画；用故事及其他文艺形式介绍自然科学常识。其不足之处是：物语太多，有不健康的内容；方言和地方性图画过多。《开明国语课本》是当时编得比较好的一种国语教科书，分为"小学初级学生用"和"小学高级学生用"。这套读本突出了"儿童本位"，有浓厚的"儿童文学"色彩。全书图文并茂，以单元组合排列，单元间又相互照应，这种编写体系有利于学生进行读写训练，便于教师教学。

（2）苏区政府小学国语读本。

苏维埃政府明确宣布：在苏区小学里，禁止使用基督教的书籍、国民党文化书籍和"四书""五经"等作教材，要求各地小学使用苏区政府组织编写的教材。

苏区政府小学国语读本有以下几个特点：

①密切联系土地革命战争的实际。宣传革命道理，揭露国民党反动派、地主阶级等压迫、剥削人民的罪恶，鼓励人民参加红军。

②密切联系生产劳动和苏区群众生活的实际。

③注意儿童特点，形式多样，通俗生动，图文并茂。

3. 1937—1949 年的国语教材

抗日战争全面爆发以后，教科书的社会动员和政治宣传功能都发挥到极致，充满了爱国主义热情和对日本侵略者的控诉。由于战争的影响，当时交通不便，物资紧张，各地多根据自己所需，因地制宜，自编教材。

（五）中国当代小学语文教材（1949—1976）

中国当代小学语文教材是指 1949 年后所使用的小学语文教材。教材对一个国家、一个民族的发展有着重要影响，集中体现了国家的教育思想和教育观念，反映了国家意志。中华人民共和国成立以来，我国小学语文教材建设在探索中前进，走过了一条曲折的道路。其发展、演变经历了以下几个阶段：

1. 中华人民共和国成立初期小学语文教材（1949—1957）

中华人民共和国成立前小学语文学科被称为"国语"。中华人民共和国成立时，教材只能采用"临时课本"，小学仍沿用"国语"这个名称。无论从民族语言政策着眼，还是从学科内涵考虑，"国语"这个名称都不能准确地揭示小学语文学科的本质与特征。1950年6月由中央人民政府出版总署编审局出版全国统一的《语文》课本，全国小学一律使用国定的统编版，不再使用自编本，"国语"的学科名称被取消，新加的学科定名为"语文"，从此开始了社会主义"语文"教育的新时代。

1950年，小学语文主要使用原老解放区的国语教材，同时人民教育出版社编写了中华人民共和国成立后第一套《小学语文课本》。课本比较系统地编入了思想教育内容，从认识学校生活、家庭生活到认识自然、社会，都有比较具体的安排。

1952年，全国各地陆续使用由人民教育出版社修订的小学"四二制"教材《小学语文课本》，语文教材开始趋于统一。

1954年，人民教育出版社开始组织编写六年制的小学教材，原定于1959年秋季以前编完，但为了适应当时的形势发展需要，决定在保证质量的前提下提前编完。1956年《小学语文教学大纲（草案）》颁布后，教材又按新颁布的大纲要求进行编写，并于同年正式出版。这套教材共12册，包括初级小学8册和高级小学4册，是中华人民共和国成立后第一套比较系统的小学语文教材。整套教材具有以下几个方面的特点：

（1）识字教学采用集中安排，依据语言环境中教学的方法来编辑教材。

（2）以阅读教材为主体，有目的地选编课文，综合安排语文基本功训练的内容。

（3）阅读教材重视社会主义思想教育和道德情操的陶冶，体现了语文学科的思想性。

2. "教育革命"后的小学语文教材（1958—1976）

在1958年的"教育革命"中，各地纷纷自编小学语文教材，不仅省市编，有的学校，甚至个人也编，不少语文课本只是汇集"大跃进"中的民歌、口号。

1963年，根据教育部颁发的《全日制小学语文教学大纲（草案）》，人民教育出版社新编了一套《全日制十二年制学校小学语文课本》和教学参考书，同年秋季在全国使用。这套教材既总结了我国传统的语文教学经验，又吸收了中华人民共和国成立以来语文教学正反两方面的教训；既反映了我国语文教学的个性，又体现了我国语文教材的特点，尤其注意知识的系统性，强调语文基础知识的教学和基本技能的训练，有利于提高教学质量。与1956年的大纲版教材相比，这套教材主要有如下两个方面的特点：

（1）把识字教学作为首要任务，加强了写字教学。

（2）以培养学生的读写能力为主要线索，注意多背、多写、多练。

1964—1965年，根据教育部关于调整和精简中小学课程的通知，小学语文课本进行了"小改"和"中改"，主要是加强教材的思想性，精简烦琐的内容。同时，在"以三大革命运动为纲"的思想指导下，对小学语文进行了所谓的"大改"，即按阶级斗争、生产斗争、科学实验的内容编选课文，因此对小学生学习语文的特点考虑较少。不过这套教材只编出了"送审本"，未出版发行。

1966年6月，教育部在关于教材的处理意见中提出"政文合一"。1966年8月，提出"教材要彻底改革"。1967年2月，提出"五、六年级和1966年毕业生，结合'文化大革命'，学习《毛主席语录》，学习'十六条'""一、二、三、四年级学生学习《毛主席语录》，兼学识字"。1968年1月，"四人帮"炮制了《语文教改调查报告》，"政文合一"的语文教材，就是在这一背景下编写的，多为学校自选自编，到1976年，全国各地都自编小学语文教材。

1970—1976年间的小学语文教材，内容多与"文革"相关，具有强烈的政治性。

（六）现代化建设新时期小学语文教材（1977—2001）

在现代化建设新时期，小学语文教材主要有五年制和六年制全国通用教材。除此之外，还有许多地方性教材和教学改革试验教材。

1. 1978年《全日制十年制学校小学课本·语文（试用本）》

1978年，人民教育出版社根据同年颁布的语文教学大纲编写了《全日制十年制学校小学课本·语文（试用本）》。这套教材的主要特点是：

（1）采用多种形式编排识字教材。一、二年级仍以识字教学为重点，两年内安排识字1700个左右。

（2）编排三类课文，培养学生的自学能力。

（3）编排读写训练项目，培养学生的读写能力。该教材创造了两种课文类型，一是"习作例文"，二是"读写例话"。

1981年颁布的《全日制五年制小学教学计划（修订草案）》，从1982年秋季开始试行。1987年国家教委颁布了《全日制小学语文教学大纲》，因而，该套教材又重新修订，以便与义务教育教材接轨。

2. 1984年通用《九年义务教育六年制小学教科书·语文（试用本）》

为了适应五年制小学与六年制小学并存的教学需要，人民教育出版社编写了《九年义务教育六年制小学教科书·语文（试用本）》，第1册和第3册于1984年秋季始用，至1986年春季12册编齐出版。

3. 1992年《九年义务教育全日制小学课本·语文》

1988年，国家教委颁发了《九年义务教育全日制小学语文教学大纲（初审稿）》。1992年，人民教育出版社和有关部门根据大纲精神编写了《九年义务教育全日制小学课本·语文》。这套教材的特点是：

（1）力求体现时代精神，重视教材的思想性。新编教材保留了文质兼美、富有教育意义的传统课文，同时也对课文进行了较大幅度的更新，新选编的课文约占全套教材的1/4。

（2）适当降低要求和难度，突出教材的基础性。全套教材安排了 2500 个常用汉字，比原来通用教材减少了 500 个字；体裁多样，可读性强；适当降低了作文教学要求。

（3）改进教材编排，加强语文基本功训练的系统性。全套教材分低、中、高三个阶段，教材在重视识字、写字和读写训练的同时，穿插安排听说训练，使学生的各项语文基本功有序、协调地发展。

（4）注意体现训练过程，加强学习能力的培养。在培养学生的语文学习能力方面，新编教材采取了一些措施。

（5）正确处理统一性和灵活性的关系，增加教材的弹性。义务教育教材依据我国各地教育发展和学生个体发展的不平衡性，采取了增加弹性的措施，在统一的前提下，体现一定的灵活性。

这套教材在全国部分学校开展试验的基础上，经审查通过后，于 1993 年秋季供全国城乡实施义务教育的小学使用。

4. 依据地方义务教育教学大纲编写的小学语文课本

（1）上海版《义务教育五年制小学语文》。该教材依据上海中小学课程教材改革委员会制定的总体改革方案和《九年制义务教育语文学科课程标准（草案）》编写，供经济发达地区使用。

（2）浙江版《义务教育五年制小学课本（试用）·语文》和《义务教育六年制小学课本（试用）·语文》。该教材依据浙江省教育委员会制定的《义务教育小学语文教学指导纲要》编写，供广大农村使用。

5. 小学教学改革实验语文教材

这一时期，一些地区开展了小学语文课程和教材改革实验，大都自编了语文实验教材，比如辽宁省的《全日制小学实验课本·语文》、黑龙江省的"注音识字，提前读写"实验课本等。这些义务教育小学语文教材，均为系列教材，一般配套有自读课本或课外阅读课本、生字生词卡片、练习册、教学挂图、教学参考书、声像教材资料等。

（七）21 世纪初新课标版小学语文教材（2001—2016）

2001 年 6 月，教育部印发了《全日制义务教育语文课程标准（实验稿）》。按照该课程标准全国共编订了 12 套教材，人教版、北师大版和苏教版率先通过审定。此后，语文 S 版、西师版等其他版本也陆续通过审定。各套教材综合起来有以下几个特点：

（1）教材内容能够与时俱进，有时代性。

（2）注重探究发现，注重对学生语文综合实践能力的培养，鼓励探究发现。

（3）重视弘扬传统文化，凸显人文内涵。

（4）地方特色鲜明。

（八）新的征程——统编教材（2016 年以后）

从 2012 年 3 月开始，根据中共中央关于加强义务教育道德与法治、语文、历史三科教材建设的要求，教育部组织专家编写义务教育三科教材。2016 年 9 月秋季学期，三科统编教材在相应年级开始投入使用。从 2019 年秋季开始，全国各地小学语文教材全部更换为统编教材。2020 年春季，统编小学语文教材全套出齐。统编语文教材突出了德育为魂、能力为重、基础为先、创新为上的编写理念，主要表现在以下四个方面：

（1）以马克思主义全面发展理论为指导，将党的十九大报告精神融入教材。

（2）创新教材编排体系，改变传统的完全以阅读为中心的教材编排体系，科学地安排语文策略与能力序列，在重视培养阅读理解能力的同时，加大语言表达特别是书面表达训练在教材内容中的比重。

（3）采用双线按单元组织课程内容，即以宽泛的人文主题将单元课文组织在一起，将语文训练的基本要素作为主线、明线，分成若干个知识或能力训练点，由易及难地分布在各个单元。

（4）增强语文学科内容的系统化设计，合理安排总体内容，将选文、活动、知识等有机结合，用少量的课文示范，让学生学会阅读，对阅读产生兴趣。

小学语文教材的发展历程充分告诉我们，国家政策的支持是语文教材稳定发展的根本保证。因此，全面贯彻执行党的教育方针，为提高国民素质打下良好的文化和精神基础，是语文教材编写的根本目标和基本方向。新时代语文教材统一编写、统一审查、统一使用，确保了国家意志在教材中体现、落实。中小学课程教材建设发展的实践表明，国家正确的方针、政策能确保课程教材政策的稳定性和方向性，是教材建设能够顺利进行的前提，是中小学教学能够有序开展的保障。

二 统编版小学语文教材的总体构思

统编版小学语文教材的编写原则和思路，主要是以立德树人为宗旨，利用语文学科善于熏陶、感染的特点，将社会主义核心价值观化为语文的血肉，很自然地实现其在语文教材设计中的整体渗透，发挥语文教材在育人方面的独特优势。

统编版小学语文教材的统编工作按照"整体规划，有机渗透"的原则，突出全面落实社会主义核心价值观，传承、弘扬中华优秀传统文化与革命传统，遵循语文教育的基本规律，坚持选文文质兼美，增强学生对中华文化的认同感和民族自豪感，激发学生爱国、爱党、爱社会主义的情感，全面提升学生的语文素养。

统编版小学语文教材对篇目的选择是下了很大功夫的，选文既要突出经典性，又要兼顾时代性；还要重视选择思想格调高、语言形式美、值得诵读涵咏的作品；强调体裁的多样性，涵盖古今中外各种文体。篇目的选择既要考虑到服务于语文核心素养的提升，又要贯彻立德树人的总体要求，还要照顾到激发学生自主学习的兴趣，给教师以一定的发挥空间。这么多方面都要兼顾均衡，并不容易，所以很多选文都是经过广泛征求意见、反复讨论和斟酌，才定下来的。所以说，统编版小学语文教材篇目的选择是充分考虑到社会相对共识的。

在主题教育方面，统编版小学语文教材无论是通过增加古诗文、增设专题栏目、大量编选反映中华优秀传统文化的课文来落实主题教育要求，还是以选文来体现革命传统教育主题和国家主权主题，都体现了其对教材内容设计的重视。

这套教材不光在选文方面，在主题结构、体例等诸多方面也是努力做到有革新、有改进。语文教材采取"语文要素"与"人文主题"的双线结构，以人文主题为线索，将语文要素作为另一条线索，精选典范文本，安排必要知识。以前的教材普遍都是主题单元，这次增加语文要素为双线安排，有利于安排必要的语文知识，优化学习的策略，促进学生语言文字运用能力的发展。栏目也增加了很多，日积月累、字词运用、书写提示、口语交际、名著导读等，都是一些比较重要的栏目，另外，还有一些活动探究的单元。

这套教材的面世不是对既有语文教材的颠覆，而是充分吸收了以往版本教材的优秀部分和好的经验，在编写过程中注意遵循语文学习规律，克服随意性，满足一线教学需求，并对当前语文教学中客观存在的一些弊病起到纠偏的作用。这套教材的总体结构具有以下特点。

（一）内涵——注重中华优秀传统文化的渗透与传播

从语文课程的内容看，语文"是人类文化的重要组成部分""教材要注重继承与弘扬中华优秀文化"。因此，语文课程、语文教材，要以传承、弘扬中华民族优秀文化、塑造民族精神品格为己任，为学生提供精神营养。

中华传统文化千姿百态，包罗万象，底蕴深厚，源远流长。针对一年级小学生的年龄特点和接受能力，一年级下册教材从汉语言文化、节日民俗等方面，反映中华优秀传统文化。

比如，对古代蒙学读物《三字经》《百家姓》《声律启蒙》的形式加以改造，并将改造后的形式编入教材，让学生在有节奏的吟诵中识字，如教材中的《人之初》《姓氏歌》《古对今》等课文；《春夏秋冬》一课，也体现了中国传统蒙学读物的编排特点，其中的词和短语不仅读起来朗朗上口，而且语言典雅，富有文化内涵。

再如，利用汉字规律识字。在《动物儿歌》中，小动物的名字都是形声字；《小青蛙》的"青字族"识字，渗透了形声字的规律，让孩子在有趣的儿歌学习中，领略汉字的趣味与精妙；《猜字谜》利用了有趣的传统游戏形式，揭示了形声字的造字规律。

又如，教材中的《端午粽》等课文，让学生了解了中国的传统节日以及节日习俗。在口语交际、"和大人一起读"栏目中安排了民间故事《老鼠嫁女》、绕口令《妞妞赶牛》、童谣

《孙悟空打妖怪》等，让学生感受传统故事中蕴含的趣味和道理，领略传统语言形式的音韵美和结构美。

古代诗词的选用量也有所增加。与统编实验教材一年级下册相比，统编教材的文章数量虽然大幅减少，但古诗数量却从四首增加到了六首。并且，在每个单元的日积月累中，也有层次地安排了成语、民谚、古代名言等有关传统文化的内容。

（二）梯度——循序渐进，螺旋上升

这套教材的编写围绕人文主题和语文要素，双线组织阅读单元，每个单元语文学习的目标都十分清晰，并在教材的课后练习和语文园地中有所呈现，努力做到难度适宜，梯度合理，衔接自然。

每个单元的语文要素是如何安排的呢？教材注重梯度，每一学段、年级，甚至一个学期的前、中、后期，语文要素的安排，都是依照深浅程度形成一条螺旋上升的线索。这样的安排，不仅考虑到了难度系数和教学适用度，也体现了语文教学由浅入深、循序渐进的规律。

这种梯度，在一年级上册和一年级下册教材中已有所安排和体现。从阅读能力训练这条线索来看，一年级上册要求找出课文中明显的信息、学习借助图画阅读；一年级下册要求在继续学习找出课文中明显的信息的基础上，发展、训练根据信息作简单推断的能力。这是阅读能力的进一步发展，更多的是对阅读过程中逻辑思维能力的训练，实现语言和思维发展的同步。从借助图画阅读的目标来看，一年级上册主要是借助图画猜读生字、了解意思，到了一年级下册程度加强，发展到利用形声字特点、依靠上下文来猜字、认字，并根据图文一一对应的特点理解课文内容。

在口语交际方面，从一年级上册和一年级下册各四次的口语交际编排中可以看出，教材通过目标分解、细化落实，帮助学生在循序渐进中提升能力。以"听"为例，从注意听别人说话，到没听清楚时可以请对方重复，训练学生逐步从能听发展到会听。再如"说"的方面，从起步时的敢说、大胆说，逐步到配合动作、清楚明白地说，一步一步地帮助学生提高口头表达能力。从交际习惯和交际规则方面看，从对象意识、场合意识，到礼貌意识，让学生在每一次口语交际中都能得到针对性的训练，使学生的交际能力在层层递进中螺旋上升。

各部分的语文要素在教材中呈现了稳步发展、螺旋递进的编写原则，具有极强的前后关联性。

（三）选文——营养与趣味并重

坚持选文的典范性和适切性。一年级下册的课文大多富有童真童趣，贴近儿童生活，容易引起学生共鸣。新编选的课文，接近全部课文的一半。课文文质兼美，语感鲜明，文化底蕴深厚，体裁多样，既便于学生学习和积累语言，又能使学生在思想和智慧上得到启迪，在情感上受到熏陶、感染。

一年级下册教材的选文内容十分丰富。既有经过时间的沉淀与考验，深受学生和教师喜爱

的经典老课文，也有新选编的、内涵与语言皆美的新课文。在新课文中，有表现自然之美的《春夏秋冬》，有反映现代儿童生活的《怎么都快乐》，有体现家人关爱的《夜色》，有介绍传统节日的《端午粽》，有培养好习惯的《文具的家》，等等。这些选文题材广泛，有利于儿童通过语言文字认识大千世界。选文内容与儿童生活紧密联系，充分考虑儿童的经验世界、想象世界和情感世界；而且体裁多样，有童话，有散文，有儿歌，有故事，不仅确保了教材丰富的思想内涵，而且保证了教材的可读性和感染力。

（四）弹性——注重开放性和弹性，增强适应性

尊重客观存在的地区差异、学校差异、学生个体差异，为了适应不同学生的学习需要，教材加大了选做题和开放性题目的比重，以增强教材的弹性和适应性。

这类题目，有联系学生已有知识经验的，如，"你知道关于端午节和粽子的故事吗？"有借鉴课文语言表达的，如，"说说你会为每个季节画什么颜色的太阳。""想想你有没有和'我'相似的经历，和同学说一说。"有指向生活的，如，"说一说班里的同学都有哪些姓。""你喜欢什么体育活动？和同学说一说。""一分钟能做什么？"有开展游戏活动的，如，"我们也来猜字谜吧！""和同学分角色演一演这个故事。"这些丰富多彩的活动，是对课文学习的进一步拓展和延伸，演、猜、画等活动形式的引入，使语文学习与学生的生活产生了更为有趣的联系，这有利于学生从单纯的听、说、读、写中解脱出来，让学生感受到语文学习的乐趣。

教材的开放性，还体现在语文与其他学科的相互融合之中。《语文课程标准》中明确指出："拓宽语文学习和运用的领域，注重跨学科的学习和现代科技手段的运用，使学生在不同内容和方法的相互交叉、渗透和整合中开阔视野，提高学习效率，初步获得现代社会所需要的语文实践能力。"基于这样的理念，教材有意识地设置了学科沟通的内容。比如，"语文园地"让学生展示在其他学科课本上认识的字，《要下雨了》《棉花姑娘》等课文，通过有趣的童话故事，向学生传递科学知识，这些都体现了学科相互勾连、相互融合、相互渗透的大语文观念，把语文学习有机地同其他学科联系在一起，使学生认识到生活中、学习中处处都有语文。

本章知识结构导图

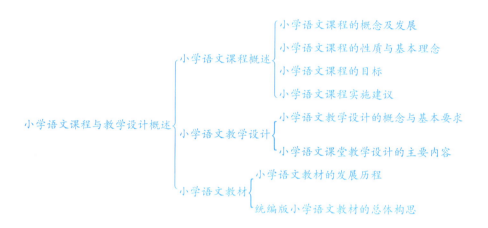

知识点检测

参考答案

一、简答题

1. 小学语文课程的改变主要体现在哪些方面？

2. 小学语文课程的基本理念体现在哪几个方面？

3. 请你谈谈小学语文教学设计的基本要求。

二、论述题

1. 作为一名小学低学段的语文老师，你如何落实小学生低学段教学的目标？

2. 为什么语文教育要重实践、重体验？

第 二 章

小学识字与写字教学

 学习目标

+ 通过研读课程目标，掌握识字与写字教学的目标。
+ 通过研读小学语文教材，了解识字与写字教学的内容。
+ 通过研究识字教学案例，掌握识字教学的策略、过程与方法。
+ 通过网络平台和微格教学，进行识字课堂教学实践，形成识字教学技能。

识字和写字是阅读与鉴赏、表达与交流的基础，是小学语文学习的一项重要任务，更是小学低年级语文教学的重点内容。在小学阶段，什么叫"识字"？什么叫"写字"？我们先来看一个案例。

 案例导入

"一顶帽子"

——特级教师黄亢美识字教学片段①

在前面出示图片和词语时，黄老师带领学生完成了生字的认读，特别强调读准后鼻音"顶"，然后安排学生分组讨论、探究。

师："帽子"为什么说"一顶"？

（教师结合第二组学生代表的解说，引导学生分析形声字"顶"："顶"的形旁是"页"，"页"的繁体字是"頁"，"頁"实际上是"首"的倒写，所以"页"和页字旁的字都与人的头部有关。帽子戴在头顶上，所以帽子的量词用"顶"）

师：注意看"帽子"的"帽"（教师书写"帽"的右上部分），这一部分有很多人写错。

---

① 吴晓梅. 在识字中感受汉字的魅力——特级教师黄亢美识字教学赏析 [J]. 语文教学通讯，2006（28）：198.

（边说边写）第一种写法是缺口框里两横悬空；第二种写法是缺口框里中间一横悬空，下面一横封死；第三种写法是缺口框里两横全封死。哪种写法正确？认为第一种正确的举一根手指，认为第二种正确的举两根手指，认为第三种正确的举三根手指。

（学生举手示意。）

师：（以"冒"的古文字进行解说）缺口框就是帽子的象形，中间两横像帽子里的头发，下面"目"是眼睛，缺口框里的两横封死的话就像把帽子上下封死了，这样就戴不进去了。所以，"帽"字右上的中间两横左右两边不封，以此表示帽子戴在头顶上。和它相关的字还有"冕"，也是帽子的意思，所以上面两短横也是左右不封的。

在这个案例中，黄老师重点讲解了"顶""帽"两个字。对"顶"字，黄老师强调了它的字音、字形和字义，运用字理知识从字形来释义。对"帽"字，黄老师则运用字理知识重点讲字形，以"冒"的古文字进行解说，生动形象，学生很容易明白。这个案例展示了黄老师夯实的教学理念和高超的教学技巧。

汉字是表意文字，汉字的形状和意义是有一定联系的。识字就是掌握字的音、形、义的统一联系：能够见字形即能读出音，明白其意思；想到或听到字义，就可以写出字形。

识字教学就是促进学生掌握汉字音、形、义这一认知过程的教学活动。

写字就是书写文字，是一种动作技能。

写字教学就是通过教学活动让学生掌握正确、熟练书写汉字这一技能的活动过程。

小学阶段学生要认识多少汉字？会写多少汉字？需要掌握哪些知识？需要注意什么？

要解答这些问题，我们首先要对《语文课程标准》进行解读。

第一节　识字与写字教学目标解读

《语文课程标准》在"识字与写字"领域提出总目标：认识和书写常用汉字，学会汉语拼音，能说普通话。从汉语拼音、普通话、认识汉字、书写汉字四个方面提出总要求。具体要求则体现在各学段的"识字与写字"目标与内容中，从三个维度整体设计，落实总目标的任务和要求。准确把握识字与写字的目标，对于改进识字与写字教学，提高学生的识字、写字能力，促进学生语文素养的形成，有着重要的意义。下面从三个维度具体解读学段目标。

第一学段识字与写字教学目标

（一）第一学段（1~2年级）识字与写字教学目标内容

（1）喜欢学习汉字，有主动识字、写字的愿望。认识常用汉字 1600 个左右，其中 800 个左右会写。

（2）学会汉语拼音。能读准声母、韵母、声调和整体认读音节。能准确地拼读音节，正确书写声母、韵母和音节。认识大写字母，熟记《汉语拼音字母表》。

（3）掌握汉字的基本笔画和常用的偏旁部首，能按基本的笔顺规则用硬笔写字，注意间架结构，初步感受汉字的形体美。努力养成良好的写字习惯，写字姿势正确，书写规范、端正、整洁。

（4）学习独立识字。能借助汉语拼音认读汉字，学会用音序检字法和部首检字法查字典。

（二）第一学段识字与写字教学目标解读

一、二年级为第一学段，共提出 4 项目标。

1. 重视学生基础知识的积累和基本能力的形成

（1）汉语拼音。

汉语拼音是认读汉字字音的基础，是学习普通话的基石，也是阅读、写话的工具。汉语拼音的学习是小学一年级教学的重点和难点。

汉语拼音的核心要求是学会汉语拼音。

"学会"的标准：一是能读准声母、韵母、声调和整体认读音节；二是能准确地拼读音节，正确书写声母、韵母和音节；三是认识大写字母，熟记《汉语拼音字母表》。

拼音的功能是帮助学生识字和学习普通话，为识字、阅读做准备，重在运用，无须让学生掌握系统的烦琐的拼音知识。

（2）识字与写字。

3500 个汉字是义务教育阶段（1~9 年级）学生总的识字量。小学阶段学生识字量累计为 3000 个左右。掌握 3000 个左右的汉字就能满足日常生活与读书看报的需求。因而，"识字与写字"是贯穿整个义务教育阶段的重要教学内容，更是第一学段的教学重点。

第一学段强调识字优先，多认少写。"认识常用汉字 1600 个左右，其中 800 个左右会写"，体现了《语文课程标准》对低年级学生"会认"与"会写"的字量要求的不同，并且体现了要求学生会认的字不一定同时要求会写。会认和会写的要求分别是：会认字要求能认会读，这类字不抄、不默写、不考；会写字要求能认会读，能写会用。

"常用汉字"是指在日常生活中出现次数最多、构字频率最高的汉字。《语文课程标准》

附录 5 是"义务教育语文课程常用字表"。常用字表包括字表一（2500 个字）、字表二（1000 个字）。《语文课程标准》附录 4 是"识字、写字教学基本字表"，里面共有 300 个字。这些字是最常用的汉字，构形简单，重现率高，而且大多数能成为其他字的结构成分。有很多字都是学生在入学前就能说的，只是不知道字形。先学写这 300 个字，有利于学生打好基础，发展识字、写字能力，提高学习效率。

识写汉字需要"掌握汉字的基本笔画和常用的偏旁部首，能按基本的笔顺规则用硬笔写字，注意间架结构"。汉字的基本笔画、偏旁部首、笔顺规则、间架结构等知识需要学生在识写汉字的过程中熟练掌握，并逐步培养其对汉字形体美的初步感受能力。

2. 重视汉字学习的过程与方法

（1）努力养成良好的写字习惯，写字姿势正确，书写规范、端正、整洁。

第一学段是学生识写汉字的起步阶段，教师应该特别重视学生良好书写习惯的养成。如，写字姿势正确，书写规范、端正、整洁。但良好书写习惯的养成是一个长期过程，不是短时间内就能实现的，应该落实到每一堂课的教学中。良好的书写习惯既有利于学生高质量完成作业，增强学生的自信心，又能使学生的身心得到健康发展，更有利于培养他们耐心细致、有恒心、有毅力的品格。

（2）学习独立识字。

汉字数量庞大，仅靠课堂教学，既不能满足学生现在发展的需要，也不能满足其终生发展的需要。要解决这个矛盾，唯一的出路就是培养学生独立识字的能力。独立识字的能力不是一两年就能具备的。课程目标第一学段识字与写字的第 4 条提出了"学习独立识字"，提法是"学习"，强调的是识字的过程和方法。教师要关注学生识字的过程，在教学中运用多种识字方法，帮助学生识字，逐步培养学生独立识字的能力。同时提出"能借助汉语拼音认读汉字，学会用音序检字法和部首检字法查字典"的目标，指出学生在掌握汉语拼音这一识字工具后，第一阶段要逐步学习音序检字法和部首检字法两种查字典的方法，开始学习独立识字。

3. 重视对学生情感态度与价值观的培养

（1）喜欢学习汉字，有主动识字、写字的愿望。

汉字是有趣的文字，每一个古汉字可以说都有一个故事，但是汉字也是世界上最难学的文字。教师的首要任务是让刚入学的学生喜欢汉字，对汉字产生亲近的情感。一、二年级小学生的认知思维具有形象、直观的特点，学习知识大都是从兴趣出发的。因此在低段的识字教学中，培养学生的兴趣显得格外重要。识字与写字教学有趣，就能逐渐让学生产生主动识字与写字的愿望。学生的识字兴趣是识字能力的一种特定的表现形式，是形成识字能力的萌芽阶段，喜欢学习汉字为学生学习独立识字这个目标打下心理基础。

（2）初步感受汉字的形体美。

汉字是方块字，由横、竖、撇、捺、点等笔画构成，讲究横平竖直，结构匀称，有着独一无二的形体美。教师应该从小学低年级就着重引导学生感受汉字的结构、布局之美，培养学生对美的感受能力，从而激发他们对汉字的喜爱。让学生初步感受汉字的形体美，教师既可以在识字教学中引导，也可以在写字教学中加以关注。

二 第二学段识字与写字教学目标

（一）第二学段（3~4年级）识字与写字教学目标内容

（1）对学习汉字有浓厚的兴趣，养成主动识字的习惯。累计认识常用汉字 2500 个左右，其中 1600 个左右会写。有初步的独立识字能力。能用音序检字法和部首检字法查字典、词典。

（2）写字姿势正确，养成良好的书写习惯。能用硬笔熟练地书写正楷字，做到规范、端正、整洁。用毛笔临摹正楷字帖，感受汉字的书写特点和形体美。

（3）能感知常用汉字形、音、义之间的联系，初步建立汉字与生活中事物、行为的联系，初步感受汉字的文化内涵。

（二）第二学段识字与写字教学目标解读

三、四年级为第二学段。第二学段是小学的中间阶段，起着承上启下的重要作用。识字与写字教学目标有 3 项。

1. 继续重视学生基础知识的积累和基本能力的形成

到四年级，学生应该累计认识常用汉字 2500 个左右，其中 1600 个左右会写。也就是说，在继续掌握第一学段 1600 个左右会认字和 800 个左右会写字的基础上，第二学段的识写任务增加了会认字 900 个左右，会写字 800 个左右。第二学段教学重点转向阅读与鉴赏教学，所以这个量说明识写任务是比较重的。要解决这个问题，学生掌握多种识字方法、具备独立识字的能力显得非常重要。因而第 1 条提出"有初步的独立识字能力"，由第一学段"学习独立识字"到第二学段的"有初步的独立识字能力"，也就是说学生在没有老师和家长教的情况下，能够自己具备独立识字的能力，强调了识字能力的初步达成是有过程和阶段性的。"能用音序检字法和部首检字法查字典、词典"，从第一学段的"学会用"到第二学段的"能用"，同样强调了识字能力的培养是有一个过程的。学会查字典、词典，也是学生识字能力的体现。

第 2 条提出用硬笔写字，写正楷字，达到熟练的程度。硬笔包括铅笔和钢笔。第一学段一般使用铅笔写字，第二学段要求用钢笔来写字。除了一如既往地注意养成良好的写字姿势和书写习惯之外，还对字体规范做了要求：由注意笔顺和汉字间架结构提高至要求用硬笔熟练书写正楷字。正楷字因为一笔一画都很清楚，横平竖直，最好模仿，因此适合学生书写。这一条实际是从三个维度来讲："用硬笔写字，写正楷字"是知识方面的要求，"熟练"是过程的要求，

"能用"说明具备一种能力。

2. 继续重视汉字学习的过程与方法

"养成主动识字的习惯",习惯的培养不是一朝一夕的事情。学生识字从主要依靠教师教,到自己看到不认识的字能主动查字典,运用掌握的多种识字方法认字,把它变成习惯,是一个比较长的过程。

"写字姿势正确""养成良好的书写习惯""用硬笔熟练地书写正楷字",都需要教师将这些目标落实到教学中,保证学生在课堂上有 10 分钟的时间练习写字,在教师的有效指导下,学生才能在一段时间后达到目标。

"用毛笔临摹正楷字帖,感受汉字的书写特点和形体美",要求学习写软笔字,写正楷字,用毛笔临摹。临摹是指对照着标准字模仿来写,对于正楷字的练习,可以用字帖临摹的方式提高书写水平。在观察临摹中,让学生感受汉字书写的特点,进一步体会汉字的形体美。

3. 继续重视对学生情感态度与价值观的培养

第二学段提出"对学习汉字有浓厚的兴趣"。"浓厚的兴趣"比第一学段"喜欢学习汉字"程度更深。通过四年的学习,学生将主动识字的愿望化为一种对识字的浓厚兴趣,最终将主动识字的行为内化为一种习惯。

"写字做到规范、端正、整洁",规范就是写正楷字,端正就是字不歪斜,整洁就是书面干净。要做到这些要求,需要学生对写字有认真的态度。"字如其人""见字如面",端正的字体、干净的书面能体现学生对写字的认真和细心。

4. 关注汉字形、音、义之间的联系

"能感知常用汉字形、音、义之间的联系,初步建立汉字与生活中事物、行为的联系,初步感受汉字的文化内涵",这条目标提出汉字学习一定要关注汉字形、音、义之间的联系。教学中要让学生感受汉字作为表意文字的特点,学习汉字要和生活建立联系,和认识事物、行为联系起来,让学生初步感受汉字背后的文化内涵。

三 第三学段识字与写字教学目标

(一) 第三学段(5~6 年级)识字与写字教学目标内容

(1)有较强的独立识字能力。累计认识常用汉字 3000 个左右,其中 2500 个左右会写。感受汉字的构字组词特点,体会汉字蕴含的智慧。

(2)写字姿势正确,有良好的书写习惯。硬笔书写楷书,行款整齐,力求美观,有一定的速度。能用毛笔书写楷书,在书写中体会汉字的优美。

（二）第三学段识字与写字教学目标解读

五、六年级为第三学段。第三学段是小学的高级阶段，识字与写字目标依然体现阶段性和连续性，具有自身的特点。

1. 知识与能力方面

到六年级，学生应该累计认识常用汉字 3000 个左右，其中 2500 个左右会写。即第三学段的会认字为 500 个字左右，会写字为 900 个字左右。会写字的数量超过会认字，其要求也超过会认字。会写字不仅要求认识字的音、义，而且要能正确书写，会运用。

"有较强的独立识字能力"，学生的独立识字能力体现在看到生字，能根据所掌握的识字方法，读准字音，辨析字形，了解字义，而且能正确书写，实践运用。到了六年级，这种独立识字的能力要达到较强的程度。

"硬笔书写楷书，行款整齐""有一定的速度"，表明第三学段对硬笔字的要求比前两个学段更多，不仅指出书写的字体是楷体，包括正楷和行楷，还要求行款整齐。行款整齐的意思是整篇中每个字的大小匀称，字距、行距基本保持一致，并且提出有一定的速度。

对于毛笔字的书写，需要达到"能用"的程度，也就是经过几年的练习，学生能够比较熟练地写毛笔字。明确指出写楷书。楷书可以是正楷，也可以是行楷。学生在观察、临帖中体会汉字的优美，感受汉字蕴含的文化内涵。

2. 过程与方法方面

第三学段更加强调书写的过程：用硬笔、毛笔书写楷书。写字是一项技能，技能的学习靠熟习，不实践、不练习就不可能把字写得又好又快。

第三学段依然强调写字姿势正确，这个要求贯穿整个小学阶段，重要性不言而喻。有良好的书写习惯的表述也和第二学段一致，但内容还是有点不同，第三学段要求在方格和横条格上认真地写字。

此外，在"梳理与探究"这一部分里，提到"观察字形，体会汉字部件之间的关系。梳理学过的字，感知汉字与生活的联系"（第一学段），"尝试分类整理学过的字词。尝试发现所学汉字形、音、义和书写的特点，帮助自己识字、写字"（第二学段），"分类整理学过的字词，发现所学汉字形、音、义和书写的特点，发展独立识字能力和写字能力"（第三学段）。我们可以看到在不同阶段识字的要求以及做法是不一样的，能力的发展是有阶段要求的，要在积极的语文实践活动中积累、建构、创设真实的语言运用情境，来落实识字和写字的要求。

3. 情感态度与价值观方面

"感受汉字的构字组词特点，体会汉字蕴含的智慧"，这条目标不仅要求学生对汉字有兴趣、愿意学，还要求他们感受汉字的构字组词特点，探求汉字背后承载的文化意蕴，认同中华文化，培养文化自信。

"在书写中体会汉字的优美""力求美观"等词语，表明第三学段应继续强调认真写好钢笔字，力求字大小匀称，字距、行距有一定距离，这样才能做到美观；能用毛笔写楷书，在书写中感受汉字的粗细、曲直、长短、浓淡的变化，更深地体会汉字的优美。

四　分析与总结

识字与写字目标学段要求体现三维整体设计：既要关注知识与能力的发展，也要关注学习的过程与方法，同时在此过程中获得情感的熏陶。因此，每一学段虽然是分点表述，但我们应该从整体上把握学段目标要求。

识字与写字目标体现渐进特点：识字、写字的量累计增加；独立识字能力从"学习"到"有初步"到"有较强"；书写习惯从"努力养成"到"养成"到"有"。这种渐进性特点告诉我们对学生的识字与写字既要有系统的安排，也要重视每一阶段、每一天的持续不断练习。

非常重视书写习惯和书写质量：三个学段都明确提出"写字姿势正确"，对"书写规范、端正、整洁"一再强调，其重要程度不言而喻。

识字与写字的教学在小学各阶段的侧重点是不同的：第一学段，识字与写字教学是教学重点，以培养学生对汉字的兴趣，使学生感受汉字的形体美，养成正确的写字姿势和良好的书写习惯为主。第二学段，除了识写兴趣和主动识字习惯的培养外，要求学生学会使用工具书独立识字，做到书写规范、端正、整洁。第三学段则要求学生有较强的独立识字的能力，能用毛笔写楷书，体会汉字的优美，并在书写速度上提出了一定的要求。从课标的要求中，我们可以看出不同阶段教学的差异。因此，认真、仔细地阅读、分析《语文课程标准》，对我们的教学能起到指导作用。

第二节　识字与写字教材分析

小学教材（特指教科书）是了解小学的一个重要窗口，认真、深入地熟悉教材，了解其编写特色和具体内容是教师搞好教学的基本功课。因此，教师在课前应该认真钻研教材，把握教材意图，对教材有一个深度、全面、系统的解读。目前使用的小学语文教材是最新的统编版教材，其中识字与写字领域包括三个方面的教学内容，即拼音教学、识字教学和写字教学。小学语文教材中这三个方面的教学内容具体在哪些位置，又是怎么呈现的，我们结合教材来分析。

统编版小学
语文教科书
教学应注意
的几个问题

拼音教学的教材分析

（一）教材特点

拼音教学主要安排在一年级上册第二、三两个单元，共13课。第二单元安排了8课拼音和1个"语文园地"。第三单元安排了5课拼音和1个"语文园地"。

1. 教学内容精简，编排顺序不变

统编版教材的拼音教学精简了一些内容，简化了一些规则。如把声母 y w 提前，和单韵母 i u ü 整合为一课。这样安排能充分利用声母、韵母、整体认读音节读音相同的特点，简化头绪，降低拼音学习的难度。

教材编排顺序保持不变：第一步，6个单韵母"a o e i u ü"及其4个声调的教学；第二步，声母"y w"及其相应的整体认读音节"yi wu yu"的教学；第三步，21个声母"b p m f d t n l g k h j q x z c s zh ch sh r"、相关的整体认读音节和音节拼读的教学；第四步，复韵母"ai ei ui ao ou iu ie üe"、卷舌韵母"er"、鼻韵母"an en in un ün ang eng ing ong"、相关整体认读音节和音节拼读的教学。这样编排，符合汉语拼音的学习规律，能降低拼音学习的难度。

2. 教学重点明确，展示部分有调整

教学内容的呈现更明确，增加了课题的标示。以第3课为例，统编版教材在课题处增加了"b p m f"。在首次出现二拼音节（第3课）和三拼音节（第5课）时，教材呈现的小女孩所推的音节卡片变为立体箱子，并用不同颜色标示声母、韵母、介母及音节，能更好地强调音节相拼的过程。见图2-1、图2-2。

常用音节直接带调呈现。如人教课标版教材出现的音节拼读为b-o，统编版教材的音节拼读为bō（图2-1、图2-2）。相比较，统编版教材音节结合汉字语音，便于学生更好地学习音节、建立音节和汉字的联系，符合学生的认知规律。

音节的呈现方式有改变。每一课中，要求学生拼读的音节，大多是以结果的形式呈现，而不是仅仅通过射线的形式展现拼读过程，不给出拼读的结果。这样，学生在一次次的视觉冲击中，可以和音节多次见面，提高拼读的熟练程度，培养独立识字的能力。

拼音字母的书写安排上也有调整。统编版教材将笔顺展示在拼音字母上方，右边增加字母的描红。

统编版教材在编排拼音教学时，先安排一个单元的识字。这些字都是最基本的字，学生可能不认识字形，但平时能说出字音。这样安排的好处是将识字和拼音有机结合，降低拼音教学的难度，明确拼音的功能是辅助识字。

3. 配备完整情境图，突出故事与趣味

在旧教材配备插图的基础上，统编版教材的情境图有着更完整的故事情节，展现的场景更有趣味性。如拼音第3课，人教课标版教材是单个字母对应一幅图，而统编版教材是整个页面是一幅完整的情境图，教学内容放到情境图里，组成故事元素，有字母的音、形提示（图2-1、图2-2）。根据情境图，教师可以把学习内容有效地整合在一起。第3课的教学内容是："b p m f"4个声母的认读；音节的拼读和相关词语的学习；"b p m f"4个声母的书写。情境图可以整合为一个故事：星期天的上午，伯伯背着背包，拄着拐杖（f），波波身穿背上印着（p）的红色T恤，手里拿着收音机（b），两人一起去爬山。走到山脚下，他俩看到两个小朋友在洞口（m）玩捉迷藏的游戏，小朋友摸呀，摸呀，m—m—m，开心极了！伯伯和波波爬呀爬，终于到了山顶。他们呼吸着新鲜的空气，欣赏着美丽的风景。多么美好的一天呀！教师声情并茂地边讲故事边示范"b p m f"的读法和写法，生动的图片变成了好听的故事，乏味的读写变成了快乐的学习，学生在愉悦的情境中完成了"b p m f"的音形识记。这种设计，从学生角度出发，一是有利于学生巩固拼音，二是有利于培养学生的观察能力，三是有利于发展学生的语言，四是有利于增强学习的趣味性。

图2-1　人教课标版教材图示

图 2-2　统编版教材图示

4. 准确定位拼音，识字学词整合设计、同步进行

从第 3 课到第 13 课，在情境图中或情境图下，开始出现汉字。汉字的音节都是正在学或已学过的，学生自己可以拼读。这样编排，有助于学生巩固拼音，熟练拼读，能把学得的拼音知识及时运用于实践。而且汉字编排由易到难，先是词，再是短语，最后是句子，将拼音与识字结合，及时发挥拼音帮助识字的功能。对学生来说，掌握拼音工具的过程，是拼读能力形成的过程，是早期自主学习能力培养的过程，也是进行早期说话训练及提前阅读的一条有效途径。如第 3 课，有 "ba ma" 音节的拼读，随画面出现了词语 "爸爸、妈妈"，要求认读的是 "爸、妈" 两个生字。如第 6 课，有 "ji qi" 音节的拼读，图画右边出现 "搭积木、下棋"，有短语也有词语。如第 7 课，出现了 "学—学生—我是小学生"，由字到词语再到短语，体现出拼音与识字教学整合的设计理念。

5. 联系生活实际，学习、巩固拼音

教材的编写非常注意联系生活学习拼音，巩固拼音。带调音节的选择和学生的日常生活实际紧密联系。如，第 6 课的 "鸡、气球、西瓜"，第 9 课的 "妹、奶" 等都是学生在日常生活中经常接触到的，并且每一课中的词语或句子、儿歌的安排，都紧密联系学生的生活实际，能使学生拼读的音节形象化，有助于学生巩固音节，增强语文与生活的联系，体现出在活动中学、在语文实践中学的思想。见图 2-3、图 2-4。

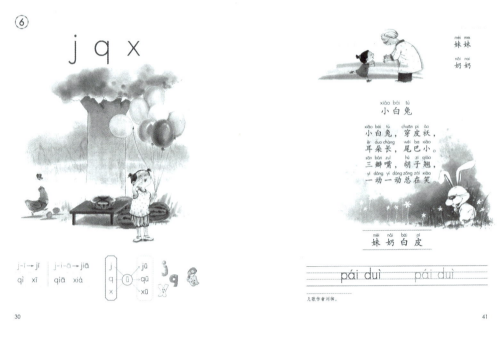

图 2-3 —上第 30 页　　　　　　图 2-4 —上第 41 页

"语文园地"中有借助学生已有知识经验巩固拼音的板块和题目，如，语文园地二、三中的"用拼音"板块，"读一读，做动作""秋游的时候，你想带什么？"等题目。这些板块和题目把拼音学习和生活实际联系起来，关注学生的直接经验，打破书本世界与生活世界的界限，培养学生的主体意识。见图 2-5、图 2-6。

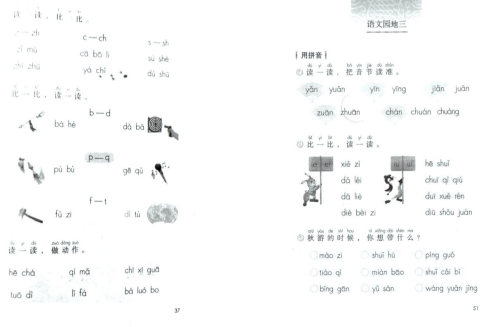

图 2-5 —上第 37 页　　　　　　图 2-6 —上第 51 页

6. 图文结合，处处渗透人文意识

从第 4 课开始，每一课都编排了一首儿歌。不但复现音节，增强趣味性，而且渗透人文内涵及价值观，对学生具有教育意义。如，第 4 课的儿歌《轻轻跳》体现了爱护自然的意识，第 10 课儿歌《欢迎台湾小朋友》体现了对祖国统一的渴盼，第 12 课儿歌《家》体现了热爱祖国的思想。见图 2-7、图 2-8、图 2-9。

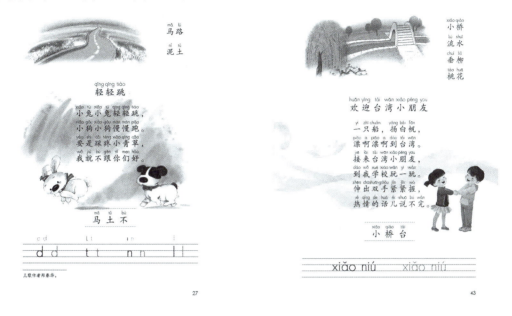

图 2-7　一上第 27 页　　　　　　图 2-8　一上第 43 页

图 2-9　一上第 48 页

整合的情境图也体现人文意识。如第 3 课的情境图：伯伯背着背包，挂着拐杖，面带微笑地鼓励波波，一起爬坡。在 m 形状的门里，两个小朋友在开心地捉迷藏。这些画面令人愉悦，体现了积极向上的人生观。

情境图、儿歌等都是对学生进行情感熏陶、价值观培养的好材料，教学时教师要充分利用。

（二）教学内容

1. 声母、韵母和整体认读音节的认读

23 个声母：b p m f d t n l g k h j q x z c s zh ch sh r y w。

24 个韵母：6 个单韵母 a o e i u ü；8 个复韵母 ai ei ui ao ou iu ie üe；1 个特殊韵母 er；5 个前鼻韵母 an en in un ün；4 个后鼻韵母 ang eng ing ong。

16 个整体认读音节：zhi chi shi ri zi ci si yi wu yu ye yue yuan yin yun ying。

声母发音要轻、短、急促，韵母发音要响亮、绵长，整体认读音节无须拼读直接读出其音。

2. 字母的书写

小写拼音字母应写在四线三格里。占中格的有 12 个字母：a o e w u m n x z c s r。占上中格的有 9 个字母：i ü b f d t l k h。占中下格的有 4 个字母：y p g q。占上中下格的只有 j。字母的基本笔画名称有 10 个：短横、长竖、左弯竖、右弯竖、竖左弯、竖右弯、左半圆、右半圆、左斜、右斜等。拼音字母笔顺见表 2-1。

表 2-1 汉语拼音字母笔顺表

具体书写顺序如下：

ɑ（啊）占中格，先写左半圆，再写竖右弯。

o（喔）占中格，左上起笔，一笔圆写成，上下紧挨二三线。

e（鹅）占中格，中格正中起横笔，从左至右再左半圆一笔写成。

i（衣）占上中格，先写竖，写在中格，上下顶格，再写点，写在上格靠近第二条线的地方。

u（乌）占中格，先写竖右弯，再写竖。

ü（迂）先将 u 字写在中间，从左至右写上面两点出二线。

b（玻）写在上中格，先写竖，再写右下半圆。

p（泼）写在中下格，先写竖，再写右上半圆。

m（摸）写在中格，先写竖，再写左弯竖，最后再写一个左弯竖。

f（佛）写在上中格，先写右弯竖，再写横，横比较短，写在比四线三格第二条线略低一点的位置。

d（得）占上中格，先写左下半圆，再写竖。

t（特）占上中格，先写竖右弯，再写横。

n（讷）占中格，先写竖，再写左弯竖。

l（勒）占上中格，一笔完成。

g（哥）占中下格，先写左上半圆，再写竖左弯。

k（科）占上中格，先写竖，再写左斜右斜（注意左斜右斜连写两笔完成）。

h（喝）占上中格，先写竖，再写左弯竖。

j（机）占三格，先在中下格写竖左弯，再在上格写点。

q（欺）占中格和下格，先写左上半圆，再写竖。

x（希）占中格，先写左斜，再写右斜，上下紧挨二三线。

z（资）占中格，横折横，中格要充满。

c（雌）占中格，右上起笔；或左半圆一笔写成，上下紧挨二三线。

s（思）占中格，右上起笔，上下紧挨线。

r（日）第一笔短竖写中间，第二笔右上一小弯。

y（医）占中下格，先写右斜，再写左斜。

w（屋）占中格，右斜下左斜上写两遍，上下紧挨二三线。

一笔写成的有：o e l z c s

二笔写成的有：ɑ i u y w b p f d t n g k h j q x r

三笔写成的有：m

四笔写成的有：ü

对于 zh　ch　sh 的笔顺参考 z　c　s　h

半圆笔画的正确书写：无论是左半圆，还是右半圆，都应该从上方落笔，左半圆从上往左下顺势运笔，右半圆从上往右下顺势运笔，一笔写成，如"p"和"q"。

写好拼音是学好拼音的关键一环，同时为今后的写字打下基础。书写前要做好准备，如：让学生分清左右，认四线三格，认识左斜、右斜、左半圆、右半圆、左弯竖、右弯竖、竖右弯、竖左弯等基本笔画。

学习声母、韵母和整体认读音节要做到三步：读准音、认清形、会书写。

3. 4 个声调符号的认读、书写和标调的规则

小学 4 个声调‾ˊˇˋ一般称为第一声、第二声、第三声、第四声。书写顺序为：第一声是从左到右，第二声是从左下到右上，第三声是从左上到右下再斜着往右上，第四声是从左上到右下。音节的书写顺序为写完声母、韵母后，再标声调。声调一般标在音节的主要元音（韵腹）上。可以这样记：有 ɑ 不放过，没 ɑ 找 o、e，i、u 并排标在后，i 上标调点去掉。

4. 拼音的方法

要做到"能准确拼读音节"需要掌握拼音的方法。小学最常用的拼音方法包括两拼法和三拼法。两拼法是将声母和韵母直接相拼，如 b-ā→bā，方法要领是"前音轻短后音重，两音相连猛一碰"；三拼法是将声母、介母、韵母快速连读，如 k-u-ā→kuā，方法要领是"声轻介快韵母响，三音连读很顺当"。

5. 大写字母和汉语拼音字母表

大写字母和汉语拼音字母表（图 2-10）出现在第二册。大写字母要求认识，在对比中了解大写字母与小写字母形体的不同；"汉语拼音字母表"要求记住字母的顺序，不要求默写，为第三单元学习用音序检字法查字典打下基础。

Aɑ Bb Cc Dd Ee Ff Gg

Hh Ii Jj Kk Ll Mm Nn

Oo Pp Qq　　Rr Ss Tt

Uu Vv Ww　　Xx Yy Zz

图 2-10　汉语拼音字母表

汉语拼音使用 26 个拉丁字母作为基本字母，每个字母有三个读音，即本音、呼读音、名

称音。汉语拼音字母在不同场合使用有不同的发音音值，作为音节拼音表示声母韵母音素的音值时发本音，用作汉语拼音声母韵母教学时发呼读音，而在称呼字母身份时则应发名称音。

本音，是对汉语拼音音节中具体的音素音值而言的。汉语拼音字母在音节中代表声母和韵母，声母和韵母相拼应发本音。

呼读音，是对汉语拼音声母韵母教学时的发音而言的。教学声母，教者一个一个示范发音，由于声母的本音多为清辅音，发音不响亮，为了教学方便，就在每个声母后面分别配上不同元音，辅音元音连发，这样发出的音就是声母的呼读音。21 个声母的呼读音依次为：bo、po、mo、fo、de、te、ne、le、ge、ke、he、ji、qi、xi、zhi、chi、shi、ri、zi、ci、si。需要注意的是，声母呼读音的书写形式等同于音节，音节发音时元音发音的时值一般要超过辅音很多，而发声母呼读音，元音应尽量发短一些，以区别于音节的发音，从而突出声母本音音值，保证声母教学效果。《汉语拼音方案》中的声母表通常用呼读音来呼读。教学韵母，由于韵母发音响亮，因而韵母的呼读音就是本音。

名称音，是对汉语拼音字母称呼而言的。《汉语拼音方案》中的字母表按序朗读就是用名称音来读的。汉语拼音字母除了用于音节的声母韵母拼音以外，还有排序检索等作用，如果字母没有名称，称呼起来就不方便。《汉语拼音方案》字母表共 26 个字母，每个字母有一个名称音。名称音的音值确定这样规定：元音字母的名称音由其本音充当，如果一个元音字母有几个本音时，就以主要读音为名称音；辅音字母的名称音，是由本音前加或后加元音组成（y w 是隔音字母，没有本音，单独设置名称音），具体是前加还是后加，加什么元音，加几个元音，则遵从国际习惯并考虑名称的区别度。按汉语拼音字母表排序，《汉语拼音方案》的 26 个汉语拼音字母的名称音依次为：a bê cê dê e êf gê ha i jie kê êl êm nê o pê qiu ar ês tê u vê wa xi ya zê。

汉语拼音采用拉丁字母，拉丁字母被汉语拼音采用后就成了汉语拼音字母。英语也采用拉丁字母，拉丁字母被英语采用后就成了英语字母。由于汉语拼音字母和英语字母形体完全相同，又因为英语在我们生活中的强势的影响，使我们看到"a"总是念作"ei"，若在汉语拼音中也这样念，那其实是不对的，应予改正。

综上所述，为了教学方便，小学教学汉语拼音，读法上建议按照呼读音而非名称音来读。

二　识字教学的教材分析

小学语文教材中的生字主要安排在课文里，也有少量生字安排在"语文园地"中，以会认字和会写字的形式集中呈现。《语文课程标准》明确提出"识写分流、多认少写"的识字理念。识字、写字有不同的认知规律，在教学体系上各成序列，有联系但不并行，在不同学段识写数量不同，多认少写是指在识字起步阶段多识字，少写字。"识"要求准确读音，大致懂义即可；"写"则要求正确书写，在读写中能运用。

（一）教材特点

1. 识字数量有不同

统编版教材中各年级每册安排的识字量有所不同，见表2-2。

表2-2　统编版教材中各年级每册的识字量统计

册次	识字量/个	累计识字量/个
一上	300	（一、二年级）1600
一下	400	
二上	450	
二下	450	
三上	250	（三、四年级）1000
三下	250	
四上	250	
四下	250	
五上	200	（五、六年级）400
五下	200	
六上		
六下		

我们可以看到，一、二年级识字任务最重，识字量达到1600个字左右，三、四年级识字量为1000个字左右，五年级识字量为400个字左右，到五年级已经达到累计3000个字的识字量要求。六年级没有会认字的要求。表2-2清晰地体现了低年级"多认"的识字理念。

2. 识字顺序有先后

统编版教材对生字的编排，遵循了这样的基本原则：高频字和覆盖率高的字先排；构字能力强、有常见的偏旁部首的字先排。一年级上册共要求认识300个常用字。这300个字是最基本的汉字，分散在每课的内容中，循序渐进，减轻学生识字的负担。

统编版教材吸收了苏教版、北师大版等地方版本的优

图2-11　一上识字第1课内容

点，强调在学习拼音之前先识字，安排的字都是小学生生活中的常用字。如识字第 1 课中的"天地人你我他"6 个字是小学生口头语言中经常会出现的字，学生对字音、字义是了解的，只是不认识字形，安排认识这些字，降低了学生识字的难度，能更好地增强学生的识字兴趣。见图 2-11。

3. 识字呈现有讲究

对于每个会认字，教材在每课的后面用蓝色双横线标示。一至四年级的会认字上方都标注有拼音，以辅助学生识字。结合识字，安排学生学习常用偏旁和多音字。要学习的偏旁在相关字双横线上方用红色呈现，要认识的多音字用蓝色字标示（图 2-12）。一至五年级上下册后面都安排有识字表，归纳、统计本册的识字内容和数量。二至六年级上下册后面都安排有词语表。一年级上下册还附带"常用笔画名称表"和"常用偏旁名称表"，以方便师生查阅、使用。

图 2-12　一上课文《四季》

整体来看，一年级两册各安排 2 个识字单元，二年级两册各安排 1 个识字单元。从三年级开始都是课文单元，会认字出现在课文里，标注拼音，在课后进行集中呈现。

另外，每单元后的"语文园地"有很多板块。其中，"识字加油站"——以丰富多样的形式，灵活安排常用字，引导学生认识更多的汉字；"字词句运用"——有形式多样的听、说、读、写活动，重点复习、巩固本单元所学的字词和句式，适度拓展，强调综合运用；"展示台"——提供展示和交流语文学习成果的平台，鼓励学生交流语文学习的收获，引导学生留心周围的世界，在生活中学习语文；"日积月累"——集中安排古诗诵读、名言警句等传统文化经典内容，将汉字的文化内涵蕴含其中。

4. 识字方法有安排

一、二年级的教材在识字上有两个方式：随文识字和集中识字。既安排随文识字，也通过专门的识字课进行集中识字。同时，教材还十分重视培养学生自主识字的能力，提供了查字典识字、事物归类识字、生活识字、韵语识字、字理识字等多种识字方法。

（二）教学内容

（1）识字兴趣的培养：识字之初，兴趣的培养非常重要。在识字时抓住学生的心理特点和行为习惯，采取符合学生年龄的教学活动，来培养学生的识字兴趣。

（2）3000 个会认字的认读：3000 个字要求能认能读，了解字义。还包括多音字、轻声字、儿化音的学习，以及对汉字的笔画、笔顺、偏旁部首、间架结构等知识的了解。

（3）识字方法的学习：能掌握多种识字的形式和方法。如图文对照法、偏旁归类法、事物归类法、联系生活法、熟字组词法、字理识字法等。

（4）识字能力的培养：学习认字的最终目的是学生能自主识字，因而，识字能力的培养是非常重要的。

（5）汉字文化的感受：汉字里蕴藏着中华文化。通过学习汉字，来感受中华文化的博大精深。

三　写字教学的教材分析

（一）教材特点

1. 教材呈现清晰

一年级到四年级的教材在每课后用蓝色田字格的形式呈现会写字，五、六年级的会写字用蓝色方格标示。一年级上册会写字的安排比较巧妙：出示会写字，每个会写字安排两次描红、一次临写；会写字上方呈现笔顺展示，左上方出示需要重点学习的笔画。一年级下册会写字安排一次描红、两次临写，少量会写字左方出示较难写好的笔画。二年级上册会写字继续呈现一次描红、两次临写的安排。这种安排清晰地体现出写字教学在低年级需要详细指导。见图2-13、图2-14。

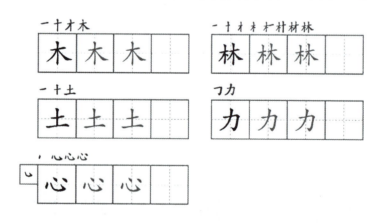

图2-13　一上识字课《日月明》

2. 写字编排规律

写字的编排体现书写规律，由易到难，由简单到复杂，以降低初学者的学习难度。

一年级会写字安排300个字，其中上册100个字，下册200个字，重点学习汉字的基本笔画、基本笔顺。从二年级上册起不再呈现新笔画，要写的字也不再做笔顺跟随。二年级会写字安排500个字，每课要求写8~10个字，要求写的字，优先选择构词率较高、笔画比较简单的

 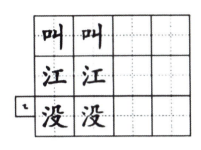

图 2-14　一下课文《吃水不忘挖井人》

字（表 2-3）。

表 2-3　统编版教材中各年级每册的写字量统计

册次	写字量/个	累计写字量/个	
一上	100	300	800
一下	200		
二上	250	500	
二下	250		
三上	250	500	1000
三下	250		
四上	250	500	
四下	250		
五上	220	420	700
五下	200		
六上	180	280	
六下	100		

　　会写字根据结构安排呈现规律。先安排学习独体字，顺便学习笔画；然后安排学习合体字，先学写左右结构和上下结构的字，再学写包围结构的字。

　　低学段需要认真贯彻"多认少写""识写分流"的策略。和同学段识字量比起来，可以看到写字数量要求明显地减少。如，第一学段识字 1600 个左右，写字 800 个左右。这样安排，充分考虑到了小学生握笔指尖力量不够的生理特点。

　　3. 指导示范明确

　　认识田字格、用好田字格是小学生学习写字必然要经历的第一步。一年级上册第 8 页明确呈现"认识田字格"栏目（图2-15），指导学生认识田字格，认识横中线与竖中线，并注意笔画在田字格中的位置。只有这样，学生才能逐步掌握汉字的整体布局和结构框架。

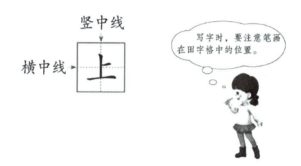

图2-15　一上识字《金木水火土》

汉字是由各种各样的笔画组成的，写好笔画是写字的基本功，基本笔画都在一年级教材中呈现，如"点、横、竖、撇、捺、提、折、钩"这8种最基本的笔画提前集中出现在第一个识字单元里。把写字与学习笔画紧密联系起来，有利于写字基本功的培养。新笔画会在相应字所在田字格的左上方出现。用醒目的红色标注的笔画顺序能够帮助学生清晰地观察笔顺，便于学生按笔顺规范写字。掌握笔顺有助于提高学生写字的速度和效果，为学生以后学习行书、草书等字体打好基础。

教材在"语文园地"中设立"书写提示"栏目，各学段的书写要求用"小贴士"的形式呈现，贯穿小学阶段。目的是给学生明确的书写示范，让学生重视汉字书写。一年级主要是提示写字笔顺，如一上第8页、第16页（图2-16）、第77页，一下第13页、第52页、第99

书写提示

写字时注意坐端正，握好笔。

笔顺规则：
从上到下。

笔顺规则：
先横后竖。

图2-16　一上第16页

页；二年级上下两册各安排了 3 次写字"小贴士"，主要是提示汉字结构，分别出现在二上第 13 页、第 69 页、第 110 页，二下第 13 页（图 2-17）、第 55 页、第 100 页；三年级提示书写的美观，如三上第 26 页、第 100 页，三下第 30 页、第 96 页；四年级上下两册各安排 2 次，主要提示在横线格里写字的要求，分别出现在四上第 14 页、第 122 页，四下第 66 页、第 137 页；五、六年级开始提示硬笔书写作品的美观与毛笔的书写要求，如五上第 64 页、第 117 页，五下第 67 页、第 118 页；六上第 34 页、第 125 页，六下第 16 页、第 92 页。

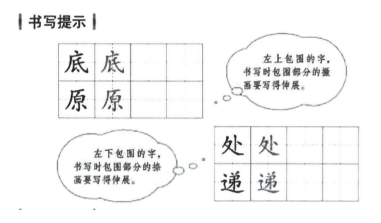

图 2-17　二下第 13 页

4. 体现训练要求

写字是一种技能，只有进行专项的、长期的训练，才能使技能达到熟练化、自动化程度，进而形成写字技巧。写字技巧是书面语言运用的坚实基础和真实保证。

一至四年级的会写字在田字格里呈现。一年级上册会写字安排两次描红和一次临写，在字上方安排笔顺跟随；一年级下册和二年级的会写字安排一次描红和两次临写，少数笔画进行了展示。这样的设计，方便教师在课堂上实时安排练习，做到学生天天练，教师随堂指导，落实"语文课堂 10 分钟写字"的训练要求。三、四年级的会写字只用田字格呈现，五、六年级的会写字用方格呈现。这样的安排，体现了不同学段对写字的要求。低年段教材的写字安排很详细、很具体，给教师的指导提供便捷，给学生的练习提供具体指导。中年段写字重在保持和逐步提高，因而田字格呈现依旧不可缺少。高年段写字重在养成习惯，提出更高要求。

"拿笔即练字时"，应成为写字练习的常态。课堂上每天练习 10 分钟比一周上一节写字课效果要好。

（二）教学内容

1. 2500 个会写字的书写指导

2500 个会写字落实在每册。要特别重视 300 个基本字（《语文课程标准》附录 4）的书写。

一年级会写字的要求量是 300 个。这 300 个字中有 225 个都是附录 4 "识字、写字教学基本字表"中的字，剩下 75 个字的绝大部分的部件也都在"识字、写字教学基本字表"中出现过。写好"识字、写字教学基本字表"中的汉字，就能逐步提高识字、写字能力。

2. 汉字知识的掌握

写好汉字，需要了解它的笔画、笔顺、偏旁部首、间架结构等知识。需要掌握汉字的基本笔画"点、横、竖、撇、捺、提、折、钩"的写法、基本的笔顺规则"先横后竖、先撇后捺"等，以及常用的偏旁部首、汉字的间架结构等。字的结构由简单到复杂，包括独体结构、左右结构、上下结构、半包围结构、全包围结构等。从总体上看，汉字结构是写字的难点，形态结构的把握需要学生整体感知、立体思维，并具备审美能力，而这些都是小学生缺少的，因而成为书写汉字的难关。在这些结构中，左右结构的字是书写的难点。很多错别字都是由于左右结构字的书写错误而产生的。

3. 写字习惯和技能的培养

"书，心画也"。写字不只是一种技能，也是一种心态，一种习惯。培养良好的写字习惯起于规范，贵在坚持。一年级上册语文园地一"书写提示"中指出：写字时注意坐端正，握好笔。二年级上册语文园地一"书写提示"中指出：写字时要保持正确的坐姿和执笔姿势。三年级上册语文园地二"书写提示"中指出：使用钢笔，注意执笔姿势，把字写得规范、端正、整洁。四年级上册语文园地一"书写提示"中指出：认真对待每次写字，养成提笔就练字的习惯。五年级上册语文园地四"书写提示"中指出：注意笔画、结构等方面的细节。六年级上册语文园地二"书写提示"中指出：养成自我检视的习惯，不断提高书写水平。教材中对写字习惯作了多次提示，如保持正确的写字姿势、养成"先看后写"的写字习惯和自我检视的习惯等，一再表明良好写字习惯养成的重要性。落实在课堂、课后的写字练习，经过日积月累，内化为习惯，是学生培养良好的写字技能的基础。

4. 感受汉字的优美

汉字的书写布局有严格的要求。就单个字而言，字的结构匀称得体，笔画不松不紧；就整篇而言，字大小基本相同，字行之间有一定的空隙和距离，体现中国和谐的文化美。汉字在书写中通过运笔的轻重提按和行笔使转，创造了点画的粗细、浓淡、长短曲直的多姿变化，形成枯湿、刚柔、疾涩等不同质感的风格特点，给人丰富的想象和优美的视觉感受。教学时教师要有意识地引导学生感受汉字形体的优美，挖掘汉字背后的中国文化。六年级上册语文园地八的"书写提示"对柳公权的书法作了初步的介绍，柳公权的楷书用笔方圆并施，点画棱角分明，结构精妙，瘦硬挺拔，骨理遒劲。柳公权是楷书的代表人物之一。

第三节 识字与写字教学实施策略

对《语文课程标准》的解读、对教材的分析和对教学内容的梳理为教学的设计与实施打下了牢固的基础。在教学中需要贯彻哪些教学策略，采用哪些教学方法，安排哪些教学环节，是本节需要考虑的问题。结合《语文课程标准》的教学建议和评价建议，依旧从三个维度来分析。

一　拼音教学策略

教学建议：汉语拼音教学要尽可能有趣味性，宜多采用活动和游戏的形式，应与学说普通话、识字教学相结合，注意汉语拼音在现实语言生活中的运用。拼音的教学要和游戏、活动相结合。

评价建议：汉语拼音学习的评价，重在考查学生认读和拼读的能力，以及借助汉语拼音认读汉字、讲普通话、纠正地方音的情况。

（一）策略

 **案 例**

汉语拼音5　g　k　h①

一、教学目标

1. 学习声母 g、k、h，读准音，认清形，正确、规范地书写。

2. 正确拼写 g、k、h 和韵母组成的两拼音节、三拼音节，初步掌握三拼音节的拼读方法。

3. 借助拼音和图画，正确认读词语"画画、打鼓"，认识"画、打"2个生字。

4. 借助拼音，正确朗读儿歌《说话》。

二、教学时间：2课时

三、教学过程

板块一　公园觅友，正确认读 g、k、h

1. 创设情境，引出声母。

---

① 吴忠豪，薛法根．小学语文名师文本教学解读及教学活动设计（一年级上册）［M］．上海：上海教育出版社，2017.

今天天气真好，小红来到了美丽的湖边公园。你们看，公园里都有什么啊？

要点：引导学生观察课文情境图，自由汇报。学生说到"鸽子""蝌蚪""喝水"时出示g、k、h，并板书。

2. 观察插图，初识字形。

这三个声母就躲在公园里，看谁眼睛亮，能找到它们的身影。

要点：g藏在鸽子嘴里衔着的橄榄枝里，k藏在小蝌蚪和水草的组合里，h藏在椅子的侧面。

3. 编写儿歌，认读声母g。

（1）出示白鸽图，读准g的音。

你瞧，一只雪白的鸽子飞来了。老师编了个顺口溜："一只白鸽，ggg。"你能像老师一样用编顺口溜的方法记住g的读音吗？

提示：鼓励学生联系生活编顺口溜，如"哥哥，哥哥，ggg"等。在这个过程中，教师应及时肯定编得恰当的顺口溜，并让其他学生跟读。

（2）观察白鸽口中衔着的橄榄枝，记忆g的字形，如"9字带钩，ggg"等。

（3）指名读、赛读、开火车读。

4. 方法迁移，认读k、h。

（1）你能用刚才学习声母g的方法来记一记k和h的读音和字形吗？鼓励学生合作创编顺口溜。如：

"小小蝌蚪，kkk，蝌蚪戏草，kkk。"

"我爱喝水，hhh，像把椅子，hhh。"

（2）感受气流，寻找不同。

请小朋友们打开手掌，用嘴巴对着手心，读一读g、k、h这三个声母，感受发音时送气产生的气流。

提示：k在发音时，和前一课中学习的t一样气流较强；g和h在发音时气流较弱。

（3）运用多种方法练习：齐读、指名读、男女赛读、开火车读……

5. 分类观察，学习书写。

（1）明确汉语拼音的分类。

创设情境，引出声母。

师：g、k、h玩累了，想要回家，它们属于什么大家族？

生：它们属于声母家族。

（2）指导书写。

①学生观察书本中汉语拼音的占格和笔顺。学生跟随教师书空。

②教师范写，强调："g"的第2笔是"竖左弯"；"k"的第2笔是"左斜右斜"；"h"与"n"要区别开来，"h"的竖更长。

③学生练写，教师巡视，师生集体评议。

板块二 公园派对，正确拼读音节

1. 创设情境，激发拼读兴趣。

湖边公园正在举行派对，声母g、k、h很想参加，可是派对上有很多它们不认识的韵母朋友。让我们一起帮助g、k、h交朋友吧。

2. 拼读双拼音节。

（1）回忆拼读方法：前音轻短后音重，两音相连猛一碰。

（2）学生自由拼读。

（3）教师检查学生拼读的情况。

（4）教师出示含有本课音节的图片，鼓励学生拓展词语，在拓展中巩固拼读。

3. 学习拼读三拼音节。

活动一：熟字知三拼。

（1）出示熟字"火、花"，教师注音，学生观察并谈发现。

（2）认识三拼音节：教师以"花"为例，板书hua的三拼过程：h+u+a→hua，明确三拼音节的组成：声母+介母+韵母。

（3）教师示范三拼音节的连读，学生跟读。教师提示学生注意：声轻介快韵母响。

活动二：情境练三拼。

（1）观察课本中的推卡片游戏，借助西瓜图，指名拼读。

（2）教师拿出课前准备的三拼音节卡片，一边创造语境，一边出示卡片。如：

教师画了一幅画（学生拼读hua），拿到教室挂一挂（学生拼读gua），大家看了纷纷夸（学生拼读kua）。

活动三：比赛读三拼。

（1）学生自由拼读课本中的三拼音节。

（2）小组合作，互读纠音。

（3）比赛读，师生评价。

板块三 快乐舞台，巩固拼音、认识汉字

1. 创设情境。

你们帮助汉语拼音g、k、h认识了很多新朋友，它们很高兴。接下来，它们要带大家去"快乐小舞台"看动物们表演。

2. 拼读词语，识记生字。

（1）出示图片，学生观察并汇报。

（2）出示词语"画画""打鼓"，学生练习拼读。

教师提醒学生"打鼓"的三声连读变调，并拓展熟悉的词语，如老鼠、老虎等。

（3）教师检查学生拼读的情况。

（4）学生相互交流，并识记生字"画、打"。

教师利用"打篮球、打羽毛球"等图片，引导学生明白"打"是跟手有关的动作。在此过程中，引导学生识记生字字形，组词。

3. 朗读儿歌，巩固拼读。

（1）教师范读儿歌。

（2）学生自由拼读红色的音节。教师检查学生拼读的情况。

（3）教师带读儿歌。

（4）多种形式练读。

根据学习拼音的"教学建议"和"评价建议"，结合上述案例，我们总结出的拼音教学的策略如下。

1. 利用插图，创设情境

教学时教师要利用插图，创设情境，把学生带到故事中来学习，引导学生充分观察图画内容，看图说话，借助情境图中的具体事物来帮助学生建立字母音和形的联系，从中引出本课要学的字母和音节，将发展观察能力、表达能力与学习拼音有机地整合在一起，使学生在有趣的故事中更好地掌握知识。如《汉语拼音 5 g k h》的教学，在认识字母环节中，教师是这样设计的：今天天气真好，小红来到了美丽的湖边公园。你们看，公园里都有什么啊？（引出教学内容 g、k、h）

2. 设计活动，学习拼读

汉语拼音的音节拼读教学要和活动相结合。通过活动的开展，学生能在练习中学会音节的拼读。如上述案例中教师在教授三拼音节的拼读时，设计了三个活动，让学生从知—练—读三个层面学习三拼音节，学生在活动中不知不觉地学习了知识，锻炼了拼读能力。

3. 设计游戏，增加趣味

在讲解拼音时，教师可以把教学内容设计成游戏，用闯关等游戏激发学生的兴趣。游戏的设计既可以是某一个教学内容，也可以将整个教学内容都变成游戏。

4. 联系生活，学习拼音

教学拼音时，应联系生活，将生活中获得的经验转化为学习新知识的基础。如在教学《汉语拼音 4 d t n l》一课时，教师可以启发学生根据情境图说出并做出"打鼓，跳舞，拿伞"等动作，然后联系生活，用所学音节说出"打球、打开、打毛衣"等词语，并进一步造句。再如教学整体认读音节 yuan 时，教师可让学生联系生活说词语：冤枉的冤、圆圈的圆、望远的远、许愿的愿，这样就能很快地化解教学难点。还可以让学生拼水果名、蔬菜名、动物名、教室里和家里的物品名、自己和同学的姓名、家庭成员的称呼等。选择其中的词语做成拼音卡片，进行说话练习，能更快地提高学生的拼读能力和口语交际能力。

（二）具体方法

1. 示范法

示范法是拼音教学最主要也是最常用的方法。教授新音时，教师作发音示范，让学生仔细观察口形、舌位，体会发音方法，模仿发音。也可以示范书写，帮助学生弄清字母在四线格中的位置以及正确的笔画和笔顺。

2. 引导法

利用学生已掌握的声母、韵母的发音或熟悉的汉字发音，帮助学生学习难发的声母、韵母的方法叫作引导法。比如鼻韵母的发音有难度，教师可以用熟悉的汉字和词语来引导。"an"，天安门的"an"；"ang"，水缸的"gang"。

3. 比较法

把两个或几个声母、韵母放在一起比较异同的方法叫作比较法。例如：z c s 和 zh ch sh 比较，体会平舌音和翘舌音的发音区别；ui 和 iu 比较，体会复韵母的发音和形体区别。又如：b d、p q、f t、n h、m n，这些字母形体易混，用动作演示、谱曲唱歌的方法，能帮助学生牢固地掌握易混声母的读音和形体。如区分 b d、p q 时，可让学生伸出左拳，拇指向上，演示出 b 字母的形体，再伸出右拳演示出 d 字母的形体，然后让学生将两拳相对后向下翻便演示出 p、q 字母的形体。

4. 儿歌法

根据字母的形体编出学生喜爱的口诀、歌谣，方便学生记忆的方法叫作儿歌法。例如：张大嘴巴 a a a，圆圆嘴巴 o o o，扁扁嘴巴 e e e；增长知识听广播（b），锻炼身体爬山坡（p）；捉迷藏，用手摸（m），笑口常开弥勒佛（f）；左拳 b 来右拳 d，两拳相对念 b d，左竖朝上就念 b，右竖朝上就念 d；左下 p 来右下 q，两拳相对念 p q，左竖朝下就念 p，右竖朝下就念 q；等等。在教学中，可以充分发挥学生的自主性，鼓励学生自编顺口溜、儿歌、绕口令，形象记忆抽象的拼音字母，提高学习的兴趣。

5. 演示法

运用手势、形体、器具作必要的演示，帮助学生掌握字音和字形的方法叫作演示法。例如，教平舌音和翘舌音时，可以辅助手势，教前者时手掌向上平伸，教后者时四指向内卷曲；教声调时，可以根据四个调号的形状作相应的手势，学生根据手势读四声。又如"b p d q"

的比较，可以用身体的形状表示。双脚并拢站定，左手叉腰，右手上举，是 d；右手叉腰，左手上举，是 b；左手叉腰，右手放下是 q；右手叉腰，左手放下是 p。

6. 游戏法

游戏既可以成为教学策略，也可以是一种具体方法。通过游戏学习拼音，符合低年级学生的心理特点，能获得很好的教学效果。游戏的形式很多，如开火车、摘苹果、找朋友、购物、猜一猜、连一连、攀高峰、打扑克等。

7. 实践法

拼音字母的学习，除了上述方法外，还可以让学生动手做一做。例如，制作拼音字母卡片。在做卡片的过程中，学生有读有写、有改有画，既培养了动手操作的能力，又加深了对字母的印象，巩固了学习效果。语文园地二"用拼音"板块的设计，就体现了这种理念。

（三）基本过程

一节汉语拼音课的一般教学过程：复习检查—教学新音—复习巩固—小结反馈。其中教学新音是学习新知，是重点。这一环节也可以分为几个小环节：看图说话，引入新音—指导发音—教学声调—教学拼音方法—指导书写。

二　识字教学策略

教学建议：低年级阶段学生"会认"与"会写"的字量要求有所不同。在教学过程中要"多认少写"，要求学生会认的字不一定同时要求会写。《语文课程标准》附有"识字、写字教学基本字表"，建议先认先写"识字、写字教学基本字表"中的 300 个字，逐步发展学生识字、写字能力。

识字教学要注意学生特点，将学生熟识的语言因素作为主要材料，结合学生的生活经验，引导他们利用各种机会主动识字，力求识用结合。

要运用多种识字教学方法和形象直观的教学手段，创设丰富多彩的教学情境，提高识字教学效率。

评价建议：识字的评价，要考查学生认清字形、读准字音、掌握汉字基本意义的情况，以及在具体语言环境中运用汉字的能力，借助字典、词典等工具书查检字词的能力。第一、第二学段应多关注学生主动识字的兴趣，第三学段要重视考查学生独立识字的能力。

结合特级教师薛法根教学案例《酸的和甜的》，请你说说识字教学的策略有哪些。

（一）策略

1. 贯彻识字理念

低年段教学要把握识字的理念：多认少写，识写分流。要认的字，只要求认识（在课文中认识，换个地方还认识），强调的是整体认记，不要求达到每个部件、笔画的精确记忆。可以进行必要的字形分析，但要避免对每个字都进行分析，尤其是要避免对一些不认识的部件进行分析。

2. 依据字理识字

字理识字是指依据汉字构字规律，运用直观、联想等手段来读准字音、识记字形、理解字义。汉字是表意文字，尤其是象形字、指事字、会意字三类字，有"图画"功能，可从字的最初形状来了解字的意思；形声字的形旁、声旁分别具有表音、表意功能，可从音、义两方面探源。

《酸的和甜的》
教学案例

3. 利用语境识字

语境识字是指在语言环境中识字，即在识词、学句、阅读中识字，不是离开语言环境孤零零地识字。"字不离词、词不离句、句不离篇"是一条已被证实过的语文规律。汉字音与形之间的联系是机械的联系，不能形成长时记忆，而义与音、形的联系，容易形成长时记忆，因而，识字提倡在阅读中巩固和运用要认的字，而不是单字复现。在阅读中，利用语境的作用提高识别汉字的准确度，既巩固了音与形的联系，又学会了运用，形成识字能力和阅读能力的滚动发展，这是避免遗忘、形成长期记忆的重要途径。

4. 结合生活识字

识字不仅仅在课堂40分钟，还应扩大识字范围，结合学生的实际生活识字。如生活中的瓜果蔬菜名、物件名称、校园中的标牌、街道两边的门店招牌、道路名称、电视屏幕下方的提示字等，都可以成为很好的识字资源。

培养学生独立识字的能力是识字教学的根本目的，因而，在教学中，教师应该由扶到放，引导学生自主探究，交流讨论，使学生感受自主识字的快乐。

（二）具体方法

1. 字音教学方法

字音教学是识字教学的基础。

（1）借助汉语拼音识字是最基础的方法。

（2）利用字典的注音读准字音、识字是最主要的方法。

（3）据词定音法。

汉语中多音字数量较大，多音字占到了小学生认字总量的13%左右。教学中可采用据词定音法，解决多音字的学习问题。

（4）比较辨析法。

汉字中有大量同音字，音同而形、义不同。在教学中采用比较辨析的方法，能有效地避免错别字的出现。

（5）带读法。

轻声字是一种特殊的变调现象，教师在教学中可以采取带读的方法引导学生学习轻声字。

此外，还有儿化、"啊"语流音变等情况，无须进行专门的字音教学，教师应在教学中有意识地引导。

2. 字义教学方法

字义教学是识字教学的重点与核心。

（1）直观演示法。

在教学中，通过直观形象的方式演示生字的意思。一般来说，实词教学基本可以采取这种方法。如表示具体事物的名词、数量词等，可用实物、图片、幻灯片、标本、模型、投影等直接说明；动词可以通过教师或学生的体态展示，使学生明白词义；形容词采用有声语言的描绘、渲染创设一定的情境，让学生领悟词的意义和情感。识字教学过程中，凡是可以利用实物、图画（简笔画）、直观教具展示的生字，都可以运用此法。运用这种教学方法不但使学生记得牢，而且加深了学生对汉字的含义的理解，同时也向学生渗透了一种识字方法。

（2）据形示义法。

这是运用汉字字理来展现字形或字形演变，帮助学生理解字义的方法。可利用形声字的形旁表意特点归类识字；利用象形字、指事字、会意字保留实物形态表示意思，以及用图画分析字形的特点帮助学生识字。对一些基本字可采用动画方法制成课件，演示汉字的变化过程，帮助学生识字。这种方法也可以叫字理识字法。

（3）联系语境法。

联系上下文语境或生活语境，帮助学生通过具体语言环境去领悟字词的意思。抽象名词或介词、连词、助词、叹词等虚词的教学可以采用这种方法。

（4）辨析比较法。

字词的教学也可以运用同义词、近义词、反义词来比较辨析，使学生理解字义、词义。

（5）组词造句法。

这是帮助低年级学生理解字义的一种常用方法。

（6）注解释义法。

这是用口头语言或字典的书面注解来解释字义的方法。

3. 字形教学方法

字形教学是识字教学的关键，也是识字教学的难点。

（1）笔画部件分析法。

这是字形教学最基本的方法。笔画、部件是构成汉字字形的基本要素。教学独体字，可一笔一画地分析字形；教学合体字，可借助偏旁部首和独体字来引导学生识记字形。

（2）直观形象法。

根据儿童形象、直观的记忆特点，采用直观的方式，提高学生的识字兴趣。如"身"的教学，教师做侧身站立、一脚向前踢的动作，然后讲解"这是身字的字形。上边的一撇，像一个人的头部，中间部分是身子，下面部分像两只脚，一只脚站着，一只脚向前踢出去"。这种教法形象、直观，符合学生心理特点。

（3）字理教学法。

依据汉字的字源来讲析字形与字义之间关系的字理教学法是一种很好的识字方法。如"男"字由"田"和"力"两个部件组成，是由于古代在田间出力的多为男人。

（4）字形比较法。

这是利用熟字来学生字的方法，包括基本字增加、减少、替换偏旁或部件。具体表现为加一加、减一减和换一换。例如：哥—歌，取—趣是用的加一加的方法，禾、火—秋，禾、少—秒用的也是加一加的方法；飘—票，玩—元用的是减一减的方法；低—抵，线—钱用的是换一换的方法。字形比较法也适用于形近易混字的教学，教学中要注意引导学生比较辨析，找出不同之处。

（5）口诀字谜法。

这是通过编口诀、字谜、儿歌、顺口溜等形式来帮助学生识记字形的方法。如渴了要喝水，喝水要张嘴；你没有，他有；天没有，地有（也）；一点一横长，一撇到左方，一对孪生树，长在石头上（磨）。这些都是很好的示例。

（三）基本过程

识字课文教学步骤：复习检查—教学生字—巩固练习—布置作业。其中，教学生字这一环节也可分为几个小环节：看情境图—说话练习—拼音—识字—诵读课文。

随课文识字是当前识字教学的主要形式。其中，出示生字一般有两种形式：集中出示生字和分散出示生字。

识字闯关
游戏案例

分散识字的一般做法：第一步，初读课文阶段，借助拼音和查字典重点读准字音，初认字形，粗解字义；第二步，讲读课文阶段，结合课文内容重点理解字义，巩固字义，再认字形；第三步，总结写练阶段，着重辨析字形，指导书写。

三 写字教学策略

教学建议：按照规范要求认真写好汉字是教学的基本要求，练字的过程也是学生性情、态度、审美趣味养成的过程。每个学段都要指导学生写好汉字。要求学生写字姿势正确，指导学生掌握基本的书写技能，养成良好的书写习惯，提高书写质量。

第一、第二、第三学段，要在每天的语文课中安排 10 分钟，在教师指导下随堂练习，做到天天练。要在日常书写中增强练字意识，讲究练字效果。

评价建议：写字的评价，要考查学生对于要求"会写"的字的掌握情况，重视书写的正确、端正、整洁，在此基础上，逐步要求书写流利。第一学段要关注学生写好基本笔画、基本结构和基本字，第二、第三学段要关注学生的毛笔书写。义务教育的各个学段的写字评价都要关注学生写字的姿势与习惯，引导学生提高书写质量。第三学段要求学生会写 2500 个字。对学生写字情况的评价，当以《语文课程标准》附录 5 "义务教育语文课程常用字表·字表一"为依据。

（一）策略

1. 重视良好书写习惯的培养

《语文课程标准》从第一学段至第四学段始终强调写字姿势正确，有良好的书写习惯。书写习惯是指在长期反复练习中形成的稳定的书写方式。良好的书写习惯包括坐姿、握笔姿势正确，书写规范，字迹工整，作业本整洁，等等，如表 2-4 所示。培养良好的书写习惯既有利于学生完成高质量的作业，增强学习信心，又能使学生的身心得到健康发展，更有助于培养他们耐心细致、有恒心、有毅力的品格。

表 2-4　良好的书写习惯

如何养成良好的书写习惯	
类别	**具体要求**
一、保持正确的姿势	1. 正确的坐姿：①头正、肩平、身直、足安；②"三个一"：一拳、一尺、一寸
	2. 正确的握笔姿势：笔杆在拇指、食指和中指三个指梢之间，距笔尖约 3 厘米，笔杆倾斜，掌心虚圆，指关节略弯
二、正确使用书写工具——笔	1. 正确使用铅笔：①选用 HB 木质铅笔；②笔写粗了，可转动笔杆，调整笔尖角度即可变细；③执笔轻松，落笔力量适中；④不写时应放入笔盒
	2. 正确使用钢笔：①写前检测出水是否顺畅；②笔尖受力均匀，不能用力太大；③不写时立即套上笔帽；④钢笔不出水时，切勿乱甩；⑤每月清洗一次
三、在田字格中认真地写字	1. 细心描红
	2. 认清笔画的位置
	3. 依据田字格定位认真临写

续表

如何养成良好的书写习惯	
类别	**具体要求**
四、在方格中认真地写字	1. 字居格中，上下左右间距相等
	2. 大小一致
	3. 标点占一格，于左下格居中
五、在横条格中认真地写字	1. 字居格中，占三分之二
	2. 大小一致
	3. 字距相等
	4. 行款整齐
六、具有认真书写的态度	1. 保持书面整洁，减少擦除
	2. 字迹清楚
	3. 有一定的速度
	4. 善观察，善比较，乐于矫正
	5. 明确"提笔就是练字时"

　　培养良好的书写习惯，必须将"习惯"二字具体化，在学生习字的不同阶段，抓住每一个关键期，进行习惯的培养。特别是起始阶段，教师要予以重视。如在学生刚入学学写字时，教师首先要强调正确的坐姿和握笔姿势，以硬笔书写为例，用形象的语言阐述。

 案　例

如何培养"双姿"（正确的坐姿和握笔姿势）

　　师：小朋友们，正确的坐姿是怎样的？

　　生：头正、肩平、身直、足安。（一边轻声念一念，一边调整自己的坐姿，坐端正）

　　师：那么，怎样才能正确地执笔呢？大家跟着老师一步步来尝试！（教师示范"执笔三部曲"）

　　第一步：圆圆环。将食指、拇指、中指合拢并轻轻捏住笔杆，食指、拇指圈成圆环形状，距离笔尖约3厘米。（学生握笔，教师巡视）

　　第二步：握甜筒。无名指、小拇指紧跟中指，手形就像握甜筒。（学生握笔，教师巡视）

　　第三步：三角形。手离笔尖约3厘米，手、笔尖和纸面之间形成一个三角形。

　　学生尝试握笔，手形大致正确后，教师念口诀提醒学生注意细节："老大老二对对齐，指尖之间留缝隙。老三下面来帮忙，老四老五往里藏。"（学生听儿歌，自我调整）

师：在"执笔三部曲"、握笔姿势歌的帮助下，你们一步步学会了正确握笔，祝贺你们！

这位教师用形象的语言，分步骤讲解握笔姿势，生动有趣，易于学生掌握。

2. 加强教师的示范指导作用

《语文课程标准》呼吁小学语文教师提高"三笔字"的书写技能。目前部分教师的三笔字基本功正在弱化，原因之一是教师用电脑和课件代替了教案的书写和课堂上的板书。比如：有些教师的识字与写字公开课，教师用课件演示每个生字在田字格里的起笔、止笔，每一笔的占格、占位、间架结构，引导学生观察，书空练习，就是没有教师的亲自示范指导。教师在写字教学中过于关注学生写的字是否正确，而对学生的写字姿势不加指导，对学生养成的不良习惯也没有及时纠正。另一个原因就是教师的观念问题，教师在教学中只重视识字，忽视写字指导和书写训练。学生无从学习教师的字，这也是写字教学质量下降的原因之一。写字教学是语文教学的重要组成部分，《语文课程标准》强调在语文课中安排10分钟，让学生在教师的指导下随堂练字，这对小学语文教师的三笔字书写能力是个严峻的挑战。语文教育专家崔峦说过："教师的板书示范是最好的指导。"

 **案　例**

特级教师于永正的写字教学片段

师：足正，身直，两只脚要放平，背要挺直，描一遍。描完了在自己的作业本上写一遍，要照着字帖写，这一步叫临帖。"越"和"疲"要写两遍。（学生临写）

师：谁是小书法家，到黑板上来写一写？（两个学生在黑板上分别写下"越"字和"疲"字）

师：跟于老师写一遍，（范写"越"）这个捺要写出变化，一波三折。右边的第一笔"横"起笔要注意不要高，"疲"字（范写）撇要长一点，有力度，捺要有脚。好，照着这两个字，再写一遍。（学生写这两个字）

于老师经常当着学生的面板书课题，边范写边讲解写字要领，然后让学生仿写，随时提醒学生保持正确的写字姿势，将写字教学指导落实到了实处。只有像于老师这样，亲自动笔写"下水字"，才能了解生字在哪儿起笔，在哪儿收笔，应该注意什么，既能体验写字的甘苦，又能了解学生写字的难点，以身示范，让学生师从有门。

3. 重视写字教学的语文味

写字教学应重视趣味，教出汉字的味道，让学生感受汉字的优美。如"德"字的教学，大部分学生书写时丢掉了心上的短横，教师点拨："这一横就是摆在人们心上的一把尺子，衡量善恶，测量道德的高低。"教师的话既加深了学生对短横的记忆，也道出了汉字的妙处，蕴含着人生哲理。

汉字来源于生活。一个个甲骨文就像一幅幅图画，藏着一段历史、一段故事、一段感情的记忆。教师应追溯源头，把抽象的符号转化为形象的画面，让学生意会汉字的奥秘，探寻知识本源，唤起对汉字书写美的感受。如"手"字的教学，教师出示甲骨文"取、采"及图片后，点明"手"的由来：取，右边是一个人拿着刀，左边是动物的耳朵；采，古时候的人以打猎和采集树上的野果为生，上部的爪就是用手采摘树上的野果。这样的写字教学能体现语文的味道。

学生在教师的引导下入情入境，了解汉字的意义，感受汉字书写的形体美，不断地接受传统文化的熏陶，逐渐获得精神超越和生命感悟，能够获得健康的人格，提升语文素养。

 案 例

心字底写字教学片段

教师先用图形游戏揭示上下部件的位置关系，再这样引导学生：

师：可是按照常理，心字底右移了，就会有跑到字外的感觉，但我们看上去，上下部件仍然能够融为一体，这是为什么呢？（字的中心点与卧钩的出锋处变色）

生：心字底的卧钩的钩总是指向字的中心点。

师：为什么卧钩出锋指着字心，它们就能融为一体呢？

生：心字底和整个字的联系就加强了，所以就能融为一体。

生：心字底就像个小孩，字心就是它的家。虽然它出去了，但它的心仍然向着家。

师：在书法上这就是造险破险的过程。心字底右移造了险，卧钩出锋指向字心又巧妙地破了险，所以字才显得神采飞扬。

4. 重视鼓励评价的作用

评字是整个写字教学中至关重要的一步，是写字指导的延续和提升。小学生天性好胜，"好表扬"是其重要的心理特点，表扬是鼓励他们学习的重要手段。特别是低年级学生，处在写字的起步阶段，教师要多鼓励、多表扬，使其不断体会到写字进步的喜悦，得到心理上的满足，获取克服缺点的勇气和信心。例如：批改学生的写字作业，在作业页面上把一些写得好的字画上圈，用圈来肯定写字进步，如部分笔画好的画小圈，整个字好的画大圈，特别好的画双圈。也可借鉴作文评阅中的"眉批""总批"方法，写一些简洁、易懂的建议性或鼓励性批语，如"字要一笔一画写""你的字越写越好了""有进步""这个字稍胖了一点"等。这些

都可以点燃学生对写好字的希望之火，使他们终身受益。

（二）具体方法

1. 激趣法

在低年级写字教学中，可以采用很多方法来激趣。①讲故事：把要教学的内容融到故事中，学生就会很快地进入写字的角色。如教学"竖钩"时，可讲王羲之与鹅的故事；教学"横"字时，可讲山海关天下第一关"一"字的来历。②编儿歌：把教材中的执笔方法、书写规律等编成儿歌，能更快激发学生的写字兴趣。如"撇"像扫把，"捺"像剑，"点"像小雨点，"横"像小扁担，"竖"像小棒棒，"钩"像人踢脚。又如"三点水这样写，上点下提一直线，半点突出才好看""撇捺在上像把伞，在中像鸟飞，在下像支架"等。③设计游戏和活动。

2. 讲解法

低年级学生的知觉常常表现得较为笼统，不容易发现事物的特征及事物间的联系。在认字形时，低年级学生往往因观察不仔细而发生增减笔画、颠倒结构等错误。再加上汉字字形复杂，笔画变化较多，这就使他们掌握字形更加困难。因此，必须严格要求学生仔细观察字的笔画和结构，清晰感知字形。通过分析、比较，准确地认知字形，注意字形特点及形近字的细微区别。当学生记清字形后，引导学生仔细观察田字格里的范字，哪些笔画长、哪些笔画短，看清字的布局和间架结构，每组笔画的位置在田字格中的哪个部位。在学生仔细观察范字后，引导学生仿写，写好后让学生观察自己的字与范字的差距，分析原因，进行更正，尽量做到一次比一次好。如二年级上册语文园地一的"书写提示"，在会写字左边安排了红蓝比例的结构占比图，让学生一目了然，明白是左窄右宽还是左宽右窄。教材中还有很多这样的提示，就不一一举例了。

3. 示范法

学生写字之始，教师需要细心指导。一是教师的"范写"。对于第一次出现的笔画、部件和结构，教师需要范写，为学生做出示范。二是教师的"改写"。对于学生写错、写不规范的地方，教师需要用红笔对此加以纠正和调整。三是教师的"导写"。对于写字初始阶段的知识和要求，如执笔姿势、汉字构形、运笔法则等，教师要提出具体的指导性建议和方法。

4. 观察法

这是写字时引导学生仔细观察、发现并总结规律的方法。如，在写"吃、唱、和、如、扣"时，要让学生观察，比较"口"字的不同摆放位置，进而发现以下规律："口"在左边，要写得偏高一点；"口"在右边，要写得偏低一点。

5. 书空法

书空是按照生字的笔顺唱读笔画名称，同时以食指在空中进行模拟书写的写字练习活动。

如，书空"人"字，一边摹写，一边唱读：撇、捺。rén，"大人"的"人"。

6. 描红法

描红法是在印好的红色范字上进行描摹的练字方法。描红法主要用在低年段，能更好地帮助学生掌握汉字的笔画和间架结构。一年级上册会写字安排两次描红，一年级下册和二年级上下册会写字安排一次描红。

（三）基本过程

小学阶段写字有两种安排：一种是写字安排在识字后，是语文课堂教学的一个环节。通过书写进一步巩固、落实所学的汉字，这是识字意义上的写字。另一种为单独的一节完整课，其目的主要是把字写得美观、有艺术性，它讲究书法的一些特殊要求，是书法意义上的写字课。第一学段的写字教学是识字意义上的写字。

识字意义上的写字教学过程可分为四步：

第一步，静态观察（读帖），出示田字格中的生字，学生独自观察每一笔的占格位置。

第二步，动态观察（看范写），教师范写，抓住关键笔画指导写字，讲解笔顺。

《中直对正》
教学案例

第三步，体验观察（临帖），学生先描红，再临写，教师巡视指导，提示写字姿势、笔画位置等。

第四步，对比观察（赏字），端详、品味所写字与示范字的差异，可自赏、互赏，最后教师总结。

书法意义上的写字，可以采用"五部曲"的写字教学法。这"五部曲"是讲、练、想、评、结。

第一步，"讲"。"讲"是指在课堂中运用分析、观察、比较等多种方法，让学生掌握正确的写字姿势、正确的执笔方法及一些写字基础知识（点画、结构）。

第二步，"练"。"练"是指运用点画结构规律，对学生进行写字训练的过程。一节课40分钟，最少要用20分钟练。为了让学生练有方法、练有成效，要求学生在练前先认真读范字，写后对照范字进行检查，做到"意在笔先、笔居心后"。教师要严格训练学生眼到（仔细观察范字的笔画、字形）、心到（心中对用笔特征、字形结构和它们在格子中的位置有数）、手到（下笔临写要把眼看到的、心中体会到的用手中的笔表现出来）。

第三步，"想"。"想"的能力是写字能力培养的核心。什么是想？想即心灵感受。如果不想，学生写出的字最高境界也只是形似而已，很难达到传神的效果。但千人千面、万人万相，由于感受力不同，每个学生写出的字是有差异的，要承认差异，保护多角度的审美。

第四步，"评"。评价是对训练情况、学生能力的综合评测，也是调控训练的重要手段。

每节课教师都要进行反馈矫正。评价的形式很多，有条件的教师可以利用实物展示台的优势，让学生展示作品，进行自评、互评、共评。评价既要有肯定，又要有明确的改善意见，还要有新的目标提出，使评价成为指导的延续。

第五步，"结"。课堂最后一两分钟，教师在评价的基础上，要用简洁的语言对这一节课的学习情况加以小结，总结写字规律，指导实践，提出希望，使学生掌握写字方法，巩固知识，为写字打下坚实的基础。

 资料链接

本章知识结构导图

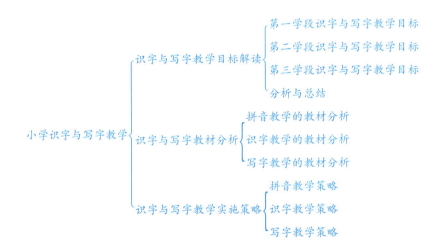

知识点检测

1. 图2-18是汉语拼音教学第1课。结合情境图，分析第1课的教学内容，并且说说如何利用情境图进行教学。

图 2-18　汉语拼音教学第 1 课

2. 请对二年级上册《小蝌蚪找妈妈》一课（图 2-19）中的会认字和会写字进行分析教学。

图 2-19　二上《小蝌蚪找妈妈》

第 三 章

小学阅读与鉴赏教学

学习目标

★ 熟悉各段的阅读与鉴赏教学目标。

★ 梳理阅读与鉴赏教学目标的内容。

★ 掌握阅读与鉴赏教学各段目标的特点。

案例导入

《惊弓之鸟》 教学目标①

1. 掌握生字和词语：嬴、魏、射箭能手、孤单失群、愈合。

2. 提高理解句子和句子间关系的能力。

3. 理解更嬴最后说的四句话之间的逻辑关系。

4. 学习给课文分段，了解段与段之间的关系。

5. 有感情地朗读课文，背诵课文第9自然段。

6. 了解"惊弓之鸟"这个成语的意思和用法。

这是上海实验小学特级教师袁瑢公开课《惊弓之鸟》教案的教学目标部分。《惊弓之鸟》是三年级的课文，袁老师研读文本，把握文本特点与文本在学段教学中的位置，依据《语文课程标准》第二学段目标要求"能联系上下文，理解词句的意思，体会课文中关键词句表达情意的作用。能借助字典、词典和生活积累，理解生词的意义""能初步把握文章的主要内容，体会文章表达的思想感情""能对课文中不理解的地方提出疑问"，从知识与能力、过程与方法、情感态度与价值观三个维度制定了本课的学习目标。字词是必须掌握的，句子与句子之间

---

① 杨九俊，姚烺强. 小学语文课程与教学［M］. 南京：南京大学出版社，2013.

的联系既是把握文章的关键又是本课的难点。掌握、提高、理解、了解分别从不同层次对学生提出了要求，根据学生已有知识水平与能力，对学习的能力提出递进式要求。

第一节　阅读与鉴赏教学目标解读

阅读是人类带有普遍意义的行为，是人类吸收文化财富、获得知识、认识世界的基本途径。阅读是运用语言文字来获取信息，认识世界，发展思维，并获得审美体验的活动，是从视觉材料中获取信息的过程。视觉材料主要是文字和图片，也包括符号、公式、图表等。

阅读是一种主动的过程，是由阅读者根据不同的目的加以调节控制的，能陶冶人们的情操，提升自我修养。阅读是一种理解、领悟、吸收、鉴赏、评价和探究文章的过程。阅读可以改变思想，从而可能改变命运。

一　阅读与鉴赏教学的总体目标

学会运用多种阅读方法，具有独立阅读能力。能阅读日常的书报杂志，初步鉴赏文学作品，能借助工具书阅读浅易文言文。学会倾听与表达，初步学会用口头语言文明地进行人际沟通和社会交往。能根据需要，用书面语言具体明确、文从字顺地表达自己的见闻、体验和想法。背诵优秀诗文160篇（段）。小学阶段课外阅读总量应在145万字以上。

二　各学段的阅读与鉴赏教学目标

（一）第一学段（1~2年级）阅读与鉴赏教学目标内容

（1）喜欢阅读，感受阅读的乐趣。学习用普通话正确、流利、有感情地朗读课文。学习默读。

（2）结合上下文和生活实际了解课文中词句的意思，在阅读中积累词语。认识课文中出现的常用标点符号，在阅读中体会句号、问号、感叹号所表达的不同语气。借助读物中的图画阅读。

（3）阅读浅近的童话、寓言、故事，向往美好的情境，关心自然和生命，对感兴趣的人物和事件有自己的感受和想法，并乐于与他人交流。诵读儿歌、儿童诗和浅近的古诗，展开想象，获得初步的情感体验，感受语言的优美。

（4）尝试阅读整本书，用自己喜欢的方式向他人介绍读过的书。养成爱护图书的习惯。

（5）积累自己喜欢的成语和格言警句。背诵优秀诗文50篇（段）。课外阅读总量不少于5万字。

（二）第二学段（3~4年级）阅读与鉴赏教学目标内容

（1）用普通话正确、流利、有感情地朗读课文。初步学会默读，做到不出声，不指读。学习略读，粗知文章大意。

（2）能联系上下文，理解词句的意思，体会课文中关键词句表达情意的作用。能借助字典、词典和生活积累，理解生词的意义。在理解语句的过程中，体会句号与逗号的不同用法，了解冒号、引号的一般用法。

（3）能初步把握文章的主要内容，体会文章表达的思想感情。学习圈点、批注等阅读方法。能对课文中不理解的地方提出疑问，乐于与他人讨论交流。

（4）能复述叙事性作品的大意，初步感受作品中生动的形象和优美的语言，关心作品中人物的命运和喜怒哀乐，与他人交流自己的阅读感受。诵读优秀诗文，注意在诵读过程中体验情感，展开想象，领悟诗文大意。

（5）阅读整本书，初步理解主要内容，主动和同学分享自己的阅读感受。

（6）积累课文中的优美词语、精彩句段，以及在课外阅读和生活中获得的语言材料。背诵优秀诗文50篇（段）。养成读书看报的习惯，收藏图书资料，乐于与同学交流。课外阅读总量不少于40万字。

（三）第三学段（5~6年级）阅读与鉴赏教学目标内容

（1）熟练地用普通话正确、流利、有感情地朗读课文。默读有一定的速度，默读一般读物每分钟不少于300字。学习浏览，扩大知识面，根据需要搜集信息。

（2）能联系上下文和自己的积累，推想课文中有关词句的意思，辨别词语的感情色彩，体会其表达效果。在理解课文的过程中体会顿号与逗号、分号与句号的不同用法。

（3）在阅读中了解文章的表达顺序，体会作者的思想感情，初步领悟文章的基本表达方法。在交流和讨论中，敢于提出看法，作出自己的判断。

（4）阅读叙事性作品，了解事件梗概，能简单描述印象最深的场景、人物、细节，说出自己的喜爱、憎恶、崇敬、向往、同情等感受；阅读诗歌，大体把握诗意，想象诗歌描述的情境，体会作品的情感。受到优秀作品的感染和激励，向往和追求美好的理想。

（5）阅读说明性文章，能抓住要点，了解文章的基本说明方法。阅读简单的非连续性文本，能从图文等组合材料中找出有价值的信息。尝试使用多种媒介阅读。

（6）阅读整本书，把握文本的主要内容，积极向同学推荐并说明理由。

（7）背诵优秀诗文60篇（段），注意通过语调、韵律、节奏等体味作品的内容和情感。

扩展阅读面，课外阅读总量不少于 100 万字。

三 阅读与鉴赏教学目标的解读

（一） 阅读与鉴赏教学的核心素养

阅读与鉴赏教学的核心素养是学生在阅读活动中积累、构建并在真实的语言运用中表现出来的文化素养、语言素养、思维素养、审美素养。

（二） 阅读与鉴赏教学方法和技能方面的目标

（1）逐学段加强朗读，重视默读，强调诵读，从技能与过程上提出要求。

（2）学习略读与浏览，用好精读，全面细致解读文本。

（三） 阅读与鉴赏教学的知识目标

1. 词语与句子

要求在语境中学习词句，"联系上下文"；借助生活经验学习词句，"联系生活实际""联系自己的积累"：体现出语文是一门综合性、实践性的学科。

2. 标点符号

各学段分别提出不同标点的学习与使用，要求在理解句子的过程中体会、了解标点符号的用法，从而更准确地掌握标点的用法并能更好地使用标点。

（四） 阅读与鉴赏教学的一般目标

阅读与鉴赏教学的一般目标，指的是阅读各类文章时的共通的基本要求。各学段目标从感受、理解、评价等几个方面凸显出学生在阅读中的主体地位，重视学生的体验感受，重视阅读的过程。

（五） 各种文体的阅读与鉴赏教学目标

1. 文学性作品的阅读与鉴赏

文学性作品的阅读与鉴赏强调学生的审美体验，引导学生走入作品，身临其境，用情感和心灵去感受、欣赏作品，受到作品的感染与激励，树立正确的情感态度观。

2. 说明性文章的阅读与鉴赏

小学在第二学段开始接触说明文，第三学段目标中提出说明性文章的阅读与鉴赏要求，学习的重点就是抓住要点，了解文章的基本说明方法。

3. 非连续性文本的阅读与鉴赏

非连续性文本又称"间断性文本"，它是相对于具有叙事性、文学性的连续性文本而言，由逻辑、语感不严密的段落层次构成的阅读文本形式。一般包括图表、图解文字、目录、说明书、广告等。第三学段加入非连续性文本的阅读与鉴赏，要求学生学会从中获取信息，能又快又准地阅读。

（六）整本阅读目标

2022 年新课标首次提出了整本阅读，从第一学段"尝试阅读整本书"到第二学段"阅读整本书，初步理解主要内容"再到第三学段"阅读整本书，把握文本的主要内容"，逐层级提出了整本阅读的要求，达到提升整本阅读能力的目标。因此，整本书的阅读也需要循序渐进。1~2 年级，阅读有童趣的、浅显易懂的读物，比如连环画、绘本和童话书，目的是体会读书的快乐。3~4 年级，可以阅读表现英雄模范事迹的图书和儿童文学名著（如《稻草人》），感受作品传达的真善美，用自己喜欢的方式讲述故事大意。5~6 年级的阅读范围就更大了，反映革命传统的作品、表现人与自然的优秀文学作品、科普科幻作品等，都可以进行阅读。此学段要求学习梳理作品的基本内容，针对作品中感兴趣的话题展开交流。

（七）积累与课外阅读

"积土成山，风雨兴焉；积水成渊，蛟龙生焉。"语言养成不可能一蹴而就，而是通过长期积累实现的，没有积累就不可能有好的语感，也不可能使听说读写能力达到较高的水平。因此，阅读目标从第一学段起就提出了积累与课外阅读的要求，三个学段分别要学生从词语、成语、格言警句、精彩语段、优秀诗文等方面进行积累，并分学段逐步让学生背诵优秀诗文 160篇（段），课外阅读量也逐年递增，总量达到 145 万字。

四　阅读与鉴赏教学目标的设计

（一）第一学段阅读与鉴赏教学目标设计

在设计低年级阅读与鉴赏教学目标的时候，需把握语文课程核心素养，结合学生特点进行设计。教师针对学生这个年龄段好玩、好动、好奇、好创的特征有的放矢地设计各个环节。于漪说："课的第一锤要敲在学生的心灵上，激发起他们思维的火花，或像磁石一样把学生牢牢地吸引住。"对于一节课注意力只能持续 10~15 分钟的低年级学生来说更是如此。要把握"一课一得"的教学理念，采用多形式化的教学方法，使课堂饱满而丰富，让学生在这一学段切身体会到"阅读"的乐趣，在爱上阅读的同时养成良好的阅读习惯，并可以用自己的方式与他人分享阅读所得。为了更好地培养学生文化素养、审美素养、思维素养，提升语言素养，从第一阶段起，我们可以运用语文实践活动指导整本阅读。

低年级阅读与鉴赏教学设计需要考虑的目标主要有：

（1）识字与写字。

（2）用完整的句子表达自己的想法。

（3）朗读和背诵。

（4）阅读习惯的养成。

在设计低年级阅读与鉴赏教学目标的过程当中，要根据具体的课文，紧紧围绕低年级的核心目标进行个性化的设计，在保持核心目标不变的同时，再针对地域特色、学生特点、教师的个人风格等完善课堂目标。

低年级的阅读与鉴赏教学是以识字为主、课文内容为辅，根据课标中三个学段的识字、写字量任务可以发现，第一学段的首要任务就是认字，而囿于识字的数量，每篇课文的生字很大程度上影响了学生的阅读，因此建议，在低年级的阅读教学当中，应该采用"集中识字"的方式先学习课文中的生字，再根据学会的生字理解课文内容。

鉴于此，低年级的阅读与鉴赏教学一般分为两个课时，第一课时的目标设计方向为：

（1）会认读一类生字，会写二类生字。

（2）通过理解课文中的重点字词，把握课文主要内容。

（3）借助拼音，能正确、流利地朗读课文。

第二课时的目标设计方向可以为：

（1）理解课文内容。

（2）学习文中的语法知识及标点用法。

（3）能有感情地朗读课文；文中若有背诵要求，在教师的指导下尝试背诵课文。

比如统编版一年级上册《乌鸦喝水》一课，我们可以这样设计我们的目标。

教学目标

知识与能力：

1. 会认"乌、鸦"等12个生字，会写"只、石、多、出、见"5个生字。

2. 学习课文，通过联系上下文、看图、联系生活实际等方法理解"口渴、到处、渐渐"等词语的含义并能正确使用"渐渐"一词。

3. 正确、流利、有感情地朗读课文。

过程与方法：

1. 了解课文内容，体会乌鸦在"找水喝"到"喝着水"这一过程中心情的变化。

2. 培养学生的阅读能力，能简单地复述故事。

情感态度与价值观：

懂得遇到困难应积极开动脑筋、想办法解决的道理。

教学重难点

1. 朗读、感悟课文。

2. 明白遇到困难应积极开动脑筋、想办法解决的道理。

统编版一年级下册《小壁虎借尾巴》一课，我们可以这样设计我们的目标。

教学目标

知识与能力：

1. 通过读文，认识9个生字，会写6个生字。

2. 联系上下文及生活实际，理解"逃、摆、摇、甩、难看、难过、叫"等词语的意思。

3. 通过读文，结合词语理解每段话的意思，并能朗读好文中四处对话的句子。

过程与方法：

1. 运用插图与读文相结合，了解小鱼、老牛、燕子和壁虎尾巴的用处以及壁虎尾巴可以再生的特点。

2. 以小组合作学习、分角色朗读、表演为主要学习方法，理解课文主要内容，体会句号、问号、感叹号的不同语气。

情感态度与价值观：

培养学生说话有礼貌、真诚待人的好品质。

教学重点

知道小壁虎借尾巴的经过，懂得小鱼、老牛、燕子和壁虎尾巴的用处，接受礼貌教育。

教学难点

读好文中的对话语句，流利地朗读课文。

上面两个例子，教师解读文本，根据学生的学习特点与身心特点，确定了三维目标，并以分解式形式呈现。

这一学段阅读与鉴赏教学除了叙事性文本外，还有诗词的教学，主要要学生多读多积累，初步感受诗歌的节奏美、韵律美，了解大意。

例如统编版一年级上册《画》。

教学目标

知识与能力：

1. 通过观察图画和学习课文，理解诗句的意思，受到美的熏陶。

2. 学会本课的 6 个生字，3 个部首，理解文中的反义词；会认读 5 个字。

过程与方法：

1. 能用自己的话说出诗句的大概意思。

2. 能正确、流利地读课文，背诵课文。

情感态度与价值观：

通过观察图画和学习课文，理解诗句的意思，受到美的熏陶。

教学重难点

重点：理解诗句的意思。

难点：学会本课的生字和部首。

这一学段的整本阅读目标，可参考绘本《父与子》的阅读目标：①能主动阅读完整的绘本。②知道绘本中讲了几个故事，了解各个故事的大意。③用自己喜欢的方式把这本书介绍给小伙伴。

（二）第二学段阅读与鉴赏教学目标设计

第二学段是一个过渡学段，中年级既要继续强调阅读习惯的养成，同时要开始学习相关的阅读方法，为高年级的独立阅读打下基础。第二学段相对于第一学段可以减少花在生字词上的时间，逐渐把教学重点转移到对整个文本的解读上，除了掌握基本的生字词读写之外，第二学段阅读与鉴赏教学设计需要考虑的目标主要有：

（1）理解和积累关键词句。

（2）复述课文的主要内容。

（3）积累及运用优美词句。

鉴于此，第二学段的阅读与鉴赏教学第一课时的目标设计方向为：

（1）掌握本课生字词。

（2）能用自己的话完整地概括课文的主要内容。

（3）正确、流利地朗读课文。

第二课时的目标设计方向可以为：

（1）尝试划分课文的结构，并能用自己的话概括每个部分的主要内容。

（2）抓住课文的重点词句，体会感悟。

（3）积累好词佳句，进行相应的课外阅读训练。

例如统编版三年级上册《美丽的小兴安岭》一课，我们可以这样设计我们的目标。

教学目标

知识与能力：

1. 认识"侧、欣"等11个字，读准多音字"兴、舍"，会写"脑、袋"等13个字，会写"东北、红松"等16个词语。

2. 有感情地朗读课文，能读好文中的长句子，初步体会"抽出""浸"等词语在表达上的好处。

过程与方法：

1. 能结合课文内容，说出喜欢小兴安岭的理由。

2. 边读边标注文中描写不同季节的重点词句，通过对重点词句的品读深入理解课文内容，体会作者用词的准确性。

3. 学习作者抓住小兴安岭每个季节景色的特点进行观察和表达的方法，尝试模仿表达。

情感态度与价值观：

通过感受小兴安岭的美丽，喜爱小兴安岭，热爱祖国的河山。

教学重点

1. 抓住不同季节中的重点词句，通过对重点词句的品读深入理解课文内容，体会作者用词的准确性。

2. 学习作者抓住小兴安岭每个季节景色的特点进行观察和表达的方法，尝试模仿表达。

教学难点

通过对重点词句的品读深入理解课文内容，体会作者用词的准确性。并且学习课文写法，尝试模仿表达。

又如统编版三年级下册《赵州桥》的教学目标设计。

教学目标

1. 认识"县、拱"等10个字，会写"赵、省"等13个生字，正确读写"设计、参加、雄伟、双龙戏珠"等重要词语。

2. 知道赵州桥是世界闻名的石拱桥及它坚固、美观的特点。理解赵州桥设计的独创性及其作用。

3. 学生初步学会抓重点词句理解一段话的学习方法，提高学生的朗读能力、说话能力、思维能力，在积累语言的同时，学习怎样围绕一个意思写一段话。

4. 感受赵州桥坚固、美观的特点，体会我国劳动人民的智慧和才干，从而激发起学生的民族自尊心和自豪感。

教学重点

初步感知说明文条理性强、用语精确的文体特点。指导学生运用抓重点词句理解一段话的方法学习课文。

教学难点

帮助学生理解赵州桥设计上的特点及其好处。

统编版四年级上册《观潮》的教学目标设计。

教学目标

知识与能力：

1. 认识"盐、屹"等 12 个生字，会写"潮、据"等 15 个生字。理解"人声鼎沸、人山人海、横贯江面"等词语的意思。

2. 有感情地朗读课文，背诵课文第三、四自然段。

过程与方法：

1. 引导学生边读书，边抓住有关描写潮水的词句。

2. 通过联系上下文或结合生活实际等方法来想象画面，从而感受到钱塘江大潮的神奇壮观。

3. 鼓励学生把自己的阅读感受与他人交流。

情感态度与价值观：

让学生感悟钱塘江大潮的壮丽与雄奇，激发学生对自然奇观、壮美山河的热爱之情。

教学重点

1. 有感情地朗读课文。

2. 引导学生读懂三、四自然段，即引导学生抓住潮来时潮水声音变化的词语和潮水形态变化的词语来理解大潮的雄伟气势。

教学难点

引导学生体会作者是怎样生动而有层次地描述钱塘江大潮的雄奇的。

学生进入三年级以后，已经初步具备了一定的语文阅读与鉴赏能力。三年级学生已有两年古诗学习的积累，但对于古诗的理解比较肤浅。教学时，对于生涩难懂的词语可通过课后注释、课件演示帮助理解，同时可利用多媒体平台等手段的使用为学生创设身临其境的学习氛围，帮助他们体会古诗所要表达的情感。到第二学段后期，学生则可以体会诗词意境。

例如统编版三年级上册古诗《饮湖上初晴后雨》的阅读与鉴赏教学目标设计。

教学目标

1. 诵读诗句，利用注释及学过的方法学习古诗。

2. 正确认读古诗，理解诗句意思，自然成诵。用心品读诗文，体悟"水光潋滟""山色空蒙"构筑的画面与意境，读出诗的韵味与美感，读中悟情。

3. 拓展学习，注重积累。

教学重难点

1. 朗读古诗，读出感情，读出韵味。

2. 借助信息技术手段创设情境，以读为主，读中悟情。

3. 感受诗人眼中的西湖，对西湖的自然景观与人文景观产生向往之情。

这一学段的整本阅读目标，可参考《稻草人》的阅读目标：①阅读整本书，初步理解各个童话的内容。②能读出自己的感悟与想法，主动将自己的感悟讲述给同学或家人听。

（三）第三学段阅读与鉴赏教学目标设计

小学生进入第三学段的学习后，语文教学的各个内容的整合性特点更明显。学生本身表现出"静默学习"的特征，表现在两个方面：其一，独立性增加，随着学生心理逐渐成熟稳定，学生的学习内驱力增加，能够主动在学习过程中集中注意力关注学习内容；其二，自律性增强，同时活动力降低，在语文课堂上的表现是能持续地集中精力独立阅读。在高年级的教学设计中，要将阅读的主动权更大程度上交给学生，多设计探究类主题的阅读活动，充分发挥学生的自读能力和合作能力。

第三学段阅读与鉴赏教学设计需要考虑的目标主要有：

（1）独立理解课文内容，把握课文中的情感。

（2）学习不同文体中相关的表达方法。

（3）联系时事和生活，能主动、客观表达自己的想法。

鉴于此，高年级的阅读与鉴赏教学第一课时的目标设计方向为：

（1）通过预习，自学生字词。

（2）了解课文大意，划分课文段落。

（3）能用自己的话概括课文内容，并有感情地朗读课文。

第二课时的目标设计方向可以为：

（1）针对不同的文体，在教师的引导下，掌握课文中的表现手法（包括表达方式、写作方法、修辞手法等）。

（2）把握文章情感，找到表现文章主题的中心词句并能进行简要分析。

（3）积累好词佳句，进行相互的课外阅读训练。

例如统编版五年级上册《珍珠鸟》一课，我们可以这样设计我们的目标。

教学目标

知识与能力：

1. 默读课文，把握文章主要内容——人鸟和谐相处，相互依赖。

2. 边读边标出重点词句，了解珍珠鸟的样子。

过程与方法：

1. 借助关键词句，梳理珍珠鸟与作者之间情感变化的线索，体会作者与珍珠鸟之间的情感。

2. 品读语言，学习作者对珍珠鸟细腻、人性化的描写方法。

情感态度与价值观：

1. “人之爱”和“鸟之爱”两方面的结合，理解“信赖，往往创造出美好的境界”的现实意义。

2. 激发内心爱的情感，爱护动物，善待生命。

教学重点

1. 理解体会课文描写动物细腻入微、语言运用准确传神的写作特点。

2. 展示人和动物之间充满爱和信赖的理想境界。

教学难点

“人之爱”和“鸟之爱”两方面的结合，理解“信赖，往往创造出美好的境界”的现实意义。

统编版五年级下册《杨氏之子》的目标设计。

教学目标

知识与能力：

1. 按要求掌握生字。能正确读写“家禽”等词语。

2. 有感情地朗读课文。

过程与方法：

1. 根据注释理解词句，了解课文内容，体会故事中孩子应对语言的巧妙。

2. 充分利用课外资源和小组合作学习的优势，解决学习中的疑问。

情感态度与价值观：

1. 感受故事中人物语言的风趣和机智。

2. 激发积累语言的兴趣。

教学重难点

重点：理解词语，了解课文内容。

突破方法：在读通课文的基础上参照注释自读自悟，理解课文内容。

难点：体会故事中孩子应对语言的巧妙。

突破方法：先找出文中人物对话的语句，弄清人物的身份和说话的意图，从中体会语言的巧妙。

统编版五年级上册《新型玻璃》的目标设计。

教学目标

知识与能力：

1. 能正确、流利、有感情地朗读课文，了解课文的基本内容。

2. 了解5种新型玻璃的特点及用途。

3. 了解迅速发展的当代科技及其在现代建设中的作用。

4. 领悟作者的表达方法，并学习运用。

过程与方法：

1. 通过朗读课文，了解课文的基本内容，通过自主合作学习，了解5种新型玻璃的特点及其用途。

2. 通过理解文中的重点语句来理解课文内容。

3. 采取举一反三的方法，学习第1自然段后总结其方法：读课文—找出特点和用途的句子—抓住重点词语—归纳特点和用途。

情感态度与价值观：

激发热爱科学的情感和为科技事业的发展进步而勤奋学习的自觉性。

教学重难点

重点：了解新型玻璃的特点和作用。

突破方法：自主阅读，抓住重点语句交流讨论，合作学习。

难点：学习并运用作者的表达方法。

突破方法：画出描写每种新型玻璃特点、用途的重点语句，明确说明方法，深入体会并加以运用。

 **第二节 阅读与鉴赏文本研读策略**

 阅读与鉴赏教学设计的三个意识

（一）文体意识

文体就是文章的体裁，是文章在结构形式和语言表达上所呈现的具体样式或类别。统编版小学语文教材所选的课文文质兼美，体裁多样，有记叙文、说明文、文言文、儿童文学（寓言、童话、神话、儿童诗歌）等不同文体。

在阅读与鉴赏教学中，教师应该树立文体意识，即依据不同文章的文体特点，采用不同的教学方法，因文而教的意识。如教学记叙文，应根据记叙文的文体特征，抓住时间、地点、人物、起因、经过、结果六个要素来设计教学活动，引导学生理清事情的前因后果。而说明文的教学应指导学生抓住说明方法，品读、感悟重点词句，了解全文的说明顺序和结构特点。神话的教学应抓住想象神奇这个基本特点，感受神话人物、神话故事的奇特。寓言的核心特征是讲述哲理，不是讲述故事，应引导学生通过故事感悟蕴含于其中的道理。具备文体意识的教师，能站在更高的角度审视文本，为文本解读打开另外一扇窗。基于文体意识的小学语文阅读与鉴赏教学，有利于凸显语文的课程价值，提高阅读与鉴赏教学的质量，提高学生的语文素养。

例如统编版四年级上册神话故事《盘古开天地》一文，根据神话的文体特点和表现手法，在文体意识的引导下，教师在教学中可以这样解读文本，选择教学策略。这是小学生首次接触神话，应该通过教学让学生初步感知神话的基本特点：想象神奇。故事中处处充满神奇的想象。生活神奇：盘古一睡就睡了"一万八千年"，常人一般睡8个小时左右，能够睡上"一万八千年"，只有神仙才能如此。动作神奇：一顶一蹬就把天地撑开，夸张的动作，让人感受到盘古超越常人的神力。变化神奇：盘古倒下后，他的身体发生了巨大的变化。气息变成了四季的风和飘动的云，声音化作了隆隆的雷声，双眼变成了太阳和月亮，四肢变成了大地上的东、西、南、北四极，肌肤变成了辽阔的大地，血液变成了奔流不息的江河，汗毛变成了茂盛的花草树木，汗水变成了滋润万物的雨露……身体的各个部分都化作了世界上的万物。通过这些丰富和合理的想象，学生感受到盘古创世的神奇。

总之，根据文体意识观照文本，运用符合这种文体的阅读方法进行阅读与鉴赏，发现该文体样式独有的特点，如文章内容选择、结构安排、技巧运用和语言表达等，并结合每个学段的要求，就能正确取舍教学内容，提高教学的质效。作为现代小学教师，我们应该树立自觉的文体意识。了解课文的文体特点，对阅读与鉴赏教学是大有裨益的。首先，了解文体，可以帮助教师确立教学目标，明确教学内容，更准确地把握教材编者的设计意图。其次，了解文体，有利于指导学法，使学生掌握不同文体作品的学习方法；有利于学生举一反三，将学习经验从一篇推广到一类。最后，有利于教师优化教学结构，完善教学过程。分析课文的文体特点是教师备课的一个重要环节，它直接决定了课堂教学的走向。

（二）课型意识

统编版语文教材把语文阅读与鉴赏课型定为精读课与略读课两类，并增加了"课外阅读"。精读课要教会学生读懂课文内容，掌握基础知识，使其情感受到熏陶，全面提升学生的学习能力和语文素养。略读课则是一种以培养学生的独立阅读能力或自学能力为目标的实践课。两类课型的确立，突出了语文学科的素质教育功能，体现了语文阅读与鉴赏教学从教会到会学的动态过程。所谓课型意识，即依据精读课和略读课两种课型的不同要求，来设计教学活动、实施教学策略的意识。

精读课课文的教学一般安排两个以上的课时。第一课时一般以教会学生筛选信息、掌握背景材料、学习和生字词有关的知识、学会如何梳理文本大意等为主要教学目标。第二课时则把引导学生品味鉴赏文本的语言、体会作者的思想感情，进而分析写作特色作为主要任务。精读课侧重知识的讲析，在教学过程中以教师为主导，通过教师的示范讲解，使学生掌握课文的重点和难点，实现教学目标。精读课是略读课的基础，犹如一个范例，教师着重示范引导，教会学生如何去读这个范例。学生主要是模仿、借鉴，通过学习，掌握教师示范讲解的内容和方法。

略读课课文的教学一般是在一个课时内完成。教师依据"单元提示"和"自读提示"确定的自读重点，或者抓住贯穿全文的一两个关键问题，或是课文中的重要段落，引导学生重点推敲，以此带动全文的阅读与鉴赏，获得牵一发而动全身的教学效果。在教学过程中以学生为主体，通过学生的自读、自解、自测、自结，充分开展读、议、练等学习活动，实现教学目标。一般学生的活动时间在27分钟以上。在略读课中，教师的作用应该由"扶"变为"引"，即通过点拨、指导，让学生学会自己读。略读课侧重学习的迁移性。学生将在范例中学到的读书方法，尝试性地运用到自己的阅读鉴赏实践中，逐步由范例的模仿转化为学习能力的提升。

精读课是"举一"，略读课就是"反三"。略读课既是为精读课服务的，又是精读课的重要补充和升华。

统编版教材的编排以课型意识为指南。从单元教学的整体性来看，从精读到略读再到课外阅读，充分体现了知识迁移的认知过程。从学生的主体性来看，在整个单元教学的过程中，学生的主体地位逐步确立，参与学习的主动性和积极性越来越高。

例如统编版五年级上册第六单元围绕"舐犊情深，流淌在血液里的爱与温暖"这个主题，编排了精读课文《慈母情深》和《父爱之舟》，与之相配套的略读课文则是《"精彩极了"和"糟糕透了"》。从"精读课上求知识，略读课上求实习"的课型特点出发，可确定《"精彩极了"和"糟糕透了"》一文的学习目标为：①清晰、流畅地朗读课文。②理解父母两种不同的评价，并联系实际谈谈自己的看法。③练习划分段落层次和归纳中心思想。以此有重点地略读课文，带动课后练习的完成，有效地达到自读目的。

《父爱之舟》
教学及品评

总之，对精读课与略读课两种课型的实际运用的研究，有利于强化语文教学的课型意识，有利于从理论与实践上把握两种课型，找到迅速提高语文课堂教学效率的途径。这样，学生在课外阅读时，便能运用课内所得经验进行独立阅读与鉴赏，最终养成良好的读书习惯和获得自主学习的能力。

（三）语文味意识

语文教学首先是姓"语"的，应通过词语文句感悟文本背后的意蕴，具体包括字、词、句、段、篇、听、说、读、写、书（写字）10个方面。语文课就应该追求语文味。语文味就是指词味、句味、读味、文味、品味、书写味等，语文味体现的是一种语文教学的本色、本性和本质。我们应树立语文味意识，即在阅读与鉴赏教学中主动、自觉地追求语文味的意识。追求阅读与鉴赏教学的"语文味"，就是要通过"动情诵读、静心默读""圈点批注、摘抄书作""品词品句、咬文嚼字"等方法让语文阅读与鉴赏教学充满词味、句味、读味、文味、品味、书写味，体会文字后面的意义。我们应该用语文的方法学语文，让学生感受到语文的魅力在语文里，而不应该"种了别人的田，荒了自家的园"，把情感审美、价值观教育、多元文化的学习、思维能力甚至创新精神的培养等基础教育各门课程共同承担的任务当成阅读与鉴赏教学的本体性教学内容，不应把《寒号鸟》上成道德与政治课，不应把《青山不老》《只有一个地球》上成环境保护课，不应把《故宫博物院》上成关于房屋的建筑课，不应把《植物妈妈有办法》《蟋蟀的住宅》《爬山虎的脚》上成自然课，不应把语文课演绎成音乐、美术、常识课，而应该通过听、说、读、写去理解课文语言的内涵，体会课文语言的感情，品味课文语言的特点，揣摩课文言说的方式，领悟课文语言的韵味，领悟课文语言的规律，从而学会运用语言表情达意。一句话，以一篇篇课文为例子，以语言文字为抓手，以学语言文字运用为旨归，让语文的工具性与人文性有机统一，让学生由"言"得"意"，由"意"悟"言"，"言""意"兼得，围绕本体性教学内容组织、开展阅读与鉴赏教学活动，从而真正提高阅读与鉴赏教学的效率。

语文教学应该咬文嚼字，层层剥笋，反复咀嚼，品出味来。"咬文嚼字"就是引发学生对文本中重点词语、关键句子的思考，从而使学生理解和把握中心的做法。如在教学《圆明园的毁灭》一文时，可引导学生品读课文，使用连接词"有……也有""有……也有……还有""不仅有……还有"等进行说话训练，感受圆明园曾经的辉煌。圆明园不仅有宏伟的建筑、壮丽的景观，还有成千上万、数不胜数的奇珍异宝，具有"不可估量"的价值。可通过品读"统统""凡是""任意"等词语，感受侵略者的蛮横与残暴：只要能拿走的，就全部拿走，一个也不留；能抢就抢，拿不动就用车运，片甲不留；拿不走也不给中国留着，打砸焚烧全给破坏。通过对这些重点字、词、句的反复品读、赏析，语文阅读与鉴赏教学充满了词味、句味、读味、文味、品味、书写味等语文味。追求阅读与鉴赏教学的语文味，就要求真务实，在扎扎实实的阅读与鉴赏教学中理解语言、品味语言、积累语言、运用语言，在扎实的语文实践中习得语感、积淀语感、领悟语言规律、掌握学习方法。

二　标题研读

标题，是概括、提炼与浓缩文章精要内容的简短语句，是一篇文章的精华所在，精心提炼的标题，往往能以一目尽传精神。所以人们常说，标题是文章的眼睛。标题也是阅读与鉴赏教学的重要资源。我们在阅读与鉴赏教学中，首先要接触的就是文章的标题，因此不能忽略标题的研读。统编版课文的标题多种多样：有的课文的标题概括了文章主要内容，如《小壁虎借尾巴》《圆明园的毁灭》等；有的课文的标题表明了写作对象，如《树和喜鹊》《珍珠鸟》《猎人海力布》等；有的课文的标题关联着文章的主要情节，如《桥》；有的课文的标题点明了全文的线索，如《一块奶酪》；有的课文的标题透露出情感主旨，如《慈母情深》；有的课文的标题蕴含深刻的寓意，如《坐井观天》；有的课文的标题制造了悬念，能引起读者的兴趣，如《我的长生果》。研读课文标题，有助于学生准确把握文章主题，全面理解文章内容。

（一）巧用标题，导入新课

有的文章，作者在拟写标题时设置了悬念，引得读者浮想联翩。在教学中，要巧妙地利用这样的标题，吸引学生主动、积极地参与到阅读与鉴赏活动中来。如《我的长生果》一文，就可抓住标题的悬念，设计这样的导入语："《西游记》里提到有一种果子，三千年才开花，又三千年才结果，再三千年才成熟。这种果子遇金而落，遇木而枯，遇水而化，遇火而焦，遇土而入。吃上一个，可长生不老！世界上真的有这样的果子吗？今天我们一起来学习《我的长生果》，看看是否真如《西游记》里写的那么神奇！"又如《一幅名扬中外的画》这篇课文，可这样设计导入语："这幅名扬中外的画到底是指哪一幅呢？这幅画上到底画了什么？为什么它的名气会传遍全世界呢？"再如《我变成了一棵树》这篇课文，可这样设计导入语："我为什么会变成一棵树？我变成树后发生了怎样的故事？我还能再变回来吗？"这些课文都可巧用标题设置悬念，激发学生的学习兴趣；导入新课，营造积极的课堂氛围。

（二）依托标题，理解内容

有的文章标题鲜明地揭示了文章的描写对象和描写重点，通过对标题的研读，我们能更好地把握课文的内容。例如《小壁虎借尾巴》一文的标题就不仅告诉了我们描写的对象，而且触及课文的重点。我们应该紧紧围绕《小壁虎借尾巴》一文的标题来设计阅读与鉴赏教学活动。首先我们要针对一年级学生的认知特点，注重趣味，引导思考。由题目入手设疑：小壁虎向谁借尾巴呢？引出故事中的其他动物鱼、牛、燕子。其次得出借尾巴的结果：它到底借到了没有呢？然后揭晓没有借到的原因：为什么没有借到？因为其他动物分别要用尾巴拨水、赶蝇子、掌握方向。最后编写故事：小壁虎爬呀爬，爬到（　　），他看见（　　）。小壁虎说："（　　），您把尾巴借给我行吗？"（　　）说："不行啊，我要用尾巴（　　）呢。"这样围绕标题，由浅入深，逐步深入，使学生更深刻地理解文本内容，把握课文的重点；同时丰富了学生的想象力，使其思维也得到训练。

（三）探索标题，理清思路

有的文章标题给我们提供了写作思路，如果由标题探知了思路，篇章训练、理解课文就有了依循。例如《落花生》，紧扣文题中的"花生"，引导学生按"种花生—收花生—吃花生—议花生"的思路学习，有序分析之间的联系。又如《"精彩极了"和"糟糕透了"》，由标题可探知，这篇文章先写妈妈对"我"的评价"精彩极了"，后写爸爸对"我"的评价"糟糕透了"。成年以后"我"慢慢体会到，这两种评价对"我"的成长都起到了重要作用，妈妈的评价是"我"产生"灵感和创作的源泉"，爸爸的评价时常提醒"我""小心，注意，总结，提高"，进而感悟两种评价都蕴含着父母对"我"的爱。

教学案例
《落花生》

（四）剖析标题，领悟主旨

有的文章在标题里就揭示了文章的主题思想，让读者心中有数。例如《不懂就要问》一文的标题就告诉我们，学习要敢于发问，勇于质疑。该文所要表达的思想正是文章标题所揭示的，文章围绕标题展开故事情节。孙中山先生小时候读书，不明白书里的意思，糊里糊涂地背诵；后来壮着胆子请教先生，先生详细地解答了他的问题，进而得出"学问学问，不懂就要问。为了弄清楚道理，就算是挨打也值得"的体会。

又如《我不能失信》这篇课文的标题，肯定了诚信这种可贵的品格，倡导人人诚实守信，宣扬诚实守信的中华民族传统美德。小宋庆龄约好周末教小珍叠花篮，为了履行自己的诺言，她放弃了盼望已久的去伯伯家看鸽子的机会。通过剖析标题，引导学生领悟文章的主旨。

总之，借助标题去揣摩整篇文章的中心、重点、思路、情感以及其他相关的问题，能帮助我们更好地理解课文。

三　中心句研读

文章的中心句常常是画龙点睛的句子，它以总起句、总结句、议论或抒情句的形式出现。这些句子是作者真情实感的流露，是作者在大量铺陈记叙的基础上对文章中心的概括，与文章中心的关系极为密切。中心句，有的在开头出现，如《白鹭》中的"白鹭是一首精巧的诗"；有的在结尾出现，如《母鸡》中的"一个母亲必定就是一位英雄"；有的在文章的中间出现，如《落花生》中的"人要做有用的人，不要做只讲体面，而对别人没有好处的人"；等等。在教学中，从中心句着手，切入文章，直奔主题，能增强教师提问的指向性，避免学生思考的盲目性，提高学生答疑的准确率，激起学生的学习兴趣，活跃课堂气氛。

（一）结合上下文理解中心句

结合上下文理解中心句，就是结合语言的具体使用环境，把与中心句有关联的上下文中的句子综合起来思考，从而体会它们的意义。结合上下文可使句义更加具体和明确、内涵更加丰富。

例如《落花生》一文的中心句："人要做有用的人，不要做只讲体面，而对别人没有好处的人。"如果只是抽象地就句子讲句子，讲解会比较空洞，学生很难懂得句中的道理。用联系上下文的方法，找出与中心句有关的句子，让学生理解"有用"是指花生因味道香甜，得到大家的喜欢；可以榨油，在生活中应用很广；价格便宜，能被大众接受。这些都是花生的"好处"，是"有用"的具体内涵。而"体面"则是指炫耀式地挂在枝头的位置，外表鲜红嫩绿，十分诱人，让人一看就生爱慕之心。花生不讲体面，果实矮矮地长在地里，人们必须挖出来才知道。通过联系上下文，学生就能更具体、更全面地理解花生不图虚名、默默奉献的品格。

（二）联系实例理解中心句

如《母鸡》中的"一个母亲必定就是一位英雄"。联系汶川大地震中一位英雄母亲的实例——为了救自己襁褓中的孩子，这位英雄母亲用纤弱的身躯抵挡垮塌下来的房屋。她双膝跪着，整个上身向前匍匐着，双手撑地，身体被压得变形了，在她的身体下面躺着她的孩子，孩子被包在一个小被子里，只有三四个月大，因为被母亲的身体庇护着，他毫发未伤，被抱出来的时候，他还安静地睡着，他熟睡的脸让所有在场的人感到很温暖。通过这样的实例，学生理解了中心句，感受到母爱的伟大。

又如《搭石》中的"一排排搭石，任人走，任人踏，它们联结着故乡的小路，也联结着乡亲们美好的情感"。可以联系生活实际，展开想象，描摹画面。想象如果胆小年幼的孩子，扛着行李的外乡人，身体有残疾的人，提着礼物、背着孩子回娘家的妇女，拄着拐杖的老爷爷……来走搭石，将会是怎样的情景？再如《爬天都峰》一课中的"你们这一老一小可真有意思，都会从别人身上汲取力量"，也可引导学生联系生活实例，谈谈在学习上和日常生活中，从同学、老师、兄弟姊妹、父母长辈、名人榜样身上汲取力量的情况。

（三）联系时代背景理解中心句

对于距离学生的生活较远的课文内容，可以采用联系时代背景的方法来进行阅读与鉴赏。如《为中华之崛起而读书》，可通过"中国人与狗不得入内"的故事，《南京条约》《马关条约》《北京条约》等历史资料和图片来帮助学生理解。

再如《圆明园的毁灭》一文的中心句"圆明园的毁灭是中国文化史上不可估量的损失，也是世界文化史上不可估量的损失"，可以使用联系历史时代背景的方法来理解。介绍圆明园建造的历史，使学生了解圆明园是雍正、乾隆、嘉庆、道光、咸丰五位皇帝，经过150多年的经营，集中大批人力、物力，凝聚了无数能工巧匠的血汗，精心建造的一座规模宏大、景色秀丽的园林。阅读雨果写给巴特莱德的信，信中具体描绘了圆明园中的梦幻奇景，通过雨果评价圆明园是绝无仅有、举世无双的世界奇迹，感受这座建筑的宏伟。利用圆明园收藏的文物、名画等图片资料，了解圆明园收藏的奇珍异宝。播放大火焚烧圆明园的录像，利用参与劫掠的有关人员的回忆等资料，再现当时的情景。

四　关键词研读

关键词就是能概括文章主旨、揭示文章中心、展示文章脉络、标示文章句段关系的词语。关键词之所以关键，就在于它最能体现文章特点，表达作者感情。这类词语直接指向文本的思想情感，反映文章的核心意义，能帮助教师达成教学目标。在小学语文阅读与鉴赏教学中，通过品读、感悟关键词语来理解课文内容，是打造高效课堂的关键。关键词的教学，能使课堂教学删繁就简，既是一种教学策略，又是一种教学艺术。围绕关键词，教师对课堂精心设计，对教学材料恰当取舍与提炼，能帮助学生体会关键词表达情意的作用，启迪学生感悟知识的灵性，达到片言居要、举一反三、牵一发而动全身的效果，适时适度地引导学生，以在单位教学时间内获得最高的教学效率。

（一）抓关键词理解文章的含义

如一年级下册《树和喜鹊》的教学，应抓住课文"从前，这里只有一棵树，树上只有一个鸟窝，鸟窝里只有一只喜鹊"中一连出现三次的关键词"只有"，引导学生理解因为没有其他的树，没有其他的鸟窝，没有其他的鸟，所以喜鹊在伤心难过的时候没有人陪伴，高兴快乐的时候也没有人分享的感受。通过关键词"只有"，学生感受到没有朋友是非常孤单的。

（二）抓关键词体会文章的情感

如教学三年级下册《赵州桥》一课时，可抓住"这种设计，在建桥史上是一个创举，既减轻了流水对桥身的冲击力，使桥不容易被大水冲毁，又减轻了桥身的重量，节省了石料"这一句中的关键词"创举"，来引导学生体会文章的情感。"创举"就是从来没有过的重要行动和做法。赵州桥在建造上采取大小拱结合的方式，在两个拱肩上各设计了两个小孔，不仅能减轻对桥基的压力，节省不少建筑材料，还能加速排洪，这样巧妙的设计在桥梁建造史上是一个"创举"，体现了劳动人民的智慧和才干，作者用"创举"表达了对劳动人民的赞美之情。

（三）抓关键词理清文章的结构顺序

文章的结构就像串联珍珠的链子，阅读与鉴赏时理清了文章的结构，整篇文章的脉络就清晰了，理解课文内容也就得心应手了，同时也能给学生的写作带来启发，提供借鉴。通过抓关键词理清文章的结构，是一个行之有效的方法。如三年级下册《火烧云》一文的教学，就可抓住"上来了""变化着""下去了"这三个关键词，提出问题："火烧云上来时是怎样的情景？""课文是从哪些方面写火烧云的变化的？""火烧云下去又是怎样的情景？"把整篇课文按时间顺序分成三个部分。课文层次清晰了，学习活动得以秩序井然地开展。

（四）抓关键词品味语言的特色

一篇文章的语言特色需要学生细心去揣摩、分析、内化、实践，这样才能把文章精妙的语言化为自己的语言，从而提升语言表达能力。学生通过品味关键词，能较好地品味文章的语言特色。

如教学三年级下册《荷花》一课时，可抓住"白荷花在这些大圆盘之间冒出来"一句中的关键词"冒"，用换词法来帮助学生理解关键词的含义，品味语言特色。通过在教学中引导学生将"冒出来"换成"露出来""钻出来""长出来""穿出来"的方法，学生理解了"冒"与"露、钻、长、穿"表达的效果各不相同。通过对比得出"冒"字具有以下几方面的语言表达优势：一是体现了大圆盘似的荷叶长得很茂盛，挨挨挤挤，层层叠叠。二是用拟人化的手法描摹了荷花争先恐后地长出来的态势。荷花你不让我，我不让你，谁也不让谁，"冒"字表达出荷花急切的、激动的、迫不及待的、欢天喜地的心情，生动形象地展现了白荷花的生机勃勃与俏皮可爱。三是站在观赏者的角度，"冒"字写出了观赏者在层层的荷叶中，猛然发现了荷花的惊喜之情。通过帮助学生品味关键词"冒"，学生体会到了课文独特的语言风格，感受到了作者驾驭语言的高超艺术。

五 结构研读

结构是文章的"骨架",是作者对材料恰当而有序的组织和安排,也是作者写作思路的反映。作者总是依据文本内容表达的需要选择特定的结构形式,因此结构是直接服务于文本内容的,助力于内容的表达。但没有内容的把握,就不能有效挖掘结构独特的审美意蕴。因此内容与结构是相互依存、相互彰显的。它们紧密联系,须臾不可分离。小学语文课文的结构大致可分为三类:时间结构、空间结构和逻辑结构。在阅读与鉴赏教学中,教师应该重视对文章结构的剖析和鉴赏,通过结构顺藤摸瓜,准确地把握住作者的意图和构思特点,更好地解读文章的内容。

(一)循时间结构理清脉络

时间结构是指文本的作者按照事物发展变化的过程来组织和安排文字材料的结构方式。时间结构的特点就是它能很好地表现事物在时间先后上呈现出来的特点,条理清晰,前后连贯,让读者一目了然。采用时间结构的文章,一般在每个段落中都有明显的表示时间的词。在小学语文阅读与鉴赏教学中,我们要通过对时间结构的剖析和鉴赏,理清文章的脉络,把握文本在纵向时间轴上呈现出来的特点,进而领悟作者的情感。

例如五年级上册的《四季之美》一文,采用时间结构,从春天的黎明、夏天的夜晚、秋天的黄昏、冬天的早晨对四个季节展开描写,用清新、优美的语言,表现了四季景物不同的美。作者依照时间有序地观察,细心地体验生活。通过鱼肚色的曙光和红紫红紫的云霞,来表现春天的黎明色彩变化之美;通过萤火虫在漆黑的夜空闪烁着的微光,来表现夏天的夜晚光感相映之趣;通过归鸦回巢,大雁比翼高飞,来表现秋天的黄昏温暖怡人之情;通过凛冽的早晨,熊熊的炭火,来表现冬天的早晨动静和谐之感。全文以时间结构为支撑,脉络清晰分明,情感细腻真挚,确实说明四季皆美,字里行间渗透着作者对生活和大自然的热爱。

(二)循空间结构理清脉络

空间结构是指文本的作者依据事物存在的空间关系来安排文字材料的结构方式。空间关系主要有上下关系、内外关系、远近关系等。文章采用空间结构,有利于多层面、全方位地展现事物的特征。在小学语文阅读与鉴赏教学中,我们要通过对空间结构的剖析和鉴赏,理清文章的脉络,把握文本在立体空间区域呈现出来的特点,进而领悟作者的情感。

如三年级上册《富饶的西沙群岛》一文,先总说西沙群岛是风景优美、物产丰富的可爱地方,然后采用空间结构,分说海水、珊瑚、海鱼和海鸟,最后赞美这是一个美丽富饶的群岛,在空间层面展现了西沙群岛独特的美丽。不同事物景致不同,不同岛屿风光各异,具有千姿百态的美。教师在研读课文的时候,必须吃透教材,深入挖掘结构背后的意蕴。

（三）循逻辑结构理清脉络

逻辑结构是指文本的作者依据事物、事理的内在逻辑关系来安排文字材料的结构方式。逻辑关系主要有由个别到一般、由具体到抽象、由主要到次要、由现象到本质、由原因到结果、由概括到具体、由整体到局部等。在小学语文阅读与鉴赏教学中，我们要通过对逻辑结构的剖析和鉴赏，理清文章的脉络，把握文本多角度、多方面、多层次呈现出来的特点，进而领悟作者的情感。

如小学三年级下册课文《荷花》，通过描写荷花的色、香、味、形，充分展现荷花的外在美，并由此希望自己变成荷花，成为具有荷花一样高洁品格的人。文章采用了"闻荷香—看荷花—梦荷人"的逻辑结构，这个结构对于凸显主旨起到了画龙点睛的作用。从感官看，这个结构体现由外感观向内感观过渡的性质，闻与看是外在感官，感受荷花的外在美，梦属于内在感官，体验荷花的内在美，由此可以有效展示荷花的外在美与内在美。从感受看，闻着眼于嗅觉，最具生理因素，而香最能沁人心脾，可以成为审美的起点。嗅觉可以不见形而闻其香。从情感看，荷香具有一种吸引力，因为人类对于香味有着天然的亲近情感，闻其香尚不能见其形，自然就会想方设法地当面看看，于是就有了看荷花。视觉的看作用于形，可以感受荷花的颜色、形状、情态等，五官感觉的共同作用就生成了一个美好形象，充分感受形象之美就化入梦境，变成身心的一部分。在"看荷花"时，依据向池塘跑去的路向，安排由远到近、由面到点的逻辑结构，充分体现"看"的生理认知过程，由整体感知到仔细鉴赏，表达一种由感性过渡到理性的情感深化历程。集中体现这种变化者，是一个"冒"字，"冒"不仅充分展现了荷花之美，而且形成了心灵冲击。"冒"具有覆盖之义，准确地叙述了满池荷花挨挨挤挤的情态，这是整体感知。"冒"隐含作者观赏荷花的情景，既有被荷池吸引，一眼看到的只有碧绿的荷叶，而后才发现白荷花，又有一种观察视角的变化，观察视角由远到近，观察范围由面到点。"冒"传达一种惊喜的感情，远处初看只有挨挨挤挤的碧绿荷叶，并没有什么特别之处，走近细看突然发现还有各种形态的白荷花，两相对照，给人无限惊喜之感，情感开始由外而内转化。细细鉴赏，果真美之脱俗高洁，与内心向往正好吻合，于是希望自己也具有荷花一样的品格。思之切即可入梦，看着看着，果然荷花就幻化成了人，物向人转化，物之美与人之状态统一，达成荷与人的合一，荷花品格实现完全内化，于是精神得到升华。经过如此挖掘结构的内涵，我们确实感受到了形式的意味，也与文章主旨相契合，并凸显了文章主旨，起到了添光增彩的作用。

结构不仅具有自己独特的意蕴，能够展示独特的艺术魅力，而且能有效地助力内容表达，是文章主旨的有机组成部分。但因为结构隐藏在文本背后，结构承载内容的巨大作用容易被人忽视。因此，教师必须树立结构鉴赏意识，深入研读作品，提取文本结构，剖析文本结构与作品内容的内在联系，运用恰当的方法有效地挖掘结构意蕴，展现结构应有的艺术张力，实现内容与结构的有机统一。

第三节 阅读与鉴赏教学实施策略

阅读与鉴赏指向的是高质量的阅读思维，阅读思维是核心素养的直接体现。阅读与鉴赏教学不仅帮助小学生在教师的引导与指导下，了解作者写作的方法与手段、表达的情感等，还使其学会发现作品的"美妙"，体会文章的优秀之处，从而发现美、欣赏美、创造美，丰富自己的内心世界。阅读与鉴赏教学在不同的学段有相似却不相同的教学设计思路，各类体裁有不同的实施策略。通过本节的学习，施教者能针对不同学段的阅读作品，在设计小学语文阅读与鉴赏教学的过程当中有清晰的逻辑、灵活的方法，能将阅读与鉴赏教学的理论知识更好地和实践相结合，独立完成备课、上课环节。

一 阅读与鉴赏教学的设计特点

（一）从单元引入，设计切实可行的目标

新课标提出："义务教育语文课程内容主要以学习任务群组织与呈现。"在设计阅读与鉴赏教学目标时，明确把单元统整作为实施学习任务群理念下设计路径。例如四年级上册第三单元，本单元以"处处留心皆学问"为学习主题，展开四大学习任务：概览单元知学问，走进课文说学问，观察生活品学问，传承精神好学问。以"走进课文"为抓手，学习"体会生动的表达方式，感受作者细致的观察方法"这一方法。将课文内容作为真实的人物情境，引导学生将阅读与表达紧密结合，将情感与语言相互融合。

在单元目标的基础上，再深入研读文本，结合课后习题和资料袋，挖掘课文中渗透的教学目标。例如《爬山虎的脚》这篇课文，可以根据课后三道习题和资料袋（见图3-1），分别拟定该课目标的侧重点为：①通过朗读课文，找出课文中写得准确形象的句子，感受作者细

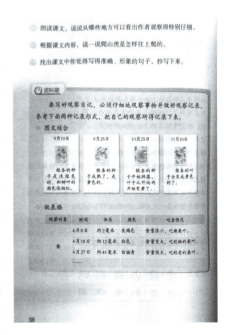

图 3-1　四上第 38 页

致的观察。②理解课文内容，讲述爬山虎往上爬的过程。③抓住关键词句，体会爬山虎的脚、叶的特点。④用图文结合和做表格的方式学写观察日记。

（二）融入"三个意识"，设计重点突出的内容

教学内容的选择很大程度上会影响一节课的教学质量，选择的教学内容太少会达不到教学目标，选择的教学内容太多会降低教学效果。教师要秉承"一课一得"的教育理念，突出一节课的教学重难点，将文体意识、课型意识和语文味意识融入教学内容的选择当中。

比如执教《鲁滨逊漂流记（节选）》这篇课文。这篇课文从文体上来说属于小说，可以从作者背景、西方文学背景、了解小说特点等方面展开教学内容；从课型上来说属于"精读课"，可以从教学生掌握课文基础知识、读懂课文、概括作品内容、掌握环境的描写方式、掌握描写人物的方法、体会主人翁精神等方面展开教学内容；从语文味来说，可以从引导学生体会翻译作品中的词味、句味、文味，体会遣词造句的精准，体会描写的生动性，品读经典名著，感受西方文化等方面展开教学内容。值得注意的是，这些都是在一篇课文中可以挖掘出来的语文要素，教师可以灵活选择其中一到两点作为教学内容，而不是将一篇课文中的所有语文要素都予以呈现。

在选择阅读与鉴赏教学的内容时，需要结合全套教材、整册教材、单元以及单篇课文综合考虑。在整套教材中，不同学段的教育目标有螺旋式上升的特点。比如，四年级上册和四年级下册的第二单元都是说明文，前者的单元提示是："阅读时尝试从不同角度去思考，提出自己的问题。"后者的单元提示是："阅读时能提出不懂的问题，并试着解决。"那么教师在前者的教学中可以把教学内容偏向"提问"，在后者的教学中把教学内容偏向"解决"。在不同学段，根据目标侧重不同的内容，语文课堂的广度和深度也在不同的内容选择中有所增加，避免学生反复学习同一知识点。

（三）关注整本阅读，提升阅读鉴赏能力

在新课标中增加了"阅读整本书"的目标，在教材中增加了"快乐读书吧"这一板块专门指向整本书阅读。整本书阅读的价值在语文课程标准中有明确定义："倡导少做题、多读书、好读书、读好书、读整本书，注重阅读引导，培养读书兴趣，提高读书品位""本学习任务群旨在引导学生在语文实践活动中，根据阅读目的和兴趣选择合适的图书，制订阅读计划，综合运用多种方法阅读整本书；借助多种方式分享阅读心得，交流研讨阅读中的问题，积累整本书阅读经验，养成良好阅读习惯，提高整体认知能力，丰富精神世界"。整本书阅读的教学价值主要表现为扩大、提高、选择、营造四个方面。即多读书，增加阅读数量；读有品位的书，拓展阅读领域；学生要具有自主选择的能力，能够选择合宜的阅读内容；学校应具有良好的阅读氛围，能够提供平台激发和维护学生的阅读兴趣，创设良好的情境开展阅读活动。

阅读整本书需要的策略和单篇课文也有所不同，整本书阅读需要学生梳理脉络、撰写摘

要，选择阅读策略循序渐进地深入文本，理解主题，追问人性……阅读活动涉及的能力要素多，各个能力要素在阅读过程中同时发挥作用，是发展学生综合能力的良好载体。例如，阅读《水浒传》，教师设计了"为水浒人物立传"的阅读任务。完成这一任务，学生需要选定人物，重新阅读筛选相关信息，建立"人物信息档案"，按照一定的类别整理信息，梳理出人物的主要历程，提取突出体现人物特点的典型事件，以及具有典型意义的语言、动作、肖像和心理细节。学生还要搜集各类人物传记，寻找恰当的体例。这样的阅读过程既能够考量、提升学生的思维品质，也能够帮助学生形成依据文化背景解读人物的意识，还能够帮助学生开展复杂的言语实践活动。在梳理、体验、实践中，学生的思维、审美水平得以提升，文化意识得以增强，言语实践能力得到历练。

（四）阅读与鉴赏教学设计的一般步骤

阅读与鉴赏教学大体上可以分为"导入课文—初读课文—精读课文—总结巩固"四个环节，在实际教学中，每个学段在阅读与鉴赏教学设计上也有其共性和规律，我们在这里根据这种共性与规律进行一般步骤的谈论。

1. 低年级阅读与鉴赏教学的实施策略

根据阅读与鉴赏教学目标，第一学段的教学目标要以识字、写字和朗读为主。

（1）第一课时的基本教学过程和方法。

①根据课文，激趣导入。

为了让低年级的学生在课堂开始就被吸引，教师可以采用不同的方式导入，让学生在这个环节尽快地、自然地融入课堂情境。当然，教师创设的这个情境必须是和课文相关的内容，这样便于更好地过渡到接下来的教学过程。比如一年级识字课文《小青蛙》，可以通过谜语导入，教师提出谜语："绿衣小英雄，田里捉害虫。冬天它休息，夏天它劳动。"让学生猜一猜谜底是什么，从而引出课文的主人公和汉字"青"。

②朗读课文，熟悉生字。

教师在这个环节，先组织学生借助课文当中的汉语拼音，自由朗读课文，在学生自由朗读的时候要提出明确的要求："读准每一个字音，读通每一个句子，圈出文中的生字。"确保学生是带着目的去朗读课文的，这有利于学生注意力的集中，也有助于学生良好阅读习惯的养成。

在学生朗读完一遍课文之后，教师将生字提出来，从字音、字形、字义三个方面对生字进行教学，在第一学段，更偏重于字音、字形的教学。熟悉生字一般可以分为三个步骤：第一，出示生字，让学生朗读；第二，加上拼音，学生可以借助拼音纠正发音，这一步要求每一名学生都可以读准生字的字音；第三，去掉拼音，再次朗读。在掌握了生字词之后，学生再次朗读课文，把课文读通、读顺，这是第一课时的重点环节，也是学生必须达成的目标。如果没有朗读完，不讲接下来的内容。

③再读课文，了解大意。

学生能正确、流利朗读课文之后，就要引导学生通过再次朗读，整体感知课文，将学会的生字词融入课文当中作进一步的理解，并了解课文讲述的主要内容。

低年级的阅读与鉴赏教学，重在教师的"引导"。比如在学习《小蝌蚪找妈妈》时，可以设计提问"小蝌蚪在找妈妈的过程当中先后遇见了谁?"以辅助学生阅读，使学生更清晰地把握课文的主要线索。在朗读过程中，还需要引导学生边读边思考，比如："在读完一遍课文之后，你明白了什么? 还有什么是不明白的?"如果是学生可以自己解决的问题，就让学生互助解答，如果是学生不能解决的问题，再由教师引导解答。这样，学生带着自己的思考去读课文，既可以把课文读通顺，又可以对课文有大致的了解，为第二课时的精读打下基础。

④巩固生字，指导书写。

教师要在当堂课内就设置巩固生字的练习。根据艾宾浩斯遗忘曲线，学习后经过 20 分钟，遗忘数量高达 42%，因此，一节课内就需要适量回顾之前的生字。可以采用多种有意思的方式进行生字的回顾练习，比如游戏法、竞争法、讲故事法等。例如学习形声字"停"，"停"的左边是"一个人"，右边是"一座亭子"，"人"走到"亭子"旁边表示停下来休息。也可以结合图片和字谜回顾相同声旁的形声字，"人"走到"山"旁边是什么字?"人"走到"火"旁边是什么字?"人"在"门"里面是什么字?"人"在"门"旁边是什么字? 由此，不仅生动有趣地回顾了课堂内容，还回忆了之前学过的类似的形声字，更进一步地理解形声字的内涵。

指导学生书写是低年级重要的教学任务。按照"指导—示范—练写—讲评"的方式，教师在学生练写的时候一定要环视指导，提醒学生注意观察每个字的间架结构，同时保持正确的书写姿势。

(2) 第二课时可以按照以下思路设计主要环节。

①复习导入，巩固字词。

第二课时一般采用复习导入的方式，将第一课时学习的生字词再次呈现，学生快速认读，在反复的巩固练习中逐渐熟记生字词。

②紧扣字词，深入课文。

在阅读与鉴赏教学中，要遵循"字不离词，词不离句，句不离篇"的原则，将字词融入句子和篇章当中，体会课文中遣词造句的精准和语言风格。比如二年级课文《雷雨》中的"满天的乌云，黑沉沉地压下来"，结合课文可知，"压"在句子中表示乌云不但很多而且很重。把字词置于句子中才能层层深入课文，体会字、词、句的意蕴。

除此之外，切忌在教学过程中"眉毛胡子一把抓"，要仔细做好课文分析，抓住每篇课文的一个重点内容进行教学，不能将一篇课文当中所有的语文知识都在一个课时内传达给学生。第一学段的教材是没有单元之分的，教师可以抓住每篇课文中的泡泡提示语和课后习题把握教学内容，例如二年级《妈妈睡了》的课后习题，"（　　）的眼睛，（　　）的头发"，可以把该课时的教学重点内容定为让学生仿照样式说一说"的"字短语，从而丰富学生的语言积累。

③熟读课文，积累美言。

朗读是第一学段教学当中的重点，在第一课时借助拼音能正确、流利地朗读课文的基础上，第二课时要求学生理解课文之后能带着感情朗读课文，教师的范读在低年级学生朗读能力的培养中尤为重要。该学段的学生好模仿，教师在范读的时候要时刻注意朗读规范。如果课文当中有背诵要求，还需要引导学生熟读成诵，积累课文里面的好词佳句。

④联系生活，灵活运用。

针对低年级的阅读与鉴赏教学，我们要尽可能地将学生在课堂中学习到的知识与学生的切身生活联系起来。在第一学段的阅读与鉴赏教学目标中，"喜欢阅读，感受阅读的乐趣"要始终成为贯穿教学过程的准则，学生只有感受到了阅读的乐趣，才会想学，才会去学。另外，当学生感受到在课堂当中学习到的知识能够在日常生活中用得上的时候，更会激发其自主学习的积极性。因此，这个环节在第二课时中必不可少。比如在学习《乌鸦喝水》时，可以结合教材中的资料袋，了解乌鸦的样子和习性。

2. 中高年级阅读与鉴赏教学的实施策略

中年级既要继续强调阅读习惯的养成，同时要开始学习相关的阅读方法，为独立阅读打下基础。在高年级的教学设计中，要将阅读的主动权更大程度上让给学生，多设计探究类主题的阅读活动，充分发挥学生的自读能力和合作能力。

（1）第一课时的基本教学过程和方法。

①创设情境，导入新课。

中高年级的学生处于具体形象思维向抽象思维过渡的阶段，这个阶段的导入可以采用更开放的方式导入新课，引起学生的阅读兴趣。例如，在三年级《总也倒不了的老屋》一课中，一教师针对这个课题提问："看到这个标题，你有什么想问的吗？"学生一下子兴趣高涨，提出许多有意思的问题，"为什么老屋倒不了？""这个老屋长什么样？""有谁住在老屋里面呢？""这个老屋有什么神奇的魔法吗？"等等，教师再让学生带着自己提出来的疑问阅读课文，学生读得更加津津有味。还可以从学生的现实生活出发，可以是教师抛出一个和课文相关的社会话题；也可以从课题出发，让学生自己谈谈针对题目有什么想说的。例如六年级《宇宙生命之谜》一课，让学生结合国内近期航天事业的发展动态，说一说他们是否觉得地球之外存在生命。

②检查预习，学习字词。

中高年级的学生已经养成了相关的阅读习惯，而且已经有了自学生字词的基础，这个学段可以减少花在生字词上的时间，教师可以提前布置预习任务，使学生通过自学的方式了解课文的生字词。预习生字词包括字音、字形、字义三个方面。从字音上来说，要能够借助拼音准确地读出生字；从字形上来说，能够说出生字的笔画、笔顺、偏旁，观察出生字的间架结构等；从字义上来说，能通过查字典，选择生字在课文中的含义。经过了预习环节，学生一是获得了自学的能力，二是减少花在生字词上的时间，这是符合教学重心逐步从生字词到词句的学段特点的。

③尝试自读，概括大意。

这个学段的学生刚开始接触"概括"，教师在进行教学设计的时候要着重带领学生领悟概括的方法，而不是生硬地将文章大意直接告诉学生。教师可以布置相关的几个核心问题，学生可以边读边思考，通过对问题的解答，初步掌握课文的主要内容。教师还可以挖出关键词，让学生通过自由填空的方式了解文章的主要内容；或者选出文中的关键词，用一句或者几句话连接这些关键词形成文章主要内容。例如《跨越海峡的生命桥》，一位老师通过设计，在黑板上写下"杭州、小钱、白血病；台湾、青年、余震"几个词语，学生用这六个词语来概括文章的内容。

默读是中高年级学生必须掌握的阅读技巧，第二学段的学生已经初步学会默读，因此在第三学段向学生提出更进一步的要求，例如课程标准中对学生的默读要求为："默读一般读物每分钟不少于 300 字。"这就需要教师在布置默读任务的时候，给学生计时，提出速度要求。在规定的时间里，学生通过再次阅读课文，能合理地将课文划分段落。默读时要求学生能划记不理解的地方，能用不同的标记划记自己存在疑惑的地方，并针对自己的疑问发表自己的见地，由此培养学生的发问能力和质疑能力。

④巩固字词，随堂书写。

挑出难写的、学生之前没有接触过的字进行教学示范，学生在书写的时候，巡视指导，并可以让学生上讲台示范写字，还可以让学生通过观察进行评价，将自主权交给学生，逐渐地发挥学生更多的自主性。教师可以先示范讲解"字"，再由学生按照教师教写字的方式为其他同学讲解。

（2）根据教学目标，可以这样设计第二课时的基本流程。

①复习导入，巩固旧识。

可以通过回顾生字词和课文主要内容两个方面进行知识的连接。

②抓住核心，深入课文。

在熟悉了课文之后，就要进一步引导学生深入品读课文，教师可以在课堂上设置主要问题，让学生通过环环相扣的问题，达到探究的目的，因此在这个部分，我们的关注点在于探讨核心问题该如何设置。

小学课堂并不是越热闹越好，若问题提出，学生都可以随口回答，这样的问题是浅显的，是不利于学生深层思考的。一节课也不是问题越多越好，问题太多易导致一节课失去教学重点，一节课一般设置1~2个核心问题即可，核心问题必须贯穿全文，教师再根据核心问题，设置其他问题引导学生思考核心问题。例如在学习《跨越海峡的生命桥》的时候，可以设置主问题"为什么叫作生命桥？"整篇课文就围绕这一个中心问题进行文本解读，解读出"生命桥"蕴含着"延续生命、希望和海峡同胞友谊"几层含义，进而挖掘出本文的思想情感。

③扣住词句，细读品味。

教师通过对课文中的生动形象的句子进行解读和感悟，让学生在朗读中感受课文的美。生动形象的句子主要有两类，一是用词精准的，一是修辞手法用得恰到好处的。

针对用词精准的句子，教师可以采用抓关键词的方法。具体可以分为三个步骤：

第一，解释这个词语本来的含义。

第二，联系上下文理解关键词的含义。

第三，体会关键词的作用。

例如在《陶罐和铁罐》这篇课文中，要理解"国王的橱柜里有两个罐子，一个是陶的，一个是铁的，骄傲的铁罐看不起陶罐，常常奚落它"这个句子，可以采用抓关键词"奚落"。第一步，解释"奚落"的本意是用尖酸的话语数落别人的短处。第二步，教师引导学生联系下文，提问："铁罐是怎么奚落陶罐的？"理解"奚落"在课文中的含义（铁罐用"你敢碰我吗""我就知道你不敢，懦弱的东西"来数落陶罐，使陶罐难堪）。第三步，体会"奚落"在这个句子中的作用，教师提问："为什么铁罐要奚落陶罐？"引导学生体会铁罐骄傲自大的性格。

针对运用修辞手法恰到好处的句子，需要引导学生品味它用法的贴切。例如，学习《带刺的朋友》时，课文中是这样描写果树的："秋天，枣树上挂满了一颗颗红枣，风儿一吹，轻轻摇动，如同无数颗飘香的玛瑙晃来晃去，看着就让人眼馋。"可以出示"秋天，枣树上挂满了一颗颗飘香的红枣，风儿一吹，轻轻摇动，看着就让人觉得眼馋"进行比较。通过比较发现，第一个句子是比喻句，通过这个比喻，能够更加直观地感受到枣子的光泽和新鲜，用语言品出它令人垂涎欲滴的生动形象，突出这棵枣树的特点。

④领会方法，读写结合。

在语文教学中，课文只是引子，学习课文是为了将所学的方法应用于生活中，在学习了多种表达方式、表现手法等之后皆要用于写作中。但是值得注意的是，一篇课文中往往不止一种表达方式或表现手法，在进行习作练习时，只需要运用1~2种即可。当然，练笔的时候，不能单一强调写作的技巧，还是要精心设计相关的主题，联系学生的自身生活，融入独一无二的情感体验。情感是灵魂，技巧是血肉，缺少情感的文章是空洞乏味的，技巧的加入能让"灵魂"更加充满趣味。两者相互促进，相互成就。

⑤整体升华，课堂总结。

教师最后再结合板书，根据板书的思路，简要回顾这节课所学的知识点，理清整体思路。然而阅读与鉴赏教学在学生掌握课文内容的基础上，还要通过文章让学生体会课文中蕴含的情感，让学生在学习中潜移默化地受到情感的熏陶，达成核心素养。在上个环节中，将课文拆解，学生从课文的不同部分进行研读，在该环节中，要重新将课文化为整体，再一次从全文出发，鸟瞰全文，在咬文嚼字之后深化对全文的认识。这个时候对学生来说，课文不再是一篇"写得好"的课文，而是一篇"有灵魂"的文章。

最后，上述的阶段是一般常用的教学范式，我们还要根据实际情况探究个性化的变式，所谓"教学有法，教无定法，贵在有法"。教学者要敢于突破和创新。

二 叙事性作品教学

（一）叙事性作品的主要特点

叙事性作品包括两类，一类是以写人为核心的文本，一类是以叙事为核心的文本。写人文本以描写人物为主，通过事件的叙述凸显人物的性格，彰显人物的精神与品质。叙事文本则以事情叙述为主，人物描写是叙事中的元素，通过多方面的描写展现整个事件的意义。这类作品通常具有清晰的叙事线索，通过起因、经过、结果展现完整的事件。再者，文章会运用多种写作手法来丰富故事情节，使人物个性更加饱满。写人文本和叙事文本的不同在于：

（1）写人文本重点是为了写人，一切"事件"叙述都是围绕"人物"展开的；叙事文本的重点是为了叙述事件，当中存在的人物是推动事件发展的载体。

（2）写人文本注重细节描写，通过描写人物的外貌、语言、行为、心理等方面塑造一个完整、丰富的人物形象。叙事文本运用多种写作方法，包括叙事方法（顺叙法、倒叙法、插叙法、补叙法等）、结构技巧（承上启下、设置悬念、首尾呼应、前后照应等）、描写方法（正面描写、侧面描写等），共同来展现事件意义。

（二）叙事性作品目标的把握

关于叙事性作品，除了让学生达成基本的识字与写字目标、朗读目标，理清文章脉络，能用自己的话复述课文之外，还要有针对性地设置学段目标。叙事性作品可以设计以下几个方面的教学目标：

（1）学习作品中不同的写作手法。

（2）根据课文中的关键词句，体会课文的中心思想。写人文本突出的是人物的思想品质和精神面貌，叙事文本突出的是事件的意义，从两个不同的方面来挖掘文章的中心思想。

（3）运用所学的写作方法，尝试片段写作。

（三）叙事性作品教学策略的实施

1. 理清文章脉络

叙事性作品有清晰的文章结构，一般有两种结构形式。一种是纵向结构，学生初次接触这类作品时，可以按照故事的起因、经过（高潮）、结果这三个元素将课文脉络梳理清楚，把握课文的故事情节。一种是横向结构，即通过不同的事件或者不同的方面来叙述，共同表现文章的主题或者中心，比如《李时珍》就是通过李时珍"立志学医"和"编写《本草纲目》"两件事表现出他不怕困难、勇于探索和实践的精神。

教师通过引导学生划分文章结构，理清文章脉络，让学生掌握不同课文的结构，在今后的写作课中能更加灵活地运用写作素材进行结构建架。

2. 品读文章细节

叙事性作品的教学要突出课文中的细节，通过对这些细节的品读，学生感受文章塑造的人物性格和事件意义，从而体会当中的思想感情。那作品中哪些细节是需要把握的呢？

一是课文中运用的写作手法。小学语文课文中常用的写作手法包括三大类：表达方式、修辞手法和表现手法。教师进行教学设计时，抓住每篇课文的一种写作手法进行详细讲解即可，不可在一节课上将一篇课文中所有的写作手法和盘托出，要坚持"一课一得"的教学原则。

叙事性作品以叙述为主，通过叙述来刻画人物或者描述事件，表达方式上多采用叙述、描写、抒情、议论等。叙述方法有顺叙法、倒叙法、插叙法和补叙法，小学课文中以顺叙为主，少量课文采用倒叙和插叙的方式。描写方法有正面描写、侧面描写、细节描写，通常会从外貌、语言、动作、心理活动、环境等方面进行描写。抒情方式主要有直接抒情和间接抒情，前者是作者直接对有关人物或事件表达明确情感态度的抒情方式，后者则是将情感"藏匿"在外物中，含蓄地表达情感的抒情方式。议论方式包括先叙后议、先议后叙、夹叙夹议，不管是哪一种议论方式，都是对主题有凸显作用的。

小学课文中常用的修辞手法有比喻、拟人、夸张、排比、反问、设问、引用、象征、借代等，运用多种修辞手法可以更好地发挥语言的表达作用，使语言表达更准确、鲜活而生动。

小学课文中常用的表现手法有托物言志、借景抒情、衬托、抑扬结合、讽刺、承上启下、前后照应等。

二是具体的描写性语言。教学当中要注意抓住课文中的关键词、句，包括文章的中心句、具有感情色彩的语句、与课文主题相关的句子等。在实施过程中特别需要注意的是——关注学生自身的体悟，教师不能将自己所理解的关键词、句直接教给学生，而是应该让学生自己在品味课文之后，说出自己对某个词或某个句子的理解，让学生说说这个句子为什么和主题相关，有着怎样的感情色彩，发挥学生的主观能动性。

3. 体会文章情感

学习叙事性作品除了要学习文章的写作方法之外，还有一个重点就是挖掘作品中包含的情感和意义，这是语文和其他学科关键性的区别之一。语文教学还承载着文化价值观输出、世界观和人生观形成等重要作用，因此体悟课文中的情感尤为重要。在语文教学中，最忌讳的就是直接将"教师的情感"传达给学生。教师在实施教学策略的时候，可以设置一个主线问题，提问学生："你认为哪些句子凸显了文章的情感?"学生可以通过联系上下文，融入自己的生活体验等进行思考，然后通过朗读的形式表达出来。

4. 注重读写结合

中高年级的教学要将阅读和写作相结合。小学生的作文体裁以记叙文为主，教师在教学叙事性作品的时候，应相机教学相关的写作方法，设置写作练笔。可以从以下两个方面开展练习：一是从"写法"出发，教师可选取课文中的某一种写作方法，让学生进行练笔；二是从"情感"出发，学生在体会课文中的情感之后，融入自身的生活经验尝试写作。这样的练习有助于学生养成观察生活、善于积累身边素材的习惯，同时也丰富了学生的情感世界。

三　说明性作品教学

说明文是一种以"说明"为主的文章体裁，包括事物说明文和事理说明文。说明文的目的是通过客观的描述与解说，获得对事物或者事理的相关知识。

根据《语文课程标准》，写景类和状物类文本都属于说明性文章。写景类文本就是以描写景象、景物为主的文章，而景一般又分为自然景观和人文景观。状物类文本旨在把事物的形状、特点、功能等用生动形象的语言描述出来，一般分为状静物文、状动物文和状植物文。比如《竹节人》是状静物文，《鲸》是状动物文。下面我们就从普通说明性作品、写景类作品两方面来对说明性作品教学进行解读。

（一）普通说明性作品

1. 说明性作品的主要特点

小学语文教材中的说明文大部分属于常识性的课文，这类作品一般出现在小学高年级阶段。说明文除了让学生了解某一事物或事理之外，更重要的是让学生学习准确的语言表达方法和客观的思维方式。说明文具有实用性、准确性和客观性的特点。

2. 说明性作品教学目标的把握

《语文课程标准》中明确指出："阅读说明性文章，能抓住要点，了解文章的基本说明方法。"这指导教师在设计说明性作品的教学目标的时候，除了要达成所有阅读与鉴赏教学的基本目标之外，还需要设计以下几个方面的目标：

（1）了解说明类课文中基本的常识。

（2）归纳文章的说明要点。

（3）学习不同的说明方法。

（4）能运用不同的写作方法。

3. 说明性作品教学的实施策略

（1）掌握说明方法。

小学课文中常出现的说明方法有举例子、列数字、下定义、分类别、作比较等。说明文中一般会用多种说明方法，教师在一节课的教学当中有侧重地选择 1~2 种方法即可，不能一次性地让学生掌握出现的所有说明方法。根据不同年级，采用梯度教学，分层次将常用的说明方法分布到不同的课文教学中。

（2）学习说明性语言。

汉语是一门集流动性和固定性于一体的语言。它的流动性体现为在文章中，同一个意思通常可以用不同的句子表达，可以用近义词替换；它的固定性表现为在一些语言中，只有用固定的词语才能表达、完善它的含义。其中，说明文与其他文体最明显的区别在于语言的精准性。

在说明文的教学中，有些教师没有把握住说明文的教学重点，教学设计有所偏颇。如果没有理解说明文是属于"文学范畴"的，往往会将说明文机械地当作科普文章来进行教学，这样的话就会忽视说明文的语言特点。说明文的语言具有严谨性，结构具有逻辑性，这两点需要教师在教学中予以突出。教师通过比对课文中的遣词造句，让学生领会说明文用词的准确性。

（3）强化实践运用。

说明文的教学要和习作训练相结合。说明文的教学主要包括两部分：一是文章的结构，二是说明方法。这两点都可以结合学生的生活实际，与课堂习作练笔相结合，比如：学生在学习五年级上册第五单元说明文后，可以选择身边的一个事物，试着运用多种说明方法来说明它的特征。

（二）写景类作品

1. 写景类作品的主要特点及目标设置

写景类作品兼具说明文和抒情文的特点，这类作品在教学中除了要考虑说明文的特点之外，还需要设计环节，让学生透过作品的语言文字领悟其中的情感，从而体会寓情于景的写作手法。因此可以从以下几个方面设计目标：

（1）从字、词、句中体会描写景物的语言之美。

（2）积累文质兼美的好词佳句。

（3）掌握课文中的写作方法。

2. 写景类作品教学的实施策略

（1）明确表达顺序。

写景类作品和其他类说明文一样有着严密的排篇布局的结构，教师在进行写景类作品教学的时候，首先要让学生自读课文，明晰课文的主要内容，然后根据内容划分结构，帮助学生进一步掌握写景类文章的特点，理清文章的脉络。

写景类作品的表达顺序包括结构方式和说明顺序。写景类作品常用的结构方式为总分式，包括总—分—总、总—分、分—总三类。比如，《美丽的小兴安岭》《富饶的西沙群岛》都是总—分—总结构。《富饶的西沙群岛》先总述西沙群岛是一个风景优美、物产丰富的地方，中间几个自然段分别从海水、海底、海滩、海岛四个不同的方面进行描述，最后一个自然段总结全文。《观潮》是典型的总—分结构，先总括钱塘江大潮，再分潮来前、潮来时、潮来后三个部分。

写景类作品常用的说明顺序有空间顺序和时间顺序。空间顺序是按照事物的空间结构的顺序来说明，包括上下顺序、内外顺序、远近顺序、从整体到局部的顺序等，一般用来描述静态的事物。时间顺序是按照时间的先后来记录，说明事物的周期性更迭，一般用来描述有明显动态变化的事物。

（2）品酌语言之美。

写景类作品往往最能表现出作者的思绪，或是描写高山大海的磅礴壮丽，或是描写小桥流水的清新秀丽，这些都是语言之美。

在写景类作品的教学中，教师很容易闯进一个误区，就是过于强调风景之美。比如教师通常会出示与课文相关的风景图片，却将风景和课文割裂开，图片就像过眼烟云，学生感叹一声"很漂亮"就过了，没有将风景和文字有机地联系在一起。其实教师可以让学生用课文中的句子来描述所看到的风景图片，这样更能让学生感受到文字的精准与优美。另一误区是过于强调文章所表达的情感，忽视了语言自身的质感。教师在进行教学的时候要将风景之美、感情之美、语言之美结合起来，统一教学。

四 寓言教学

（一）寓言的主要特点

寓言是用假托的故事或者自然物的拟人手法，来说明某个道理或教训的文学作品，常带有讽刺或劝诫的性质。

寓言故事主要有以下几个特点：

1. 精练的语言

寓言故事和童话故事的一个显著差别就是，寓言故事的情节更单一，语言更朴实，寓意更明确。寓言故事是将鞭辟入里的道理浓缩在简短的故事当中。这里有一点要注意，小学教材选取的寓言故事大部分经过了改编，改编后的故事情节会比原著更加丰富，以便于更加自然地将道理渗透于故事当中。

2. 生动的形象

寓言故事会运用多种修辞手法来讲述故事，最常见的便是拟人、比喻、夸张，故事当中的主人公形象具有多样化，有的主人公是人，有的则是将动植物赋予"灵魂"，以学生喜闻乐见的形式出现，语言更加轻松幽默，借此喻彼，借古讽今，借小喻大。

3. 丰富的哲理

寓言具有哲理性，旨在揭示生活的本质，故事只是一个载体，寓意才是寓言的灵魂。比如：《鹿角与鹿脚》让学生明白实用的东西不一定美丽，美丽的东西不一定实用的道理。《揠苗助长》揭示凡事都有其自然发展的规律，纯靠良好的愿望和热情是不够的。《坐井观天》让学生认识到不要因一孔之见便扬扬得意。

（二）寓言教学目标的把握

寓言的教学目标可以参考童话教学目标的设置，除了体会故事情节的生动有趣，品读故事中的语言，能读故事、讲故事、演故事、编故事之外，还有一个关键点在于联系学生的生活，揭示寓言故事当中带有讽刺和劝诫意味的道理。

（三）寓言教学的实施策略

1. 指导朗读

寓言通常带有讽刺和规劝的意味，因此朗读寓言的难点就在于要读出这种感情基调。教师在进行朗读指导的时候，可以让学生尝试想象主人公某个行为背后的心理活动，是什么样的想法促使主人公有这种行为，主人公的表情又会是怎样的。这一系列引导可让学生更加贴近课文中的形象，从而更好地指导学生朗读。

2. 把握形象

寓言故事中的人物形象是哲理的载体。寓言故事中所讽刺的对象是超越文本的，教师在教学寓言故事的时候应该让学生贴合故事中的形象，设身处地从形象出发，把握故事形象的心理，从而体会寓言故事中蕴含的情感与寓意。

3. 自然地揭示寓意

教学当中最忌讳的就是教师直接、生硬地告诉学生文章的主题思想。没有经过自己思考的答案是肤浅的，是浮于表面的，并不是自己体会所得。在寓言故事的教学设计中，教师应该引导学生通过语言、行为等深入理解角色，通过把握课文中的关键词、句感受讽刺意味，再结合自己的生活经历，获得个人感悟。例如在《坐井观天》一文中，教师可以让学生用眼睛凑近卷起的书去看，从而自然地引出本篇课文"眼界决定世界"的寓意。

五 童话教学

（一）童话的主要特点

童话作品是通过丰富的想象、幻想和夸张来塑造形象的文学体裁，其用充满想象力的故事情节和纯真质朴的语言来反映现实生活。童话是儿童最喜欢的文学体裁之一，儿童能在充满无限想象和乐趣的故事情节中遨游。

童话是写人叙事类作品中的一类，除了具有写人叙事类作品的特点之外，其还具有自身的独特性。童话作品一般具有以下特点：

1. 充满幻想的故事情节

童话故事如此吸引儿童，其中一个原因就是其充满幻想的故事情节。比如教材中，有小蟋蟀在牛胃中"旅行"的故事；有蜘蛛开手工编织店的故事；有青蛙出售自己居住的烂泥塘的故事；有小美人鱼为了王子甘愿化作泡沫的故事……这些故事与写实的生活故事不一样，都是想象出来的故事。

2. 贴近童心的叙述语言

童话的语言风格相对于其他的文学作品更加简单、活泼和质朴，童话虽然不是诗歌，但是也有一种令人陶醉的诗意。比如在《去年的树》这篇童话故事中，朴实的文字却反映出作者对生命的期待和对友情的向往。

3. 基于现实的想象逻辑

虽然童话故事都是虚拟、想象的，但是都是以现实为依据的。比如《在牛肚子里旅行》，小蟋蟀的"旅途"正是基于牛有四个胃的现实。再比如《蜘蛛开店》，蜘蛛开手工编织店是基于蜘蛛织网的生理特性，因此蜘蛛开的不是烧烤店，不是五金店，而是编织店。

（二）童话教学目标的把握

在设置童话教学目标的时候，第一要考虑童话自身的幻想性和童趣两个特征，第二要考虑语文学科人文性和工具性两个特征。要在保证童话故事完整性的同时发挥其教育作用。综合这两个因素，教学目标设计可以参考以下三个方面：

（1）体会故事情节的生动有趣。

（2）学习用自己的话讲故事。

（3）发挥想象，改编或续编故事情节。

（三）童话教学的实施策略

1. 创设情境

童话故事本身具有很强的连贯性，在进行教学的过程中要从故事的整体出发，不能为了教学任务强行将故事割裂成知识点。教师在进行童话教学时，要适时创设一个故事场景，让学生跟随童话故事里的主人公共同经历这个故事。

2. 注重表演

选入教材的童话故事都有生动的故事情节和典型的人物形象，在童话故事教学中加入表演的元素，可以让学生进一步地贴近人物性格，深入故事情境，体会作品情感。表演的形式要根据课文特点选取，常用的表演形式有角色朗读、角色扮演、课本剧。比如在《去年的树》中，文中的对话比较多，那么这个童话故事可以采用分角色朗读的形式；在《狐假虎威》中，文中有比较细致的动作描写，这个童话故事可以以课本剧的形式呈现。

另外还要特别注意的是，童话教学虽然可以加入表演元素，但绝不能为了表演而表演。我们建议多元化的课堂形式，但在语文课堂中的表演最终还是为了理解课文、学习语言，更好地感受作品所创造的艺术形象。

3. 保持想象

想象是童话的核心。在童话里，有许多奇异的情节，因此童话故事可以有力地激发学生的想象力。在教学中，教师可以针对故事中的人物提问："如果你是故事的主人公，当你遇到这样的事情，你会怎么想？又会怎么做呢？"还可以针对故事情节提问："想一想，接下来还会发生什么事情呢？"比如教学《风娃娃》时，可以让学生想象风娃娃去到不同的地方还会做些什么事情；教学《狐假虎威》时，让学生想象老虎在半信半疑、东张西望的时候心里在想些什么。

4. 教育引导

课文中选取和改编的童话故事都是具有教育意义的，要抓住故事中蕴含的基本思想，向学生传递正确的价值观念。例如，学生通过学习《雪孩子》，可以感受雪孩子在别人有困难时，帮助他人的美好品质；通过学习《小马过河》，知道每个人都是从自身角度出发解决问题，要亲自试一试才能得到适合自己的正确结论。

六 诗歌教学

（一）诗歌的主要特点

诗歌是文学中的瑰宝，是语言的结晶，是情感的升华。小学语文教材里选有古诗、现代诗、儿歌等。诗歌以短小的篇幅、精练的语言、鲜明的节奏、浓郁的情感，在文学领域独树一帜，这是诗歌的一般特点。这里特别强调古诗的特点，古诗在语文教材里所占比例高，充分体现了它在小学语文教学中的重要地位。

（二）诗歌教学目标的把握

诗歌教学目标可以从以下几个方面设计：

（1）感悟诗歌中所描绘的情景。

（2）体会情感，熟读成诵。

（3）根据诗歌的不同类型理解诗的艺术形象。

（三）诗歌教学的实施策略

1. 反复诵读，感受诗韵

选入小学语文教材的诗歌有鲜明的节奏感、优美的韵律，在教学过程中安排不同层次的朗读有助于学生更深刻地领会诗歌的意趣。诗歌朗读的第一层次，要能够正确、流利地朗读；诗歌朗读的第二层次，要能够读出诗歌的韵律感，按照诗歌的意思划分节奏，教师可以通过多种方式培养学生的节奏感，例如打拍子，还要把诗歌中的重音、停顿读出来；诗歌朗读的第三层次，要能够读出诗歌的情感，进一步体会诗歌的情境。

2. 发挥想象，体会诗境

教学诗歌的过程中，要引导学生透过诗文发挥想象力，从而体会诗文中所描绘的画面，并能够用语言描述"所见所闻"，走入诗人的情感世界。引导学生推敲诗文中用字、词的巧妙之处，这是想象诗境的基础。例如，五年级上册《枫桥夜泊》中"江枫渔火对愁眠"的"对"字就用得非常别致，一个"对"字写出江枫和渔火陪伴着因愁绪而辗转反侧的诗人，写出一丝人情味，同时反衬出诗人的孤独。再比如儿童诗《说话》中，这样写道："小溪流说话，哗哗，哗哗。小雨点说话，沙沙，沙沙。小鸽子说话，咕咕，咕咕。小鸭子说话，嘎嘎，嘎嘎。小花猫说话，喵喵，喵喵。小青蛙说话，呱呱，呱呱。"教师提问："大自然里，生活中，还有谁会说话呢？说话的声音是什么呢？"结果，孩子们纷纷发言："小风儿说话，呼呼，呼呼。""小鸟儿说话，叽叽喳喳，叽叽喳喳。""小黑狗说话，汪汪，汪汪。"这些补想使诗歌的意象更丰满，学生也由此对儿童诗加深了认识。

3. 结合背景，体会诗情

要更深入地体会一首诗的情感，就要结合这首诗歌的创作背景，包括作者生平、性格、时代背景等。结合创作背景，学生能够更贴合诗文去理解诗人创作这首诗的意图，也能更为自然地体会诗中蕴含的情感。特别是在古诗教学中，由于古代诗歌的创作时代离学生的生活较远，因此更加要注意作者的生平介绍等，例如五年级上册教材中纳兰性德的《长相思》，结合写作背景方能体会词人表达的是将士在外对故乡的思念，抒发着情思深苦的绵长心境。

——本章知识结构导图——

小学阅读与鉴赏教学

- 阅读与鉴赏教学目标解读
  - 阅读与鉴赏教学的总体目标
  - 各学段的阅读与鉴赏教学目标
  - 阅读与鉴赏教学目标的解读
  - 阅读与鉴赏教学目标的设计

- 阅读与鉴赏文本研读策略
  - 阅读与鉴赏教学设计的三个意识
  - 标题研读
  - 中心句研读
  - 关键词研读
  - 结构研读

- 阅读与鉴赏教学实施策略
  - 阅读与鉴赏教学的设计特点
  - 叙事性作品教学
  - 说明性作品教学
  - 寓言教学
  - 童话教学
  - 诗歌教学

知识点检测

1. 结合实例谈谈如何在教学中体现文体意识。

2. 阅读课文《火烧云》，按要求答题。（2019 年中小学教师资格真题）

（1）简析这篇课文的写作特点及教学价值。

（2）如指导三年级学生学习本文，试拟订教学目标。

（3）依据拟订的教学目标，设计第 3~6 自然段的教学。

3. 阅读课文《草》，按第二课时要求，完成下列各题。

草

白居易

离离原上草，一岁一枯荣。

野火烧不尽，春风吹又生。

参考答案

（1）写出本文的教学目标。

（2）写出本文的教学重难点，并作简要分析。

（3）请你为本课预设完整的教学流程，并说明设计思想。

第 四 章

小学表达与交流教学

学习目标

✦ 熟悉并理解小学表达与交流的总目标与学段要求。

✦ 熟悉现行小学语文统编教材口语交际与写话（习作）内容。

✦ 掌握小学口语交际教学与写话（习作）教学的策略，提升表达与交流教学的设计能力。

案例导入

　　曾经听过一节二年级的口语交际课《商量》，教师让学生上台模拟商量的情景。甲说："今天我要去我奶奶家，想和你调换一下值日时间，好吗？"乙回："好的。"甲说："谢谢！"乙回："不用谢。"两个来回，简单几句话，交际完成。接着几组同学上台，就只更换一下商量的事项，其他都完全一样。

　　这是语文课程里的口语交际教学吗？口语交际教学应该达成怎样的教学目标？不同学段的口语交际教学目标具体怎样才能落实？如何统筹同一学段的口语交际与书面表达与交流？如何将表达与交流融入其他的语文学习实践？这些都是值得我们认真思考的问题。

　　相较于2011年版课程标准，《义务教育语文课程标准（2022年版）》的主要变化就是围绕核心素养构建课程目标体系，对应核心素养的四个方面阐述课程总目标，按照"识字与写字""阅读与鉴赏""表达与交流""梳理与探究"四个领域阐述课程的学段要求，凸显语文课程的综合性和实践性特点，呈现出鲜明的时代特色。由此，大家熟知的义务教育语文课程五大领域变成四大领域，领域名称也有一定的改变，原本单列的"写作"与"口语交际"被整合成"表达与交流"。

第一节 表达与交流教学目标解读

《义务教育语文课程标准（2022 年版）》一共列了 9 条语文课程的总目标，其中涉及表达与交流的主要是第 5 条：学会倾听与表达，初步学会用口头语言文明地进行人际沟通和社会交往。能根据需要，用书面语言具体明确、文从字顺地表达自己的见闻、体验和想法。

研读这一目标，我们发现它是从口头语言和书面语言两个方面来阐述的。其中口头语言的运用主要强调的是两点：一是学会倾听与表达。侧重单向的听说方面的要求，改变过去比较忽略听的训练的弊端，同时也着眼于人际沟通和社会交往的现实需求。强调"学会"，意味着"倾听"不仅是一种习惯，也和"表达"一样更是一种能力。二是提出文明沟通和交往的要求。侧重双向或多向的口语交际，要求"初步学会"，没有单向的听说要求高，需要结合学段要求来理解。书面语言的运用主要强调三点：一是"能根据需要"，也就是要求把书面表达放到真实的语言环境中，强调情境影响，强化表达与交流的对象意识。二是强调"自己的见闻、体验和想法"，划定内容范畴，突出学生表达与交流的主体意识。"见闻、体验和想法"也有一定的递进性，从所见所闻，到自己亲身体验，再到产生自己的想法，层层递进，学生表达与交流的主体地位也越来越突出。三是要求"具体明确、文从字顺"，这是书面语言表达上的要求。"具体"就是不笼统，说实话，不说大话和套话。"明确"就是清楚准确，不含糊其词，能够选用合适的词句，准确表达自己的意思。"文从字顺"就是语句通顺，不出现错误的字词和病句。

细读 9 条总目标，我们还可以发现除第 1 条外，其余均有表达与交流的内容。比如第 2 条：热爱国家通用语言文字，感受语言文字及作品的独特价值。第 3 条：关心社会文化生活，积极参与和组织校园、社区等文化活动，发展交流、合作、探究等实践能力。第 4 条：能说普通话。主动积累、梳理基本的语言材料和语言经验，逐步形成良好的语感。第 6 条：提高语言表现力和创造力。第 7 条：有理有据、负责任地表达自己的观点。第 8 条：感受语言文字的美。第 9 条：能借助不同媒介表达自己的见闻和感受。等等。这些目标都具体分解并逐步体现到了不同的学段要求之中。之所以几乎每一条目标的表述都含有表达与交流的内容，主要还是为了破解以往识字写字、阅读、写作、口语交际等彼此分离、相互独立的弊端，规避点线表述的问题，突出核心素养的整合性、综合性特点。

需要指出的是，《语文课程标准》提出的上述目标是九年义务教育阶段表达与交流要达成的总目标。小学阶段以及小学各学段的表达与交流具体要达成什么样的目标，要结合不同的学段要求来理解。

另外，《语文课程标准》中的学业质量描述也是以核心素养为依据，按照日常生活、文学体验、跨学科学习三类语言文字运用情境，按照识字与写字、阅读与鉴赏、表达与交流、梳理与探究的具体活动内容来描述学生语文学业成就的关键表现的。对照与结合学业质量描述第三学段的相关内容，也可以加深我们对小学表达与交流总目标的全面和深入理解。

一 第一学段表达与交流要求解读

（一）第一学段表达与交流要求

《语文课程标准》关于第一学段"表达与交流"的要求，共有 4 条：

（1）学说普通话，逐步养成说普通话的习惯，有表达交流的自信心。

（2）能认真听他人讲话，努力了解讲话的主要内容。听故事、看影视作品，能复述大意和自己感兴趣的情节。能较完整地讲述小故事，能简要讲述自己感兴趣的见闻。与他人交谈，态度自然大方，有礼貌。积极参加讨论，敢于发表自己的意见。

（3）对写话有兴趣，留心周围事物，写自己想说的话，写想象中的事物。在写话中乐于运用阅读和生活中学到的词语。

（4）根据表达的需要，学习使用逗号、句号、问号、感叹号。

（二）第一学段表达与交流要求解读

对照 2011 年版语文课程标准，我们发现，新版课标第一学段"表达与交流"的要求只是整合了 2011 年版课标第一学段"写话"和"口语交际"的内容，除了"能认真听别人讲话"的"别人"改成"他人"外，文字上基本没有什么变化。把握第一学段"表达与交流"的要求，要注意以下几点：

1. 突出先说后写，写话为主

2001 版和 2011 版语文课标在表述课程目标与内容的时候都是按照"识字与写字""阅读""写话（习作）""口语交际""综合性学习"的顺序进行的，"写话（习作）"放在"口语交际"的前面。新课标把二者整合成"表达与交流"后，学段要求的表述变成了先口语交际后书面写话（习作），突出了先说后写，更加符合表达与交流的生活实际和学习规律。同时，根据课标规定，我们可以知道，第一学段书面表达与交流仍以写话为主。

2. 重新认识普通话的学习

新课标明确规定：语文课程是一门学习国家通用语言文字运用的综合性、实践性课程。在 2011 版课标的基础上增加了"国家通用"四个字，进一步明确语文课程学习的语言文字是"国家通用语言文字"。普通话是我们国家的通用语言。强调普通话作为"国家通用"语言的学习，意味着普通话的学习不仅要让学生掌握外显的语言，还要让学生真正认识国家通用语言的内涵与意义，认识到普通话是中华多民族文化认同的体现，进一步铸牢中华民族共同体意识。为此，我们要提高普通话教学的思想政治站位。普通话的学习要从小抓起，中华民族共同体意识也要从小培养，这是培养学生语文核心素养的基础工程。

3. 注重表达与交流兴趣的培养

课程改革着力改变过去只注重知识学习与技能训练目标的情况，十分关注学生学习的兴趣、情感体验和态度价值观的形成。由于书面语言相比于口头语言来说，更加规范和严格，学龄初期的儿童对写话容易产生畏难情绪。课标将"对写话有兴趣"放在前面，同时强调"有表达交流的自信心"，要求学生能复述"自己感兴趣的情节"，讲述"自己感兴趣的见闻"，其意就在于要求老师首先关注学生表达与交流的兴趣和情感体验。

4. 把握表达与交流的具体要求

就"听"而言，第一学段提出的活动主要是听他人讲话、听故事、看影视作品；态度要求是认真——"倾听"最基本的要求；能力要求是了解主要内容、把握大意和感兴趣的情节。就"说"而言，活动主要是复述和讲述；内容要求主要是见闻（比如电影里看到的，故事里听的，别人讲的，等等）；能力要求是简要、较完整。就"口语交际"而言，重点提出的活动是交谈和讨论；态度要求是自然大方、有礼貌、积极；能力要求是敢于发表自己的意见。就"写话"而言，一是照顾低年级学生阅历特点，注重引导学生留心周围的事和物，写自己想说的话；一是顺应学龄初儿童的天性，引导学生写想象中的事物。整体上是鼓励学生自由表达，不给限制。同时要求学生运用阅读和生活中学到的词语，学习使用四种最常用的标点。

5. 注意目标之间的融合共生

第一学段的四个要求，前面两个侧重口语表达与交流，后面两个侧重书面表达与交流。写话要求"留心周围事物"，与前面提到的"听他人讲话""与他人交谈""积极参加讨论"，还有"听故事、看影视作品"紧密相关；"写自己想说的话"与前面"敢于发表自己的意见"也紧相关联；等等。我们要注意这些要求之间的联系，正如过去我们把听说训练放到口语交际的背景下思考一样，现在我们又要把口语交际和写话（习作）进一步放到表达与交流的背景下去思考。

二　第二学段表达与交流要求解读

（一）第二学段表达与交流要求

《语文课程标准》关于第二学段"表达与交流"的要求，共有 5 条：

（1）乐于用口头、书面的方式与人交流沟通，愿意与他人分享，增强表达的自信心。

（2）能用普通话交谈，学会认真倾听，听人说话时能把握主要内容，并能简要转述。能就不理解的地方向人请教，就不同的意见与人商讨。

（3）能清楚明白地讲述见闻，说出自己的感受和想法。讲述故事力求具体生动。能主动参与日常生活中的文化活动，根据不同的场合，尝试运用合适的音量和语气与他人交流，有礼貌地请教、回应。

（4）观察周围世界，能不拘形式地写下自己的见闻、感受和想象，注意把自己觉得新奇有趣或印象最深、最受感动的内容写清楚。能用便条、简短的书信等进行交流。尝试在习作中运用自己平时积累的语言材料，特别是有新鲜感的词句。

（5）学习修改习作中有明显错误的词句。根据表达的需要，正确使用冒号、引号等标点符号。课内习作每学年 16 次左右。

（二）第二学段表达与交流要求解读

第二学段处于小学低年级段往高年级段的过渡期。本学段表达与交流最突出的特点表现在书面表达从简单的"写话"转变为以写一段话为主的"习作"。理解新版课标关于第二学段表达与交流的要求，要注意以下几点：

1. 关注首条目标的丰富内涵

在第一学段写话训练打下一定的基础之后，第二学段开始进行习作教学。为此本学段要求首先明确"表达与交流"的两种方式——口头和书面，揭示"表达与交流"的主要目的——与人交流、沟通和分享，进一步强调学生在参与表达与交流学习时的心理状态、情绪体验和精神面貌——"乐于""愿意"和"自信"。特别是学段要求对学生心理情绪和精神状态的关注和呵护，与第一学段的要求一脉相承，提示我们在教学中不宜过于严格，拔高要求为难学生，使其压抑，影响表达特别是动笔习作的自信心。

2. 注意能力要求的逐步提升

比如讲述、复述与转述，从"能复述大意"到"能简要转述"，从讲述见闻的"简要"到"清楚明白"，从讲述故事的"能较完整"到"力求具体生动"。第二学段在讲述、复述的基础上增加了转述的要求，讲述见闻和故事的要求也明显提高，讲述内容也进一步丰富：除见闻（故事）外，还要"说出自己的感受和想法"。又如商讨，第一学段要求"积极参加讨论，敢于发表自己的意见"；第二学段则进一步提出"能就不理解的地方向人请教，就不同的意见与人商讨"。再如，第一学段要求"留心周围事物"，第二学段则提出要"观察周围世界"。"观察"比"留心"的要求进一步提高，不是一般的"观"，还要细心地"察"，要求看得细，还要动脑筋思考和研究。可见同一能力不同学段的要求，均呈逐步提升之势。

3. 把握"清楚""明白"的基本要求

第二学段的"表达与交流"目标中，提出的基本要求应该是"清楚""明白"。口语应用

"能清楚明白地讲述见闻"，书面表达要"注意把自己觉得新奇有趣或印象最深、最受感动的内容写清楚"。"力求具体生动"是过程性目标，不是结果性要求，而且是对口语应用"讲述故事"单独提的要求。因此，我们在进行口语交际或者习作指导时，应针对第二学段的学习实情，牢牢把握"清楚""明白"这一基本要求，扎扎实实地让目标落地。切忌把"具体生动"作为这一学段带有普遍性的教学要求，尤其是不能将其作为习作的要求。

4. 注意学习情境的拓展

新版课标明确要求：能主动参与日常生活中的文化活动，根据不同的场合，尝试运用合适的音量和语气与他人交流，有礼貌地请教、回应。这是 2011 版语文课标没有的内容。新版课标增加的这些文字，十分明确地将表达与交流的学习情境从课堂拓展到了课外和校外，拓展到了日常生活情境中来，从而大大拓展了表达与交流的学习范围，为学生提供了更广的学以致用的情境和机会，体现了大语文学习的观念。

三　第三学段表达与交流要求解读

（一）第三学段表达与交流要求

《语文课程标准》关于第三学段"表达与交流"的要求，共有 5 条：

（1）听人说话认真、耐心，能抓住要点，并能简要转述。乐于表达，与人交流能尊重和理解对方。注意语言美，抵制不文明的语言。

（2）表达有条理，语气、语调适当。参与讨论，敢于发表自己的意见，说清自己的观点。能根据对象和场合，稍作准备，作简单的发言。

（3）懂得写作是为了自我表达和与人交流。养成留心观察周围事物的习惯，有意识地丰富自己的见闻，珍视个人的独特感受，积累习作素材。

（4）能写简单的记实作文和想象作文，内容具体，感情真实。能根据内容表达的需要，分段表述。学写读书笔记，学写常见应用文。

（5）修改自己的习作，并主动与他人交换修改，做到语句通顺，行款正确，书写规范、整洁。根据表达需要，正确使用常用的标点符号。习作要有一定速度。课内习作每学年 16 次左右。

（二）第三学段表达与交流要求解读

第三学段要求体现了小学阶段的总要求。小学语文教师不仅要全面把握九年义务教育结束时学生表达与交流要达成的总目标，更要把握小学毕业时学生应该达成的目标。理解新版课标关于第三学段表达与交流的要求，要注意以下几点：

1. 关于听说

首先是"听"，在第二学段"学会认真倾听"的基础上增加了"耐心"的要求，结合第一学段"能认真听他人讲话"和第四学段"耐心专注地倾听"的要求，我们可以发现，义务教育语文教学落实学生"学会倾听"的课程目标，抓住了三个要点：认真、耐心、专注，顺应儿童心理发展的规律，兼顾文明礼貌的素养养成，逐步提高学习的要求。其次是"说"，继续重申"能简要转述"的要求，但在"清楚明白""尝试运用合适的音量和语气与他人交流"的基础上增加了"表达有条理，语气、语调适当"，开始涉及更多的表达技巧，同时更加注重思维的训练。

2. 关于口语交际

该学段在第二学段"有礼貌地请教、回应"的基础上进一步明确"与人交流能尊重和理解对方""注意语言美，抵制不文明的语言"，从语言运用技巧之外提出要求，突出口语交际教学的人文意义和审美价值。另外，相对于第二学段能"说出自己的感受和想法"，该学段提出"能根据对象和场合，稍作准备，作简单的发言"，即所谓即兴发言，其要求明显提高。虽说只是"简单"的发言，但应该是经过思考之后"有条理"的表达，而且语气语调等技巧的运用一定也考虑到了对象与场合的不同特点，能体现对听话一方的关注、理解和尊重。可以说，这就是学生小学毕业要达到的口语交际能力和文明交际素养总要求了。

3. 关于习作

本学段对学生关于习作的理解、观察、题材、形式、修改、速度连同书写格式等方面，都有进一步的要求。首先是要求学生形成写作目的意义的认知——自我表达和与人交流，消除"为写而写"的弊端。其次是强调观察习惯的养成。既是"习惯"，就需要学生将观察视为自我需求，做到主动观察，经常观察。再次是开始有了"记实作文和想象作文"的文体要求，应用文体也在便条、书信的基础上扩大到"读书笔记"和"常见应用文"的范畴。同时提出"内容具体"的要求（第二学段只在讲述故事部分要求"力求具体生动"）。最后是在第二学段"学习修改习作中有明显错误的词句"的基础上进一步提出"修改自己的习作，并主动与他人交换修改"。因为本学段开始进行篇的训练，学生习作修改的范围也明显扩大，除字词语句外，还包括文章条理、篇章结构、写作方法和行款格式等方面。形式上也不只是自己修改，还要"主动与他人交换修改"，进一步突出学生学习的主动性。

4. 关于表达与交流

与前两个学段相比，本学段在注重语言运用要求的同时，更多了一些对思维和情感方面的要求。不管是听人说话"能抓住要点"，表达要"有条理"，参与讨论要"说清自己的观点"，"稍作准备，作简单的发言"，还是习作"能根据内容表达的需要，分段表述"和"习作要有一定速度"，都可感受课标对学生思维能力和思维训练的重视。而在习作"内容具体"的要求之外，还要求"感情真实"，强调学生习作要写真实的生活，表现在真实生活基础上的想象世界，要表达自己的真情实感，更加"珍视个人的独特感受"。还有明确提出"注意语言美"的审美要求等等。可见，表达与交流的学习绝不只是用口头和书面语言"表达与交流"的事。新版课标关于表达与交流目标的表述整合融会了语言运用、思维能力、审美创造的内容，体现了学段要求表述向强调整体和关联的核心素养靠拢的特点。

第二节　表达与交流教材内容分析

新版课标改变语文课程内容的组织与呈现方式，采用学习任务群的方式组织和呈现语文学习的内容。表达与交流的学习内容体现在不同层面的六大学习任务群中，体现了语文课程情境性、实践性与综合性的特点。现行统编教材按照口语交际和写话、习作分块分段安排了学习内容，同样体现了新版课标的思想和理念。

一　口语交际教材内容分析

新版课标总目标第 5 条中明确提出："学会倾听与表达，初步学会用口头语言文明地进行人际沟通和社会交往。"根据这一目标要求，我们在实施口语交际教学的时候，要注意以下几点。

第一，口语交际教学的核心任务是让学生具有日常口语交际的基本能力。所谓基本，指的是会倾听、善表达、能应对等口语交际能力。这种能力不属于某种行业的专业口语交际能力，它是一般人在日常人际交往中都应具备的口语交际能力。

第二，口语交际教学的重点是让学生学会倾听、表达和交流。强调要让学生在各种交际活动中自主体验、自我领悟，在运用中掌握口语交际的基本方法和技巧。应避免单调的技法传授和口语交际知识的罗列与灌输。

第三，口语交际教学要重视学生文明礼貌、语言修养、审美情趣以及人生观、价值观等因素的训练与提升。不仅需要使学生掌握日常交往所需的口语交际技能，还需要使学生形成全面的口语交际素养。

新版课标不仅提出了总目标，还针对不同学段提出了具体目标。统编版小学语文教材将口语交际作为一个独立的模块编排，建构了清晰的目标体系和学习内容，并以"小贴士"的形式列出每次训练的要点，使口语交际教学的目标更具指向性和层次感。下面我们结合统编版教材来深入分析小学口语交际教学的具体内容。

（一）第一学段口语交际教材内容分析

第一学段是小学生学习口语交际的起始阶段，其教学目标突出"启蒙性"和"基础性"。表达训练要求突出"较完整"和"简要讲述"；倾听训练要求认真听他人讲话，了解主要内容；交际素养训练则注重"自信心"和"积极性"的培养、大方态度和文明习惯的养成。统编版语文教材一、二年级的口语交际内容及学习要求如表4-1所示。

表4-1　统编版语文教材一、二年级的口语交际内容及学习要求

年级	口语交际内容	学习要求
一年级上册	我说你做	大声说，让别人听得见。注意听别人说话
	我们做朋友	说话的时候，看着对方的眼睛
	用多大的声音	有时候要大声说话，有时候要小声说话
	小兔运南瓜	大胆说出自己的想法
一年级下册	听故事，讲故事	听故事的时候，可以借助图画记住故事内容。讲故事的时候，声音要大一些，让别人听清楚
	请你帮个忙	使用礼貌用语：请、请问、您、您好、谢谢、不客气
	打电话	给别人打电话时，要先说自己是谁。没听清时，可以请对方重复
	一起做游戏	一边说，一边做动作，这样别人更容易明白
二年级上册	有趣的动物	吐字要清楚。有不明白的地方，要有礼貌地提问
	做手工	按照顺序说。注意听，记住主要信息
	商量	要用商量的语气。把自己的想法说清楚
	看图讲故事	按顺序讲清楚图意。认真听，知道别人讲的是哪幅图
二年级下册	注意说话的语气	说话的语气不要太生硬。避免使用命令的语气
	长大以后做什么	清楚地表达想法，简单说明理由。对感兴趣的内容多问一问
	图书借阅公约	主动发表意见。一个人说完，另一个人再说
	推荐一部动画片	注意说话的速度，让别人听清楚。认真听，了解别人讲的内容

1. 表达训练从敢说到说清楚

统编版教材中本学段语言表达训练的内容主要是小故事或故事的大意以及自己感兴趣的见闻，方式上主要是练习"复述"和"讲述"。一年级侧重在随性的生活化交际中大胆说，并能运用简单的方法说清楚。如"我说你做""小兔运南瓜"鼓励学生用普通话大声、大胆地说，培养学生"敢说"的勇气；"打电话""一起做游戏"则要求学生不仅"敢说"，还要配合动作说清楚。二年级侧重在内容较集中的主题性交际中说清楚。比如"做手工""看图讲故事"注重表达的清晰和条理性，强调用按顺序说的方法把话说清楚；"注意说话的语气""推荐一

部动画片"则侧重说话的语气和速度，要求学生尝试在小组内按顺序说清楚自己的想法。

2. 倾听训练从能听到会听

统编版教材中本学段倾听训练的内容主要是听别人讲话和讲故事。一年级侧重注意听别人说话。如"听故事，讲故事"主要训练学生听故事的时候借助图画记住故事内容，"打电话"则教会学生没听清楚时让对方重复的方法。二年级侧重要听明白别人的话。如"图书借阅公约"主要训练记主要步骤和关键词以了解别人话中的主要信息，理解别人讲的内容。

3. 交际素养从基本的意识和礼仪到主动交流的意识和礼仪

统编版教材中本学段交际素养训练的内容主要是在自主的语言实践中形成基本的对象意识和场合意识，掌握基本的礼貌用语。一年级侧重基本意识的养成。如"我们做朋友"要求说话时看着对方的眼睛，"用多大的声音"训练在特定的场合如何文明表达。二年级侧重主动交流的语气和礼貌。如"有趣的动物"要求选择恰当的时机，运用合适的方式有礼貌地提问；"商量"训练学生能够用商量的语气积极、主动地与他人沟通和交流，被他人拒绝后也能礼貌地回应。

（二）第二学段口语交际教材内容分析

第二学段的口语交际教学是第一学段的发展，其教学目标主要体现"巩固性"和"提高性"。表达训练要求能自觉运用普通话交谈，由较完整、简要讲述提高为清楚明白、具体生动；倾听训练要求从努力了解讲话的主要内容提高到认真倾听并能把握主要内容；交际素养训练则注重交际情感和合作精神的初步培养。统编版语文教材三、四年级口语交际内容及学习要求如表4-2所示。

表4-2　统编版语文教材三、四年级口语交际内容及学习要求

年级	口语交际内容	学习要求
三年级上册	我的暑假生活	选择别人可能感兴趣的内容讲。借助图片或实物讲
	名字里的故事	把了解到的信息讲清楚。听别人讲话的时候，要礼貌地回应
	身边的"小事"	清楚地表达自己的看法。汇总小组意见时，尽可能地反映每个人的想法
	请教	有礼貌地向别人请教。不清楚的地方及时追问
三年级下册	春游去哪儿玩	说清楚想法和理由。耐心听别人把话讲完，尽量不打断别人的话
	该不该实行班干部轮流制	一边听一边思考，想想别人讲的是否有道理。尊重不同的想法
	劝告	注意说话的语气，不要用指责的口吻。多从别人的角度着想，这样别人更容易接受
	趣味故事会	运用合适的方法，把故事讲得更吸引人。认真听别人讲故事，记住主要内容

续表

年级	口语交际内容	学习要求
四年级上册	我们与环境	围绕话题发表看法，不跑题。判断别人的发言是否与话题相关
	爱护眼睛，保护视力	小组讨论时，注意说话的音量，避免干扰其他小组。不重复别人说过的话。如果想法接近，可以先表示认同，再继续补充
	安慰	选择合适的方式进行安慰。借助语调、手势等恰当地表达自己的情感
	讲历史人物故事	用卡片提示讲述内容。使用恰当的语气和肢体语言，可以让讲述更生动
四年级下册	转述	弄清要点，转述时不要遗漏主要信息。注意人称的转换
	说新闻	准确传达信息。清楚、连贯地讲述
	朋友相处的秘诀	根据讨论的目的，记录重要信息。分类整理小组意见，有条理地汇报
	自我介绍	对象和目的不同，介绍的内容有所不同

1. 注重优化口头表达方式

统编版教材中本学段语言表达训练内容由简单的故事到复杂的故事，从感兴趣的见闻扩展到所有见闻，方式增加了"转述"。三年级着重引导学生"说清楚"，避免对生活场景的简单重复。如"我的暑假生活"训练学生讲别人感兴趣的内容，"身边的'小事'""春游去哪儿玩"训练学生清楚表达自己的想法。四年级则侧重"说连贯""说生动"，通过语调、手势等增强表达力和感染力。如"讲历史人物故事"训练学生使用恰当的语气和手势生动形象地讲述，"说新闻"训练学生准确、清楚、连贯地讲述。

2. 重视提高学生的信息筛选和处理能力

统编版教材中本学段倾听训练内容仍以听人说话为主，不仅要听清楚、听明白，还要筛选、判断和有效应对。安排的交际活动有听故事、听通知和听新闻等，要求学生在听的时候加强理解，能把握主要内容并作简要转述。如"该不该实行班干部轮流制"训练学生边听别人的观点边思考，快速处理所获取的信息；"趣味故事会"训练学生听别人讲故事时，记住故事的主要内容，提高信息处理的质量。

3. 强调讨论中的"有效沟通"和"合理应对"

统编版教材中本学段交际素养训练内容是交际情感和合作精神的初步培养。教材专门安排了交互类和功能类话题，不仅要求学生与他人交流、讨论时能清楚表达自己的想法，还特别强调要做到"有效沟通"和"合理应对"。如"请教"训练学生有礼貌地追问。"爱护眼睛，保护视力"训练学生在小组讨论时能合理控制音量，避免干扰别人；如果他人的观点和自己的观点接近，则先表示认同，再继续补充。"安慰"训练学生选择合适的方式进行安慰。

（三）第三学段口语交际教材内容分析

第三学段的口语交际教学是第二学段的深化与发展，教学目标主要体现"高阶性"和"综合性"。表达训练要求运用适当的语气语调有条理地简要转述；倾听训练要求"认真耐心""抓住要点"；交际素养训练则注重提高参与交流和讨论的积极性和主动性，强调交际过程中的相互尊重和理解，培养自觉抵制不文明语言的习惯。统编版语文教材五、六年级口语交际内容及学习要求如表4-3所示。

表4-3　统编版语文教材五、六年级口语交际内容及学习要求

年级	口语交际内容	学习要求
五年级上册	制定班级公约	发言时要控制时间。讨论后做小结，既总结大家的共同意见，也说明不同意见
	讲民间故事	讲故事的时候，可以适当丰富故事的细节；讲故事的时候，可以配上相应的动作和表情
	父母之爱	选择恰当的材料支持自己的观点。尊重别人的观点，对别人的发言给予积极回应
	我最喜欢的人物形象	分条讲述，把理由说清楚。听人说话能抓住重点
五年级下册	走进他们的童年岁月	认真倾听，交流时边听边记录。根据整理的记录有条理地表达
	怎么表演课本剧	主持讨论时，要引导每个人发表意见。尊重大家的共同决定
	我是小小讲解员	列提纲，按照一定的顺序讲述。根据听众的反应，对讲解的内容作调整
	我们都来讲笑话	避免不良的口语习惯。用心倾听，做一个好的听众
六年级上册	演讲	语气、语调适当，姿态大方。利用停顿、重复或者辅以动作强调要点，增强表现力
	请你支持我	先说想法，再把具体的理由讲清楚。设想对方可能的反应，恰当应对
	意见不同怎么办	准确把握别人的观点，不歪曲，不断章取义。尊重不同意见，讨论问题时，态度要平和，以理服人
	聊聊书法	有条理地表达，如分点说明。对感兴趣的话题深入交谈
六年级下册	同读一本书	引用原文说明观点，使观点更有说服力。分辨别人的观点是否有道理，讲的理由是否充分
	即兴发言	提前打腹稿，想清楚先说什么，后说什么，重点说什么。注意说话的场合和对象
	辩论	听出别人讲话中的矛盾或漏洞。抓住漏洞进行反驳，注意用语文明

1. 更加重视表达的逻辑要求和技巧

统编版教材中本学段表达训练内容在讲述、复述和转述的基础上又增加了"做简单的发言"，方式从第一、二学段客观实际的描述延伸到了发表自己的观点、表明自己的态度，更加重视表达的逻辑要求和技巧，体现了从动情的感性表述向深刻的理性表述的转变。如"制定班级公约"训练学生在规定时间内发表自己的看法，并能进行小结；"我是小小讲解员""聊聊书法"训练学生增强语言和表达内容的逻辑性和条理性；"讲民间故事""演讲"强调语气、语调适当，符合不同的情境，姿态自然、大方。

2. 注重边听边记，能抓住说话的重点

统编版教材中本学段倾听训练内容是边听边记录说话人的重点，强调用心倾听，能够抓住要点进行转述。如"我最喜欢的人物形象"训练听人说话抓住重点；"走进他们的童年岁月"训练倾听专注度；"我们都来讲笑话"训练用心倾听，当好听众；"辩论"着重训练听出别人讲话中的矛盾或漏洞。

3. 强调交流、讨论中的相互尊重和理解

统编版教材中本学段交际素养训练内容是"相互尊重和理解""乐于参与""敢于发言"，养成文明用语的习惯。如"即兴发言"训练说话注意对象和场合，"父母之爱"训练对别人的发言给予积极回应，"意见不同怎么办"强调尊重不同意见，"辩论"注重用语文明。从第一学段的与别人交谈有礼貌到第二学段的认真倾听，再到本学段的听人说话认真耐心，与人交流能尊重和理解对方，体现出对文明交际素养的要求逐步提高。从第一学段的积极参加讨论到第二学段的能就不同的意见与人商讨，再到本学段的乐于参与讨论，更加强调学生参与口语交际的情绪体验，强调讨论习惯的养成。

综上所述，小学三个学段口语交际教学的目标是不同的。目标不同，教学的要求、重点、方法和手段当然也应各不相同。同时，三个学段的目标又是相互关联、层层递进、螺旋上升、共同服务整体目标的。各学段的口语交际教学既要突出阶段性，又要注重连续性，这样才能保证整个小学阶段表达与交流教学总目标的达成。

三年级下册《春游去哪儿玩》 口语交际教学设计①

一、教学目标

1. 乐于介绍自己去过的地方或最想去的地方，能够围绕一个地方说清楚想法和理由，使

---

① 王晓阳. 小学高段语文口语交际教学的研究报告［D］. 大连：辽宁师范大学，2010.

听的人也想去。

2. 与别人交流时能认真倾听，耐心听别人把话说完。

3. 积极参与交流和讨论，敢于表达自己内心的感受，树立交际的自信心。

二、教学过程

（一）视频情境引入

1. 师：同学们，春天到了，你眼中的春天是什么样子的？（播放大连春色影片）

2. 请学生说说自己看后的感觉。

3. 师：春天来了，该是我们去春游的时候了。同学们，你们想到哪里去春游呢？

4. 师：在春游前咱们得好好准备准备，大家来说说看，我们该先准备些什么呢？

（二）春游前准备

1. 出游准备设计：老师想请你们为自己设计一份"春游计划表"。

2. 讨论：有哪些同学愿意向大家介绍自己的春游计划？说出这样计划的理由。师生、生生互动，提出看法、建议或进行补充，教师发现问题并及时引导。

3. 温馨提示：出游所带的物品既要适当又要适量，而且要根据自己的口味和需要选择食品和物品，不和别人攀比。提醒大家，在做准备时一定要和爸爸妈妈商量商量，看看他们同不同意，听听他们的意见。

4. 师：除了带这些好吃的，我们还要做好哪些准备呢？

（三）春游活动

1. 同学们，我们已经来到了劳动公园的大门前，有这么多的游艺项目，我们先从哪里开始玩呢？

2. 全班同学共同设计一条游园路线。

3. 沿着游园路线前进，玩游艺项目，学生表演各个游艺项目是怎样玩的。

4. 师：我们在玩的时候应该注意什么？

（四）其他春游的好去处

1. 师：小朋友们，你们还想去大连的什么地方春游呢？为什么？

2. 学生思考并说出自己想去春游的地方，教师板书列出名单。

3. 师：小朋友们，想不想现在就看看那里美丽的春天景色呢？

4. 播放呈现春游地点景色的幻灯片。

（五）评一评

1. 大家互相评一评谁的办法多，谁的办法好，谁说得最清楚、明白，谁的表现大方、自然。

2. 谈谈自己对本节课的看法。

《春游去哪儿玩》口语交际教学设计通过创设贴近学生生活的交际情境、采用多种教学形式，将情境教学与本课口语交际的训练点有机融合，自然穿插。

（1）利用视频创设情境，诱发交际情感，使学生有话想说。这一环节的设计缓解了学生的紧张情绪，营造了轻松、自然的教学环境，为诱发学生的交际情感、提高交际的积极性做好了铺垫。

（2）教学目标聚焦语文核心素养，定位精准明确，使学生有话可说。本课的教学目标体现了科学性、操作性、阶梯性和可达成性。既有"说清楚""耐心听"等口语交际能力的提升，又强调交际方法的运用和交际素养的形成，充分体现了语文学科的核心素养。

（3）层次梯度明显，呈现方式多样，使学生有话可说。本课设计了"制定春游计划表""设计劳动公园路线图""游艺项目玩法表演和注意事项介绍""推荐其他春游地方"多个交际活动，由浅入深，层层推进，充分利用"图表""图画"帮助学生理清表达思路，拓展迁移，举一反三。整个教学过程中教师给予巧妙的引导和适当的评价，学生发挥自身的主观能动性和创造性积极参与交流和讨论，充分体现了口语交际的互动性。

总之，整个教学设计目标明确，重难点突出，符合三年级学生的身心特点。采用师生互动、生生互动、教师点评、生生互评等多种学习和评价方式，既检验了学习效果，又尊重了学生的独特体验和感悟，体现了口语交际教学的实践性和综合性。

二 写话与习作教材内容分析

（一）观察写话教学

一年级写话内容：通过看图、看影视节目、观察周围事物等，写几句完整、通顺的话；能运用生活中学过的词语造句，并根据表达的需要，学习正确使用句号、问号、叹号等标点符号。写作形式：观察写话，用词造句，仿句练习；写话训练安排中有"看图写词语，再说一两句"。

二年级写话内容：能从图中展开想象，观察大自然和周围的事物，写几句连贯、通顺的话，逐步向连句成段过渡；能用几个词语写几句连贯、通顺的话；会写留言条、请假条；学写简单的日记。写作形式：看图写话；观察日记；用词造句；连句成段；结合阅读练习仿写、续写；教材编排以"我多想……"开头，写下自己的愿望，再和同学交流；训练学生观察写话。

（二）片段素描教学

片段素描是中年级写作的一种主要形式。这种形式是教师借鉴美术教学的经验而创造的。具体的做法是引导学生观察实物或活动，将描写和叙述结合起来写片段。片段素描一般从单个静物开始，如文具、玩具、小摆设、劳动工具等，再扩展到动物、植物、外貌、动作、游戏、活动场所等。"猜猜他是谁""这儿真美""奇妙的想象""身边那些有特点的人"等写作训练，重点引导学生学习观察方法，鼓励学生大胆运用多种描写方法。片段素描教学是培养学生观察能力的重要手段。

（三）纪实作文教学

纪实作文就是如实地记人、记事、写景、状物的作文。进行纪实作文的训练，就是要培养学生写实的本领，这是十分重要的"再现力"。

1. 命题纪实作文

命题的提出，应是学生写作的"诱发剂"，教师可以直接采用教材规定的命题，也可以紧扣教材要求自主命题。命题的方式多种多样，常见的有以下几种。第一，教师直接命题。教师解读好写作教材要求，尽量使题目紧扣学生的生活积累和思想实际，要让学生感到，教师要求写的，正是自己想写的。题目的文字要浅白明了，不要故意在文字上绕弯子，设障碍。第二，半命题。教师提出一个大致范围，让学生根据自己的实际，把题目补充完整，然后写作。如写作教材中就有"游_____""我学会了_____""我和_____过一天""_____即景""他_____了""_____让生活更美好"这样的半命题训练，学生可以在画线处补上自己喜欢且有话可写的内容。第三，出几个题目供学生选择。这几个题目在内容上可以是互相联系的，也可以是没有联系的，但都应体现本次写作训练的重点。

2. 自拟题目纪实作文

自拟题目纪实作文，就是让学生自己选择材料，自己确定题目写纪实作文。其训练方式很多：

（1）利用生活积累自拟题目作文。学生在平时生活中，对周围事物有所观察，有所积累，教师提出一个范围，激起学生对观察积累的回忆，然后写作。写作教材有这样的训练："我的植物朋友""我的动物朋友""这儿真美""推荐一个好地方""记一次游戏"等。教师可以根据教材要求引导学生自拟题目作文，要求内容要具体，语句要通顺，作文题目由学生自己拟订。

（2）观察事物后自拟题目作文。可以布置学生在作文课前仔细观察一个人、一处景物、一个场面，或一种动物，在作文课上把观察到的写下来，自己给作文加一个题目。也可以在作文课上现场指导一项实验或展示一个玩具、一种植物等，然后让学生写作文，题目由学生自己定。

（3）活动后自拟题目作文。教师有意识地组织学生开展各种有意义的活动，在活动前不必告诉学生要写作文，让学生全身心地投入活动。活动之后，引导学生畅谈自己的见闻、感受，再因势利导，布置学生自拟题目写作。

（4）根据内心感受自拟题目作文。学生在生活中有欢乐，也有苦恼；对接触到的种种现象，有钦佩、赞赏，也有厌恶、看不惯。他们希望有机会向人倾诉这些心情、感受。教师可以提供这样的机会，让他们自报题目，说说自己的心里话。

在自拟题目的作文训练中，教师要充分发挥指导作用，不仅要指导学生选择自己生活中最熟悉的、感受最深的内容作为写作的题材，还要指导学生根据写作训练内容拟一个恰当的题目。

（四）想象作文教学

练习写简单的想象作文有多种形式，经常采用的是看图作文、听音响编故事、编童话故事、假想作文、扩展课文作文等。

1. 看图作文

这里所说的"看图作文"，是指看图写想象作文，与前面所说的只要写出画面意思的"观察图画写话"有区别。图画是现实生活的缩影，它所反映的只是事物的局部，只是瞬间的情景，是平面的、静态的、无声的。要把图画写活，就要借助想象，想象图中没有画出来的事物，如周围的环境，事物的起因、发展、经过、结果，人物的语言、动作、心理活动等，使画面由平面变立体，由静态变动态，由无声变有声。

2. 听音响编故事

在日常生活中，我们能听到许许多多的声音。声音都与一定的事物有关系。听音响编故事，就是教师提供几种互不相干的声音，学生根据这几种声音展开想象，编出故事，这是学生非常喜欢的习作形式。

3. 编童话故事

童话是儿童喜闻乐见的一种文体，他们爱听童话故事，也爱编童话故事。写作教材中的"故事新编""缩写故事"环节能够训练小学生的创造能力、想象能力。特别是低年级的学生更多地处于物我一体、精神现实不分的状态。中高年级小学生也常常借助想象和幻想的方式来观察、理解和解释生活世界中的事物。在成年人看来无生命的东西，在儿童眼里大部分都是活的、有意识的。指导学生写童话，正是顺应了他们心理发展的规律，有利于促进他们想象能力和语言表达能力的发展。

编童话故事的训练形式很多。其一，根据故事的开头写童话。教师讲述故事的开头，把事情的经过、结果都留给学生去想象，让学生编出故事。其二，选择几个物体编童话。日常生活中见到的春夏秋冬、鸟兽鱼虫、花草树木、风云雨雪，甚至泥土石块、桌椅板凳，都可以成为童话中的角色，编出故事。其三，自我创编童话故事。教师不提任何条件，不加任何限制，全凭学生自己的兴趣、爱好和生活积累，或自选几个不同的物体，或根据某种社会现象，编出喜爱的童话故事。

4. 假想作文

假想作文是根据假想的内容写的作文。假想作文和编童话故事，都需要凭借儿童的想象展开。童话都有故事情节，而假想作文的写法比较灵活，不一定有故事情节。假想作文可分为两类：一类是假设作文，一类是幻想作文。

假设作文就是让学生假设某种情境，再根据这种情境，结合自己的生活经验进行想象和联想。如作文《我的奇思妙想》，学生可以把自己的奇思妙想大胆展现，表达他们美好的愿望和对自然、社会的责任感。

幻想作文就是让学生运用文字把自己幻想中的画面、色彩、情感、意向表达出来，习作《我有一个想法》《二十年后的家乡》《插上科学的翅膀飞》等，学生可以充分发挥自己的聪明才智，进行幻想。

5. 扩展课文作文

扩展课文的作文有两种方式：扩写和续写。扩写是通过想象，把课文中写得简单的地方充实、丰富起来。续写是根据课文的思想内容，把故事延续下去。这种练习有助于培养学生的想象力。扩写和续写的练习也可以延伸到课外阅读，让学生利用课外阅读的材料写扩展性的想象作文。

此外，小学生写作教学还有缩写、改写训练和常用应用文教学。

应用文是人们在日常的生活、学习和工作中广泛应用、具有一定格式的文体。小学生要学习的应用文主要有请假条、留言条、日记、书信、表扬稿、建议书、读书笔记等。

作文也会"长大"

钱的价值
——全国特级教师张赛琴作文教学实录（片段）

（上课前，张老师微笑着与同学们握手致意，与他们简单地交谈，打量他们的小脸和小手。学生们感到很新奇，很放松）

一、导入

张老师神秘兮兮地从自己的包中拿东西，一边拿一边笑着问底下的学生自己在找什么。学生有些兴奋，争着猜。最后张老师从包中取出一张崭新的一百元人民币，给学生看，学生看到是一百元时，都笑了。

二、看钱

师：（微笑着向大家展示一百元纸币）知道是什么吧？

生：（有点兴奋，齐说）知道，一百块。

师：怎么知道的？

生：看出来的。（有个学生脱口而出"毛主席像！"）

（张老师走向这位坐着的学生，把钱摊到他面前）

师：你起来说。

生：一百元。

师：正面还是反面？

生：正面。

师：正面有一个……

生：正面有一个一百元。

师：还有……

生：毛主席像。

师：不是全身像，是毛主席半身像。

（张老师示意学生坐下，仍向大家展示着手中的纸币，向后退了几步，目光注视着全体同学）

师：好，（指着学生）他说这是一百元，因为这张纸币的正面有一百，一百旁边有个毛主席的半身像，对吧？（眼睛朝向刚才发言的学生）反面呢？（微笑着把手中的人民币反过来）

生：（迫不及待举手）反面有一个人民大会堂。

师：（转身将纸币的反面给学生看）对，反面有一个人民大会堂，它是主体建筑，对吧？（张老师走向讲台，面带微笑高举着人民币，把人民币的反面对着大家）

三、听钱

师：好，看清楚了，这是一张一百元人民币。（伸出手来重重地弹了几下纸币，发出响亮的声音，边弹边微笑着往前走，在一名学生面前停下）什么声音？

生：弹指的声音。

师：（继续往前走）这个声音怎么样啊？

生：清脆。

师：什么象声词？

生：擦擦。

（张老师继续弹纸币，边弹边微笑着观察学生的反应）

生：啪啦啪啦。

四、想钱

师：（仍然高举纸币，微微一笑）想用这张人民币的举手？

（学生纷纷举手，哈哈大笑起来，张老师也跟着笑起来，环视整个班级的学生）

师：（晃动着纸币，略带怀疑）竟然有人会不要？

（学生笑得更厉害了）

师：（往学生方向走）想要的举手！

（学生的手举得更高了）

师：好，我也喜欢钱！（看着一名学生，学生与老师对视）一百元，我要给你的话，你想干什么？（学生争先恐后地举手）

生：可以买吃的。

师：停，可以买吃的！买什么吃的？

生：（思考了一会儿）比如可以买零食什么的。

师：（与该学生握手，笑着看全班学生）一百元可以买到很多零食！除了买吃的，还有其他的吗？

生：买花。

师：（听得不清楚，走向学生）买什么花？玫瑰花？

生：各种花。

师：买花放在家里。一百块钱买花，家里可以花开不败。（走向另一名学生）你呢？

生：可以买书。

师：真好，除了买书呢？你说！

生：买肉类。（该学生说完后大家哄堂大笑）

师：好，买肉吃。

五、议钱

师：（走到教室正中间）对这个钱，大家都有一定的用法，（歪着脑袋）你们说，大家为什么都喜欢这个钱呢？（晃动手上的纸币）它不就是一张纸吗？

生：因为它可以买东西。

师：对，因为钱有"价值"。

六、总结内容，提示写法，准备写作

师：（走向讲台）同学们，我们课上到这里，咱们围绕这个钱，走了四个层次：先是看钱（板书：看钱）。我们看了钱的什么？（高举纸币）正面的图画、反面的图画以及上面的数字。看了钱，然后呢？

生：听了钱的声音。

师：对（板书：听钱），我们听到了这样的声音（不断地弹钱），啪啦啪啦的声音。说明这纸币是真的。然后想钱（板书：想钱），想买吃的，想买花，还有的要买肉。（边说边看着刚才发言的学生）为什么大家都这么爱钱呢？（板书：议钱）我们议论以后，认为钱是有价值的。它放在市场上可以流通，是可以换回你想要的东西的。

师：（板书：价值）我请同学们把刚才的过程给写下来，你们说，分几段写呢？用你们的手告诉我。

（学生们纷纷伸出四个手指）

师：（也像学生一样伸出四个手指）对，四个。（转向黑板，在刚才的板书上做记号）就是这四段。这四段如果变成一、二、三、四，是不是一定要从一写到四呢？（露出微笑）不一定，可以一、二、三、四，也可以是四、三、二、一，可以先从议论钱入手，也可以从听钱的声音开始，顺序随你来安排。但是一定要写四段内容。我们要开始写啦！请大家把本子打开，第一行空着，一会儿要写开头，然后要从第二行往下写，要写四个小节。谁来拟一个开头？（微笑着走向学生，学生思考着，老师举着手看着大家）

生：钱，看起来……

师：太好了！他说钱看起来……这是他的开头，还有谁来说呢？

生：我想到钱……

生：钱是个好东西……

师：一百块钱更是个好东西，还有吗？

生：钱就是钱！

师：好，一会儿同学们把自己的开头写下来，然后写下这四个部分。但要注意，只要拿起笔，就要注意三点：一，不能抬头；二，不说话；三，不停笔。（面带微笑）明白了吗？哪三点？

（学生七嘴八舌地重复三点）

师：时间9分钟，预备，开始！

（学生低头奋笔疾书，张老师一边巡查一边微笑着称赞学生，与个别需要帮助的学生交流）

张老师的作文课在平淡中见神奇，看似抽象的东西，在张老师的设计下有了价值——道具100元实实在在的价值。张老师通过别具匠心的设计和安排，指导观察，启迪思考，让学生看到真实的东西并展开想象，引导学生看、听、想、议。学生在不知不觉中完成作文，顺利实现了"创设简单的纸币外形变化情境，让学生身临其境学会观察思考，辩证地学会抽象思维"的教学目标。

（1）构思巧妙，倡导语文从生活中来。贴近学生的生活，"作文生活化"。从学生生活中常见的钱入手，开展作文训练。着眼于学生的生活，以钱为切入点，用学生的认知方式展开教学，学生容易被吸引。

（2）重视引导和鼓励，先讲后写。张老师始终面带微笑，学生发言时她的眼睛会紧盯着学生，让胆小的学生有了信心，让自信的学生声音更加响亮，鼓励学生大胆表达，说真话，抒真情。

（3）重视思维训练，教学设计科学。教学设计主要从看钱、听钱、想钱、议钱四个方面启发学生思维，提问设计层层深入，富有灵活性，尊重学生的不同意见，重视学生的疑问，围绕作文主题，引导学生积极思考。教师演示—学生观察—学生习作，看似简单的似曾相识的过程，效果却出奇地好。

第三节 表达与交流教学实施策略

如前所述，按照新版课标的要求，小学语文表达与交流的教学融汇在六大语文学习任务群中，体现在包括识字与写字、阅读与鉴赏和梳理与探究在内的所有语文实践活动里。这里，我们重点结合现行统编教材安排的口语交际和写话、习作内容，分别阐述其教学实施的策略。

一 口语交际教学实施策略

教学策略是教师对教学活动的整体把握和采取的一系列措施。小学口语交际教学既要遵循教学的一般规律，又要体现自身的个性特征。

（一）创设交际情境的策略

口语交际的情境，往往包含许多潜在的特定信息。教学也是在一定的情境中进行的，创设口语交际教学的情境，重点就是创设口语交际情境。口语交际教学一般在课堂上进行，特殊的课堂情境极易造成某些交际情境信息的弱化甚至缺失，影响交际的有效展开。因而如何创设真实具体的交际情境，使学生能够最大限度地"跳出"自己所处的课堂情境，便成为一堂口语交际课能否取得成功的关键。

1. 创设情境的方式

在教学中创设交际情境的方式多种多样。从情境来源看，可以直接利用教材提供的情境，也可利用教材以外的资源创设情境。从情境性质看，可以是现实生活情境，也可以是虚拟生活情境。从情境创设的手段看，又可分成展示实物、张贴图片、利用多媒体、道具表演、语言描述等。下面，我们重点谈谈如何利用教材提供的情境。

与其他版本的语文教材不同，统编版教材将口语交际作为一个单独的模块进行编排。教材内容一般由情境图、对话框和小贴士三部分组成。情境图就是我们设计交际情境的主要依据，教学中要充分利用。比如一年级上册口语交际话题《用多大的声音》，教材安排了3幅情境图。第一幅图是在阅览室里，第二幅图是在教师办公室里，第三幅图是在教室里讲故事给大家听。这3个情境都源于学生真实的校园生活，教师在教学时就可充分利用这3幅情境图创设交际情境，引导学生先想一想应该用多大的声音说话，再议一议为什么有时候要大声说话，有时候要小声说话，接着演一演，给学生真实的体验，在语言实践中培养学生的能力，最后拓展，把学生带入更多的生活场景，如在运动会上喊加油、公交车上聊天、到饭点了叫爷爷奶奶吃饭等。整个教学过程紧紧围绕小贴士里提示的训练重点，引导学生了解一些基本的交际规则，懂得说话时要区分场合，说话的音量要依场合而定，做一个文明有礼的交际者。

当然，教师也可对教材提供的情境进行加工，或者采用教材以外的资源创设一个新的情境，同样可以取得好的效果。请看口语交际课"快乐拼图"的教学片段：

（课前教师为每组学生准备了各种形状的小图片，在提供图片时有意少放了几种。学生在拼图时发现缺少图片，自然就产生了疑问。）

师：哎呀，少图片了，那该怎么办呢？

生：可以拼别的图，可以向同学借，等等。

师：向同学借图片还有些讲究呢，你能说说吗？

生：要有礼貌，别人不愿意借就不要硬借，要把借图片的原因告诉别人，等等。

师：是呀，借图片的讲究可多了，希望同学们注意这些，也相信你们一定能凭借自己的甜嘴巴借到你们需要的图片。（每组各派一名同学向邻组去借图片）

教师通过有意少放几种图片，造成学生无法拼图的困惑，引出向同学借的想法，然后引导学生说说向人借物的讲究，成功地将学生从拼图活动情境引至向同学借图片的交际情境。整个过程真实自然，现场感极强，教师不动声色，适时引导，学生带着问题，现学现用，表现出极大的学习兴趣和热情。

2. 创设情境的要求

首先，无论采用何种方式，口语交际教学中创设的交际情境都必须贴近学生生活，有助于交际展开。创设贴近学生生活的教学情境，才能激起学生的学习兴趣，引发学生的学习动机。安排学生承担的交际任务具有"实际意义"，才能促进交际活动的展开。请看一位教师上完口语交际课"介绍家乡的景物"所进行的教学反思：

今天的课让我疑惑：课堂上我用多媒体展示家乡美丽的景色时，学生热情很高，可让他们互相介绍的时候，怎么反而没有那种热情了呢？我的学生怎么了？是他们不会说，还是不想说？

课后，我问了几个学生，他们都摇头。后来，我又在教室里谈起这次上课的情况，倒是一个调皮同学的话给了我启发："这些景物我们都知道，还要说啊？"这使我突然想起《语文课程标准》里的一句话："让学生承担有实际意义的交际任务。"是啊，在现实生活中，的确有许多场合需要我们向他人介绍自己家乡的景物，但同乡人互相介绍彼此都熟知的家乡景物，是不必要的。看来，问题的关键在于课堂上安排的学生互相介绍彼此都熟知的家乡景物，是没有"实际意义"的口语交际，自然难以激发学生的交际动机。

可见，创设口语交际情境不仅要考虑学生"熟不熟悉"，还要考虑学生"需不需要"。仅靠熟悉的生活环境并不一定能促进学生交际活动的展开。明白原因之后，这位教师对原设计进行了修改，增设了一个"模拟导游"的情境，说老师有个外甥女，跟大家一样年纪，暑假要到这边来玩，想请大家当导游为她介绍家乡的风景。学生先分组商量怎么介绍，然后进行模拟导游的表演。这样一改，学生介绍的对象由熟悉的同学变成陌生的女孩，还是老师的外甥女，学生承担的交际任务就有了"实际意义"，他们参与活动的兴趣一下就被调动了起来。

其次，教学中创设的口语交际情境，不能完全等同于生活，不能是对日常生活的简单复制。因为从本质上讲，所有课堂创设的情境都是教学情境，都必须具有教学意义，体现课程价值，否则就会造成相关课程资源的浪费。

比如教材中的生活类话题"打电话"，其课堂活动的主体部分，就不应是一遍一遍地模拟打电话，而应是一系列的反思性教学活动。教师可以通过案例教学，引导学生发现打电话过程中的典型问题，总结出打电话的一般性原则。如给别人打电话，应先介绍自己是谁，而不应先问别人是谁；要使用礼貌用语；午睡或不方便的时间不应打电话；等等。围绕这一活动进行口语交际教学，关键在于打电话的普遍规则，而不是这次打电话都说了什么，是不是说清楚了。这样围绕话题展开的口语交际才是有教学意义、有迁移价值的。如果仅仅是对日常生活的简单模拟，学生扮演不同的角色互相打电话，就失去了口语交际作为语文课程的价值。我们的口语交际课一定要避免这种"生活秀"，避免这种不真实的"伪交际"。

（二）促成有效互动的策略

口语交际不是听说的简单相加，而是听说双方的有效互动。口语交际教学要始终围绕口语交际活动来展开。教师不仅仅要注意整个教学过程中的互动，更要注意课堂安排的口语交际活动中的互动，想方设法组织、促成交际各方的有效互动。

1. 交际互动的形式

在口语交际教学过程中，形成交际互动的方式很多，基本的方式有三种：①师生互动；②生生互动；③群体互动。其中师生互动重在示范，生生互动和群体互动重在尝试与练习。教师要加强交际知识的渗透、交际方法的提示、交际态度的引导。学生在尝试与练习中出现的失误或亮点，教师要及时发现、提醒、肯定或表扬，引导学生学习、借鉴。

一位教师在上《请到我家来》一课时，有意安排了三个环节：

①同学们，找到你们的好朋友，热情地请你们的好朋友到你们家里做客。

②同学们的家真好玩，老师也想去你们家，谁来请我呢？

③听课的同学和老师也想到你家去看一看，你愿意与他们交朋友，请他们到你家里去吗？拿上你的名片，热情地邀请他们吧！

三个环节，涵盖了课堂上交际互动的三种基本类型。课堂上生生、师生、群体互动，场内、场外融为一体。学生面对不同的交际对象，就会明白并不断转换自己的角色，考虑不同的语言，采用不同的应对策略。学生的交际能力就是在这样的过程中得到提升的。

2. 有效互动的要求

口语交际安排各种形式的互动不难，难的是这种形式的互动同时也是真实的、有效的。互动的真实性是指交际双方都能进入各自的角色并给对方明显的回应。对各自角色的认定和体验是基础。在真实的互动过程中，学生的兴趣和情感很容易被激发，语言很容易被激活，课堂中定有"意外的惊喜"和"无法预约的精彩"。互动的有效性是指教师能围绕教学目标，通过提示、示范、引导、调控等手段，将学生引入真实的交际情境，而学生能在互动中表现出极大的热情，积极并顺利地完成学习任务。

现实中，在一些口语交际课上，学生上台模拟表演一定情境的口语交际，往往就是几个来回，简单几句话，整个交际的过程就结束了。第一组如此，换一组也一样。究其原因，就是学生未能真正进入交际的角色，也就难有有效的互动。为此，教师必须加强课堂的调控与指导。著名特级教师于永正曾以"一块面包"为题上了一堂帮助学生学习劝告的口语交际课。课中有这么一个片段：

师：现在，我请一个同学到前边来劝说晓理，其他同学在下面听，允许插话，都要参与，看谁有口有心，能说会道。——于婧，请你到前边来。（于婧摇头）

师：我不喜欢摇头，我喜欢听"让我来试试"。

生：（走上讲台，教师鼓励她大胆一点）于晓理同学，这是你扔的面包吗？

师：你怎么知道我的名字？（众笑）（一生站起来插话："小同学，请问你是哪个班的？你叫什么名字？"）……我是四（1）班的，叫于晓理。

生：晓理同学，你扔面包是不对的。

师：我扔面包关你什么事！狗拿耗子多管闲事！（众笑。于婧一时语塞。教师提醒不要直接指责对方，否则就会顶牛，激发矛盾）

生：于晓理同学，我觉得把好好的面包扔了太可惜了。

师：这样说，对方就不至于抬杠了。

片段中，于老师凭借其高超的课堂调控技巧，把原本由师生两人的模拟表演，变成了全班同学共同参与的学习活动。尤其是在交际过程中，教师或鼓励，或反问，或抬杠，或提醒，或点拨，或巧妙利用同学的示范，不仅帮助台上的于婧顺利进入了自己的角色，而且引导台下的同学一起进入交际情境，体会到不同交际角色的真实心理，极大地激发了学生参与学习的热情，使学生领会了劝说他人的技巧。

当然，口语交际活动的开展不仅仅依赖于语言形式的互动，非语言形式的互动也是教师应当注意把控的事项。许多非语言形式的手段也可以促进交际过程的有效互动。比如，利用目光、表情、身姿、手势等态势语来辅助、强化自己情绪和态度的表达；通过改变课堂座位，把学生展示的舞台由讲台移到教室中央，给学生创造更近、更多的面对面的交流机会；等等。

（三）适时评价反馈的策略

评价是一种常用的反馈方式，也是一种重要的调控手段。在口语交际教学中恰当地运用评价手段，不仅能及时掌握课堂教学的进程与教学目标之间的差距以便补救，还能营造良好的学习氛围，激发学生参与交际的热情，培养学生良好的个性品质。

新课标评价建议有关过程性评价的原则指出："过程性评价应发挥多元评价主体的积极作用。……要充分尊重学生的主体地位，关注学生在兴趣、能力和学习基础等方面的个体差异，引导学生开展自我评价和相互评价。"有关课堂教学的评价建议也要求"关注学生在发言和倾听发言时的规则意识和交际修养，借助评价引导学生反思学习过程"等等。这为口语交际教学过程中的评价反馈提供了很好的思路和指导。

1. 评价反馈的方式

口语交际教学以双向或多向互动为特点，评价反馈的方式也是多种多样的。教学中应综合运用师评、生评、自评、他评、互评（师生或生生）等多种方式，对学生的口语交际行为进行多角度、多元化评价。请看三年级上册口语交际《请教》的教学片段：

师：在生活中遇到难题时，我们常常需要向人请教。你们都遇到过难题吗？是怎么向人请教的？先想一想，再用自己喜欢的方式在小组里交流，然后推选代表来汇报。

师：大家积极参与的精神老师很欣赏，下面哪组先汇报？（生举手）

师：你们小组想用什么方式来汇报？

生：我们想用表演的方式来汇报。我们要给大家表演的是：问路。（生表演）

师：你们俩觉得对方表现得怎么样？

生1：我觉得他表现得非常好。

生2：谢谢你的夸奖，我觉得你也说得不错。

师：你们都懂得欣赏别人，真不错！（对全班）他们哪里做得特别好啊？

口语交际课中常有这样一个教学环节——学生上台展示。一些教师习惯自己直接给出评价，或让台下的学生评价。上述片段中的教师关注赞赏学生积极参与的热情，却不急于对学生汇报表演作出自己的评价，而是先让展示的同学互评，在为互评同学的表现点赞之后，再让台下的学生评价，从而把更多的反思时间和发言机会留给学生，把评价的权利还给学生，使他们真正成为评价的主体、发展的主体。

2. 评价反馈的要求

在口语交际教学过程中，教师的评价和反馈要紧紧围绕教学目标，渗透核心要素，不仅要关注语言，还要关注语言以外的因素。在语言方面，不仅要借助评价激活学生的语言储备，规范学生的口头用语，还要借助评价培养学生言语的得体性和应变性。在非语言方面，要把交往态度、习惯、方法、沟通能力、处事能力、文明素养等也纳入评价的范畴。只有这样，才能保证口语交际教学向着正确的方向进行，才能保证有效完成口语交际教学的任务。请看于永正老师执教《一块面包》的教学片段实录：

师：这件事，当面劝告一下比较好。当然，写稿子、报告老师或校长也不失为好办法。不过，当面劝告，不能耍态度，要以理服人。如果请你去劝告，你准备讲哪些道理？对了，有人告诉我，这位扔面包的同学姓。咱们就叫他晓理吧。你准备讲什么，先列个提纲。这叫发言提纲。（学生写，教师巡视）哪位同学说说你列的提纲？

生：我先请晓理背古诗——《锄禾》，再根据古诗教育他粮食来之不易。

师：你们是同学关系，"教育"这个词换成什么更合适？

生：把"教育"换成"告诉"。

师：这就对了。

教学中，于老师将语言训练与思维训练有机结合，将方法体会与为人处事融为一体，抓住学生用词的一个细节及时点拨，引导学生体会交际用语怎样才更合适、更得体，收到很好的效果。统编版语文教材的口语交际内容都安排了一个"小贴士"，提出每次训练的要点。它是表达与交流课程目标在教材中的具体体现，是我们确定一堂口语交际课教学目标的主要依据，也是教学中评价反馈的重点所在。

（四）拓宽教学途径的策略

如前所述，口语交际教学与口语交际课的目标是完全一致的，但口语交际教学目标的实现并不局限于口语交际课。语文教师应跳出口语交际课的小圈子，努力拓宽口语交际教学的途径和渠道。

1. 在语文教学实践中加强学生的口语交际训练

简而言之，语文教学的实践不外乎听、说、读、写四个方面。结合识字、写字、阅读、写话、习作和写作教学加强学生的口语交际训练是有效拓宽口语交际教学途径的常用办法。比如，阅读教学中的角色扮演，可让上台表演的同学面向全班介绍将要表演的内容，介绍各自扮演的角色，要求在表演之后谈谈自己的感受，向观众表示感谢；也可要求台下的观众认真观看、倾听，主动配合、质疑和给表演者报以掌声，这都是口语交际训练的内容。至于课堂教学中的讨论和交流，就更是集中进行口语交际训练的好机会了。

2. 结合其他学科的教学进行口语交际训练

实际上，倾听、表达和交流是任何学科学习都不可缺少的能力。我们可以将口语交际训练与其他学科紧密结合，丰富训练途径。比如一年级上册《我们做朋友》，就可以与道德与法治《新朋友，新伙伴》进行整合。学生可以通过"找朋友"游戏进行自我介绍，将交际要求"看着对方的眼睛，态度真诚"作为游戏规则进行训练。活动后，教师还可以协调其他科任老师，在最近一段时间里，将"看着对方的眼睛"作为小组交流、课堂发言的重点要求。

3. 在各种主题活动中组织学生进行口语交际训练

课堂教学之外，教师还可以利用学校和班级开展的各项活动组织学生开展各种形式的口语交际训练。这些活动中，有应"节日"举办的，诸如针对劳动节、儿童节、教师节、国庆节、元旦等节日举行的各种庆典；有应"时事"组织的，诸如围绕国际、国内、社区及校园发生的一些重大事件组织的观摩、交流、辩论等活动；还有"故事会""演讲比赛"等专题活动以及一些教师摸索、总结出的"晨间口语交际训练""课前五分钟口语训练""课间口语交际训练"等。教师应充分利用这些机会，加强口语交际活动的组织、口语交际技能的指导和文明交际习惯的培养，不断提高学生的口语交际能力。

4. 在日常生活实践中引导学生进行口语交际训练

生活是口语交际教学的源泉。培养学生的口语交际能力不能仅仅依靠课堂，教师还必须树立起"大语文"教学观，引导学生充分利用学校、社会及家庭日常生活中的口语交际实践。日常生活实践蕴含着大量的口语交际机会与话题。比如：参加各种形式的活动与游戏，向家长复述所学的故事，介绍自己的班级，转述教师的问候，接待来访的客人，在节假日走亲访友，到医院看病或看望病人，参观公园时向他人问路，在商场与商家"谈价""砍价"，等等。语文教师应高度关注这些日常生活中的话题与机会，充分利用并加强引导，让它们成为训练和提高学生口语交际能力的"舞台"。

 案　例

口语交际《小兔运南瓜》 教学实录①

一、创设情境，设疑导入

（课件演示）一只可爱的小兔蹦蹦跳跳地来到南瓜地里，看见一个大南瓜。他高兴极了，想把南瓜运回家，可是抱不动。他愁眉苦脸地说："我怎么才能把这个大南瓜运回家呢？"

师：你们认识这只小动物吗？喜欢他吗？

生：认识，是小兔。喜欢！

师：这么可爱的小兔遇到什么难题了？为什么愁眉苦脸的呢？

生：他想把大南瓜运回家，可是他抱不动。

师：小朋友，咱们现在就一起来帮助小兔想办法，好吗？

生：好。

二、全班交流，展示表达

师：我们怎么帮小兔啊？快快转动你们的小脑袋想一想吧！想好了就马上把你的办法告诉小兔，好吗？（学生提出办法，教师适时板书）

生：小兔可以请好朋友小灰兔、小牛、小羊帮忙把南瓜抬回家。

师：这种办法是请别人帮忙。不错！还有其他的办法吗？

生：我可以帮小兔把南瓜抱回家，也可以背着南瓜回家。

师：你可真是个"大力士"啊！

生：小兔可以把大南瓜立起来，滚着往前走。

师：噢，自己解决问题，把南瓜当成车轮啦！这个办法真好！

生：小兔，我也有一个办法。你可以找根绳子拴住南瓜，把它拉回家。

师：有道理。这个办法能从实际情况去想，让小兔自己克服困难。

生：小兔，你也可以找来一根木棍，撬着移动南瓜，然后把南瓜运回家。

---

① 节选自绿色圃中小学教育网 http：//www. lspjy. com/thread-615622-1-1. html，作者不详。

师：这种办法也是自己克服困难，不过挺费劲的。还有更巧妙的办法吗？

生：小兔可以向别人借车运大南瓜。

师：向谁借车？借什么车？

生：向邻居借车，有小货车最好，推车也行。

师：先求助别人，再自己运。

生：小兔可以用许多打了氢气的气球拴住大南瓜，然后把南瓜运回家。

师：很有创意！你们真棒！想的办法真多。我把掌声送给你们。（过渡）刚才大家都积极动脑，大胆发言，说出了自己想的办法。你们的办法都不错，可是小兔不知道选哪种办法好啦！现在请你们帮助小兔参谋参谋，他应该选哪种办法。

三、讨论评议，注重表达

（学生分组讨论后汇报）

生：我觉得用抱或背的办法不好，因为这样很费劲，又很慢。第3种办法把南瓜立起来滚回家就很好。

师：对呀，如果路平好走，自己推着南瓜滚回去的办法就挺好。

生：我认为向别人借车运南瓜的办法好，又快又轻松。

师：如果路陡难走，用小车运的办法就不错。

生：用气球运南瓜的办法好，很省力。（许多学生：不好，不好。）

师：为什么不好？

生：万一气球撞到树上或者被什么东西扎了破掉，南瓜就会掉下来摔坏，那就白费力气了。

师：看来这办法还不容易实施呢！

生：我觉得第4种和第5种办法不好，小兔小，南瓜大，用绳子拉或用木棍撬着移动都太费劲。

师：是啊，这对小兔来说都太不容易做到了。

生：我觉得还是第1种办法好，自己搬南瓜很费劲，请好朋友小灰兔、小牛、小羊帮忙抬，就比较轻松了，"人多力量大"。

师：你们说的都很有道理。老师替小兔谢谢你们！以后我一定要向你们学习，遇到事情多动脑筋想办法。

四、拓展延伸，学科综合

师：（课件播放音乐）我们用自己喜欢的办法帮小兔把南瓜运回了家，现在就请每位小朋友选一种运南瓜的办法并把它画下来，也可以和好朋友一起画。回家后把小兔运南瓜的故事讲给爸爸妈妈听。

《小兔运南瓜》是统编版语文第一册最后一个口语交际的内容，学习要点是大胆说出自己的想法。教材提供了三幅情境图。第一幅图，小兔站在南瓜地里望着大南瓜想：怎么运走呢？第三幅图，南瓜已经运回了家，兔妈妈奇怪地问小兔是怎么运回来的，小兔平静地告诉了兔妈妈。第二幅图空缺，只有一个大大的问号。小兔究竟是怎样把南瓜运回家的呢？留给学生想象和思考的空间。

教学中，教师利用教材提供的情境图，通过帮小兔想办法和集体讨论哪种方法更好两个环节，引导学生结合自己的生活体验，大胆说出自认为不错的办法，较好地训练了学生的语言、想象与思维能力，实现了教学的目标。但就一堂口语交际课而言，仅仅围绕哪种方法更好进行讨论与互动还不够充分，教师对学生语言的训练、指导可以更加全面一些。若能结合教材内容，设计一个在南瓜地里面对面帮助小兔想办法的情境，将学生想出的各种办法及其利弊贯穿其中，课堂将呈现另外一种景象。在这里可先安排一组师生互动，教师扮演小兔，与来帮忙的同学交流，利用同学所提办法可能面临的问题将互动引向深入，适时提醒和纠正学生语言运用方面出现的问题。然后安排学生进行相应的模拟训练，效果应该会更好一些。此外，教材提供的第三幅情境图，也是一个极好的交际情境，可考虑用到教学中来。

二 写话与习作教学实施策略

（一）写前指导策略

写话与习作教学应抓住话题、取材、构思、起草、加工等环节，指导学生在语言实践中学会写话与习作。吕叔湘说："使用语言是一种技能，跟游泳、打乒乓球等技能没有什么本质上的不同……使用语言以及一切技能都是一种习惯。凡是习惯都是通过多次反复的实践养成的。"吕叔湘重视训练和实践，重视写前指导。于漪同样非常重视习作写前指导，认为写前指导能开拓思路，启发想象，使学生找到想象的触发点，应精心设计和筹划写前指导。

教给学生热爱生活热爱写作的方法

1. 指导学生学会观察、思维和表达

写话与习作过程是有规律的认识活动，写话与习作过程是观察、思维和表达三者高度统一的过程。写作是把从客观现实吸取的感性材料，通过头脑加工、制作，再运用文字符号表达出来的过程。这个过程包含了观察、思维和表达三个要素。新版语文课标提出"观察周围世界，能不拘形式地写下自己的见闻、感受和想象，注意把自己觉得新奇有趣或印象最深、最受感动的内容写清楚"（第二学段），"思维具有一定的敏捷性、灵活性、深刻性、独创性、批判性。有好奇心、求知欲，崇尚真知，勇于探索创新，养成积极思考的习惯""具有初步的感受美、

发现美和运用语言文字表现美、创造美的能力"。并在"学业质量"中强调:"能表达自己的体验、感受和发现,愿意用文字、图画等方式记录见闻、想法""能记录活动过程,表达自己的感受""运用联想、想象续讲或续写故事;能用日记等方式记录个人的见闻、感受和想法;能用便条、简短的书信等与他人交流""记录探究的过程及结论,写简单的研究报告"。"教学建议"中强调:"注重语文与生活的结合,注重听说读写的内在联系。"只有学会观察,才能看仔细、看明白周围的各种事物,写作才有材料,才能通过头脑加工确定中心,谋篇布局,写成文章。学生写作,从某种意义上说是学想,想得清楚才表达得清楚,想得开才表达得开,想得深才表达得深,表达的过程实际上也是想的过程。正如温儒敏在给教师的建议中所提到的,"写作教学不能停留于教给一些技巧方法,还要教'用脑'"。所以,写作教学的全过程都须重视思维训练,把思维训练放在重要位置。

2. 写作教学要与阅读教学密切结合

写作教学要与阅读教学密切结合,重视阅读中的写作素材积累和写作方法积累,就是"吸收与表达结合"。叶圣陶先生说过"语文教材无非是例子",教材是阅读方法的例子,更是写作的例子,是习得表达方式、传情达意、体味生活的例子,教师引导学生用好、用活课文,既能使学生从课文中受到启发,又能使他们跳出课文的束缚。教师鼓励学生在广泛阅读中增加积累,丰富作文素材,丰富人生体验,习得驾驭语言的本领。

例如特级教师丁有宽的"读写结合"实验的主要经验是:在写作教学中,注意把命题、指导、批改、讲评每一个环节都与课文相联系,引导学生从范文中吸取内容和语言文字表达方面的营养,把有关的知识在说、写的训练中加以运用,转化为能力。

3. 写作教学要从内容入手,密切联系学生生活实际

从内容入手,是指在写作教学过程中,指导小学生接触社会生活,留心观察、分析周围的事物和现象,提高认识能力,养成观察和思考的习惯,把获取写作材料作为写作的首要步骤。

(1) 从内容入手是由写作的一般规律决定的。无论是学生的习作、人们的应用写作,还是作家的文艺创作,首先都要从社会生活中获得写作材料,再把写作材料转化为自己的认识、理解和感受,形成自己的写作动机、表达欲望。

(2) 文章的内容决定文章的形式,并对形式起主导、统率的作用。

(3) 把注意力放在写作的实践与体验上而不是"技巧"上。

根据调查,小学生普遍感到"写作难"。"写作难"首先表现在没有内容可写,提起笔来脑袋一片空白,因此,写作教学要从内容入手,先解决写什么的问题。

4. 写作训练应遵循从说到写的顺序

说和写是语言表达的两种形式。说用口头语言,写用书面语言,两者同是表达思想、进行

交际的方式，有着密切的关系。写作训练为什么要从说到写呢？第一，从儿童语言发展的过程来看，一个人学习语言总是先学习口头语言。口头语言是书面语言的先导，也是书面语言发展的基础，口头语言的发展能促进书面语言的发展；反过来，书面语言的发展又会影响、丰富和规范口头语言。小学低年级学生的口头语言虽然已相当成熟了，但要连贯且有条理地表达，将口头语言变为书面语言，还要经过严格的说、写训练。第二，从思维与语言的关系来看，先说后写是一个整理思想、疏通思路的过程。学生通过观察生活现象而得到的素材比较零乱，必须经过大脑组织和加工，才能将零散的素材有条理地用口头语言表达出来，借助口头语言来控制、调整内部语言。这是对素材的第一次"梳理"，然后用文字写下来，形成书面语言，这是对素材的第二次"梳理"。为了"说"好，先得让学生"想"好；为了"写"好，又要先指导学生"说"好。"说"可以检查思考的结果，起到组织语言的作用，同时又可促进思考，助力书面语言的发展。可以说，"说"是内部语言转化为书面语言的桥梁。由于口头语言显现于外，教师可根据学生说的情况及时进行指导，为"写"打好基础。

（二）评改策略

叶圣陶先生主张写作教学"全班改，轮流改，重点改"，教育家魏书生重视写作教学"教师引导，学生自评、互评"，这些教育家都非常注重评改方法的指导。在评改策略的实施过程中，教师的科学引导尤为重要，评改策略的科学实施能启迪学生积极思考，能让学生体会到茅塞顿开、画龙点睛之妙处。教师的评改策略要遵循规律，关注学生的写作实际，关注学生的个性化表达，学生的汉字书写也值得重视。

应按照不同学段的目标要求，综合考查和评价学生的习作。第一学段主要评价学生的写话兴趣；第二学段是写作的起始阶段，要鼓励学生大胆习作；第三学段要通过多种评价，促进学生具体明确、文从字顺地表达自己的见闻、体验和想法。要重视培养学生的写作兴趣和习惯，鼓励表达真情实感，鼓励有创意的表达，引导学生热爱生活，亲近自然，关注社会。

重视学生自评、互评，引导学生在自我修改和相互修改的过程中提高写作能力。"养成修改自己作文的习惯，修改时能借助语感和语法修辞常识，做到文从字顺。能与他人交流写作心得，互相评改作文，以分享感受，沟通见解。"一是强调要培养学生自己修改作文的习惯和能力；二是指明对表达语言和技巧的要求，即语言流畅、文从字顺；三是巧用语感和修辞手法，围绕中心，巧妙表达。

（三）写后点评策略

写后点评要体现两个方面的内容，一是情感态度与价值观方面，二是写作技术层面。写后点评既要重视学生对作文内容、文字表达的修改情况，又要关注学生修改作文的态度、过程和方法，还要引导学生通过自改和互改，取长补短，促进相互了解和合作，共同提高写作水平。

情感态度与价值观方面的写后点评，有利于养成真情实感的写作习惯，为了杜绝假大空的写作陋习，应采用多欣赏、多鼓励的点评策略。写作训练"我的心儿怦怦跳""我的心爱之物""那一刻我长大了""有你，真好"等，训练学生在写作中让真情自然流露，写后点评应重视学生的情感态度与价值观。

在写作技术层面，教师要重视对学生写作材料的评价，拥有写作材料就能轻易做到有话可说，既要具体考查学生材料的丰富性、真实性，也要考查他们获取材料的方法。要引导学生通过观察、调查、访谈、阅读等途径，运用多种方法搜集材料。写作要围绕中心意思写，点评过程要重视学生的语言表达技巧，重视学生对语言的驾驭，爱护好学生写作的个性特点，多肯定学生的立意构思及行文技巧。

点评结果的呈现方式，根据实际需要，可以是书面的，也可以是口头的，可以用等级表示，也可以用评语表示，还可以采用展示、交流等多种方式。

点评要遵循趣味性原则、鼓励性原则，要基于全体学生，归纳出普遍性和个体性问题，肯定学生在观察、叙事、写景、记人等方面取得的成绩。

提倡学生在成长记录中收存有代表性的课内外作文和有价值的典型案例分析，以反映写作的实际情况和发展过程。

三年级习作指导《让景物在笔下生辉》

特级教师 吉春亚

一、揭题谈话，引入教学

师：亲爱的小朋友，你们一定游览过许多地方，是哪些地方呢？

生1：我去过云南。

生2：我去过草原。

生3：我去过杭州西湖。

生4：我去过大连的广场。

…………

你们去过的地方真不少。我也游览过好多的山川美景，你们看。（边出示课件中的画面，边读旁边配有的文字）

画面1（香山）：红红的枫叶像一枚枚邮票，飘哇飘哇，邮来了秋天的凉爽。

画面2（新疆吐鲁番）：果园里成熟多汁的葡萄像一串串水晶，又像一串串碧玉，挂满了葡萄架，使人见了垂涎欲滴……

画面3（西湖）：在暖和的春风中，雨悄悄地向你洒来。轻轻的，像缕缕银丝，蒙蒙细雾，密密细网；柔柔的，像妈妈的手抚摸着我的脸。

画面4（西沙群岛）：西沙群岛一带海水五光十色，瑰丽无比：有深蓝的，淡青的，浅绿的，杏黄的。一块块，一条条，相互交错着。

（学生随之朗读）

二、描述景象，积累运用

（一）组织语言，描述景象

师：在你们去过的这些地方里，你们印象最深的是什么？你们也能像老师一样用一句话来说一说吗？

生1：紫竹院里的竹子郁郁葱葱。

师："郁郁葱葱"这个词用得真好，老师把你这个词板书在黑板上，让大家也像你一样会运用好词佳句。（板书：郁郁葱葱）

生2：西湖的水，清澈明亮，平静得像一面镜子。（板书：水平如镜）

生3：春天，我家的后园有许许多多的花张开了笑脸，芬芳的花朵招来了蝴蝶，它们扇动着彩色的翅膀在花丛中翩翩起舞。（板书：翩翩起舞）

生4：长城就像一条巨龙，雄伟而又庄严。（板书：雄伟庄严）

生5：我在北海划船，我摇着双桨，小船轻轻飘荡在水中，湖面泛起层层波纹。（板书：层层波纹）

生6：我去过小兴安岭。那里有数不清的树，远远看去，就像绿色的海洋。（板书：绿色的海洋）

师：（见好多同学举手）我们的同学纷纷想表达自己的见闻，与大家分享快乐。这样吧，我们前后桌同学之间相互交流。

（学生相互交流）

师：你们在交流时一定运用了好多精彩的词语。如果愿意和大家分享的话，就把你所积累的好词写在黑板上。

黑板上的词语有：

山清水秀　人山人海　一望无际　心旷神怡　波涛起伏　飘飘洒洒

鸟语花香　五彩缤纷　依依不舍　波澜壮阔　红叶似火　连绵不断

师：我们一起读一读在座的小老师向大家推荐的词语。

（二）猜测想象，运用词语

师：你们猜一猜吉老师的家在哪里，家门口的景色是怎样的呢？

生1：吉老师的家在大海边。

师：你能形容一下大海的景色吗？

生2：大海泛起了微微的波浪，冲向我的小脚丫。（大家笑）

师：孩子，这不是你的家，是吉老师的家。想一想，再重新说一遍。

生2：吉老师的家就在大海边，傍晚，吉老师喜欢在海滩上散步，大海泛起了微微的波浪，冲向吉老师的小脚丫，痒痒的，很舒服。（大家笑）

师：你把刚学过的《我家就在大海边》中的语言用过来了，好极了。继续猜老师家周围的景象。

生3：吉老师的家在大草原上，一望无际的草原绿油油的。

师：你很聪明，马上运用了黑板上的词语。

生4：老师家的前面有许多桃花盛开，粉红粉红的，小鸟在树上唱歌，真是鸟语花香。

生5：老师家门前有连绵不断的高山，那里山清水秀。

师：你真会猜。谢谢小朋友。

生6：老师家门口有许多的蝴蝶，翩翩起舞。吉老师还用一个小网去捉，一不小心，摔了一个大跟头。（大家笑。同学们纷纷举手）

生7：吉老师家门口是一条大街，那里人山人海，人们都在买自己喜欢的物品。（大家笑）

师：展开想象的翅膀，我们飞得真高，在同学的想象中，老师的家乡各具特色，其实是怎样的呢？谜底揭开了——吉老师出生在电影《卧虎藏龙》的拍摄地点。（出示多媒体课件，画面呈现连绵起伏的高山、郁郁葱葱的翠竹、飞流直下的瀑布、稻浪翻滚的田野、百花盛开的花园、碧绿一片的茶园……）

生：（议论纷纷）哇！太美了！带我们去吧！

三、欣赏佳文，明确要求

师：在这美景中，老师最有感情的是家门口的小溪。（出示图文并茂的课件资料）一条可爱的小溪，从我家门前缓缓流过。

清晨，溪水映着灿烂的朝霞，像浮动的彩色绸带。我喜欢在溪边读书，清新湿润的空气滋润着我的喉咙，淙淙的流水伴随着我的琅琅读书声。

中午，我也会到溪边站一会儿，微风吹来，水面泛起层层鱼鳞似的波纹，倒映在水中的物影，一会儿聚拢，一会儿散开，又聚拢又散开……等到水波平静时，树儿、草儿的倒影更绿更新了。

晚上，小溪静静地流淌着，看不到一丝波纹。清冷的月光均匀地洒向水面，给溪水铺上一层银白。小溪仿佛进入了梦乡。

师：小朋友们自由读一读这些内容。

（学生自由朗读后指名读）

写话与习作教学一个很重要的目标就是培养学生驾驭语言的能力，"能主动进行探究性学习，激发想象力和创造潜能，在实践中学习和运用语文。""有较为丰富的积累和良好的语感，注重情感体验，发展感受和理解的能力。"吉老师重视提供机会让学生在实践中学习和运用语言，巧用形象的画面、生动的语言把学生带入奇妙的世界，巧设想象训练环节，让学生猜一猜吉老师的家在哪里，家门口的景色是怎样的，激发学生展开想象的翅膀，大胆启迪学生积极思考，培养学生的想象力；同时，引导学生大胆、自由地运用语言，在"细无声"中感染、熏陶，在"细无声"中调动学生的生活积累、语言积累，为进一步学习铺设情境。

吉老师抓住机会积极进行生成性训练，引领学生运用学习和生活中积累的好词好句，把学生不自觉的言语表达行为变成自觉的行为，在情感熏陶和言语训练中找到了一个很好的平衡点，取得令人满意的效果。

吉老师善于激发学生学习和运用语言的兴趣，颇见语言训练之深厚功底，在平时的阅读和写作训练中，重视兴趣是最好的老师。在情趣盎然中猜测，在生动活泼中学习，学生主动调动生活的积累，话语如汩汩清泉。

本章知识结构导图

小学表达与交流教学
- 表达与交流教学目标解读
  - 第一学段表达与交流要求解读
  - 第二学段表达与交流要求解读
  - 第三学段表达与交流要求解读
- 表达与交流教材内容分析
  - 口语交际教材内容分析
  - 写话与习作教材内容分析
- 表达与交流教学实施策略
  - 口语交际教学实施策略
  - 写话与习作教学实施策略

知识点检测

1. 如何理解小学语文表达与交流学习的目标要求？

2. 简述口语交际教学的实施策略。

3. 口语交际教学过程中交际情境的创设有哪些要求？

4. 根据二年级上册"商量"这一口语交际主题，设计一个有效体现口语交际教学交际双方互动的教学片段。

5. 以四年级下册的"朋友相处的秘诀"为题，撰写一个课时的口语交际教学教案，并进

参考答案

行试讲练习。

6. 请你谈谈为什么要实施写前指导策略。

7. 请谈谈你喜欢的评改策略。

8. 选择一位名师的写作课堂教学录像，谈谈写作思维训练的重要性。

9. 如何在写后点评环节激发学生的写作兴趣？

第 五 章

小学梳理与探究教学

 学习目标

- ✦ 理解小学语文梳理与探究三个学段的教学目标。
- ✦ 掌握小学语文梳理与探究的教学实施策略。

案例导入

《我的玩具大家玩》 设计案例

1. 读一读。读有关"玩具"的课文，进行朗读比赛。（朗读能力的训练）

2. 讲一讲。查找、搜集有关"玩具"的动画片、小故事，开小小故事会。（搜集资料能力的训练、口头表达的训练、认真倾听的训练）

3. 说一说。介绍玩具的样子及由来，召开玩具展览会。（口语交际的训练）

4. 做一做。亲手做玩具，写一写感想。（写话能力的训练）

上述梳理与探究设计案例中，每一个活动的设计都与主题紧密结合，学生在读、讲、说、写的训练中不仅使语文素养得到提高，还锻炼了策划、组织、协调、实施以及搜集资料的能力，听说读写能力均得到发展，活动充满了浓浓的语文味。

梳理与探究是语文课程的重要组成部分，在 2022 年版课标中首次提出，实际上是在旧课程标准的综合性学习基础上提出来的，充分体现了 2022 年版课标十分注重语文的实践性这一特性。作为一种语文实践方式，"梳理与探究"贯穿在"识字与写字""阅读与鉴赏""表达与交流"等学习过程中，运用项目化学习样态促进和深化学生学习，同时也和核心素养内涵中的思维能力相关联。

第一节 梳理与探究教学目标与教材内容解读

教学过程中，教学目标起着十分重要的作用。教学活动以教学目标为导向，且始终围绕实现教学目标而进行。《语文课程标准》关于梳理与探究教学目标有明确的要求。

一 第一学段教学目标解读

（一）第一学段教学目标内容

《语文课程标准》关于小学语文第一学段梳理与探究教学目标与内容作如下规定。

（1）观察字形，体会汉字部件之间的关系。梳理学过的字，感知汉字与生活的联系。

（2）观察大自然，热心参加校园、社区活动，积累活动体验。结合语文学习，用口头或图文等方式整理、表达自己在活动中的见闻和想法。

（3）对周围事物有好奇心，能就感兴趣的内容提出问题，结合其他学科的学习和生活经验交流讨论，尝试提出自己的看法。

（二）第一学段教学目标解读

本学段要求梳理与探究汉字，使学生从小受到祖国语言文字这一优秀传统文化的熏陶和感染。

第一学段是小学语文学习的起步阶段，梳理与探究的内容编排从一年级教材开始，在课后的练习、语文园地等处陆续渗透，通过课外活动和课内交流等语文实践活动，有意识地引导学生观察周围事物、观察大自然，参加校园、社区活动，在培养学生对事物的好奇心、兴趣，提高学生的观察能力以及引导学生积极参加活动上下功夫，为以后的梳理与探究打下良好的基础。

第一条目标指向汉字，突出基础性。党的二十大提出，加大国家通用语言文字推广力度，体现了党中央对语言文字工作的更高要求、更高期待。低年级的学生刚刚入学，接触祖国的语言文字，识字是非常重要的内容，识字与写字是阅读和写作的基础，是第一学段的教学重点，也是贯串整个义务教育阶段的重要教学内容。强调对字形的观察，感悟部件之间的关系，根据结构特点梳理汉字，发展识字能力。在识记汉字的同时，强调识字方法的掌握、汉字文化的理解以及汉字与生活的联系。

第二条目标符合学生实际，富有趣味性。强调生活与语文学习的联系。语文的学习不只在语文书里，低年级的学生，对大自然和周围事物充满好奇，自然、人类社会都是学生学习语文、运用语文的场所，学生要回到自然，回到人类社会的活动区域去。强调生活与语文学习的联系，让学生在活动当中，把见闻想法都提出来。

第三条目标联系社会现实，注重实用性。强调培养问题意识，鼓励儿童提出问题。低年级学生是一个独立的社会人，引导学生走进自己的内心，发现自己，走进社会，思考社会问题，是极为重要的。重在鼓励学生思考学习和生活中的问题，大胆提出自己的困惑，培养问题意识和思考习惯，有意愿、有兴趣用文字、图画等方式记录见闻、想法。

二　第二学段教学目标解读

（一）第二学段教学目标内容

《语文课程标准》关于小学语文第二学段梳理与探究教学目标与内容作如下规定。

（1）尝试分类整理学过的字词。尝试发现所学汉字形、音、义和书写的特点，帮助自己识字、写字。

（2）学习组织有趣味的语文实践活动，在活动中学习语文，学会合作。结合语文学习，观察大自然，观察社会，积极思考，运用书面或口头方式，并可尝试用表格、图像、音频等多种媒介，呈现自己的观察与探究所得。

（3）能提出学习和生活中的问题，有目的地搜集资料，共同讨论，尝试运用语文并结合其他学科知识解决问题。

（二）第二学段教学目标解读

与第一学段目标相比，本学段目标要求明显有所提高。

第一条目标让学生整理学过的字词，发现规律，帮助自己识字写字，强调汉字载体对于中国优秀传统文化的重要性，感受汉字文化。

第二条目标让学生学习简单策划和组织一些语文实践活动，如"传统节日小调查""诗歌诵读会""汉字游乐园"等，在合作探究中感受语文学习的乐趣。学生要走进生活、自然和社会等真实场景中，用语文的视角，用以语文为基础的跨学科方式，去广泛、充分地观察，并尝试将自己的具身经验转化为多种媒介符号表达出来。

第三条目标重视学生的问题意识和提出问题、解决问题的能力，在第一学段"就感兴趣的内容提出问题"的基础上，进一步引导学生在日常生活和学习中乐于探索，勤于思考，针对提出的问题，搜集、整理资料，提取有用信息，积极参与小组、班级合作，整合语文、科学、信息技术等学科知识，解决真实问题。

与第一学段相比，该学段的目标比较清晰、具体，如"有目的地搜集资料""学会合作""尝试运用语文并结合其他学科知识解决问题"等，学习目标进一步深化。

三　第三学段教学目标解读

（一）第三学段教学目标内容

《语文课程标准》关于小学语文第三学段梳理与探究目标与内容作如下规定。

（1）分类整理学过的字词，发现所学汉字形、音、义和书写的特点，发展独立识字能力和写字能力。

（2）感受不同媒介的表达效果，学习跨媒介阅读与运用，初步运用多种方法整理和呈现信息。

（3）初步了解查找资料、运用资料的基本方法。利用图书馆、网络等渠道获取资料，解决与学习和生活相关的问题。尝试写简单的研究报告。

（4）策划简单的校园活动和社会活动，对所策划的主题进行讨论和分析，学写活动计划和活动总结。对自己身边的、大家共同关注的问题，或影视作品中的故事和形象，通过调查访问、讨论演讲等方式，开展专题探究活动，学习辨别是非、善恶、美丑。

（二）第三学段教学目标解读

本学段"梳理与探究"的目标要求在第一、二学段的基础上递进强化、迭代升级，有很强的连贯性、序列性和螺旋性。

第一条目标建立在第二学段"梳理与探究"第一条要求的基础上，内容大致相同，只是去掉了"尝试"和"帮助"等前置词语，意味着学生在第三学段要形成上述能力，具备相应素养。到了第三学段，学生已具有较强的识字能力，识字量已达 3000 个左右，其中 2500 个左右会写。识字量的大幅增加必然带来记忆混淆、错误和回生等问题。采用分类整理的方法，对解决此类问题很有针对性与实效性。学生根据字形结构、偏旁部首、词性属别、应用场景等进行整理，使散乱的字词积累进阶为类别化的积累，形成认知组块。在整理过程中，要求分类有依据，理由说得清，鼓励学生运用多角度、有创意的分类整理方法。在第一、二学段常规识字、写字的基础上，本学段更加强调培养学生在语言环境中独立识写的能力。具体包括：运用汉语拼音读准字音的能力；根据汉字的偏旁部首和结构，辨清字形，牢记字形的能力；借助字典，或通过教材上下文，或联系生活实际理解字义的能力；自主分析字的间架结构、笔画穿插安排，把字写得工整美观的能力。学生有了上述能力，就能主动地、有兴趣地识字、写字，在应用过程中提升成就感和审美力。

第二条目标让学生充分感受不同媒介的不同魅力，观察、思考、判断各自的传播特点和彼此之间的差异，加深对不同媒介中语言文字运用样式和表达效果的认识，在扩展阅读与相互交流中欣赏多种形式的媒介文化。"跨媒介阅读与运用"，让不同媒介交融互通，打破单一知识信息通道的局限，引导学生接触、尝试、学习运用多种媒介，展开有效的表达与交流，提高阅读的参与度，增强对社会的适应性。"运用多种方法整理"，要培养整理能力，需要掌握一定的方法与技术，分析、提炼、统整、评价信息的特点与规律。要引导学生初步学习"记笔记、列大纲、写脚本、绘制思维导图"等方法，初步运用表格、图像、音频等媒介呈现信息，丰富表达效果。整理技术和呈现样式的多元化，能让学生更好地发现问题与探究规律，积极主动展示学习成果，促进深度学习的发生。

第三条目标可以拓宽学生的学习时空，培养学生搜集、处理信息和解决问题的能力。第三学段开始，教师要让学生初步了解一些资料查阅、运用的方法。以学习与生活中的情境问题为导向，以项目化学习为载体，引导学生利用图书馆、博物馆、网络、社区，通过查阅、走访等方式，获取第一手资料，更有效地解决问题。

第四条目标延续了《义务教育语文课程标准（2011年版）》中"综合性学习"的目标内容，体现了语文课程与其他课程的融合，以及书本学习与实践活动的紧密结合。策划组织校园活动与社会活动，体现了语文知识的综合运用，培养了学生的实践能力和创新精神。参与主题讨论，实质是听说读写能力的综合体现，关乎阅读广度、思维深度、表达力度等。它要求学生从语文学科领域出发，走出小教室，走向大社会，走向主流文化，进行观察、关注、思考与对话，吸收优秀文化元素，表达自己的观点与见解，在碰撞与消融中形成辨别是非、善恶、美丑的文化价值观，形成自觉的审美意识，培养高雅的审美情趣，积淀丰厚的文化底蕴，继承和弘扬中华优秀传统文化、革命文化、社会主义先进文化，增强对习近平新时代中国特色社会主义思想的理解和认识，全面提升核心素养，从而落实党的二十大提出的"全面贯彻党的教育方针，落实立德树人根本任务，培养德智体美劳全面发展的社会主义建设者和接班人"的育人目标。

与第二学段相比，该学段的课程目标强调问题解决能力的初步形成、学习活动的自主规划、语言文字的书面运用，并要求掌握一些基本的梳理与探究学习策略。

通过对课程标准中三个学段教学目标的比较和分析，不难发现小学语文梳理与探究的学段目标是以下主线和重点为关键点，循序渐进，螺旋上升的（表5-1）。

表5-1　小学语文梳理与探究目标主线和重点

主线、 重点	第一学段 （1~2年级）	第二学段 （3~4年级）	第三学段 （5~6年级）
识字主线	观察字形，体会汉字部件之间的关系。梳理学过的字，感知汉字与生活的联系	尝试分类整理学过的字词。尝试发现所学汉字形、音、义和书写的特点，帮助自己识字、写字	分类整理学过的字词，发现所学汉字形、音、义和书写的特点，发展独立识字能力和写字能力

续表

主线、重点	第一学段 （1~2 年级）	第二学段 （3~4 年级）	第三学段 （5~6 年级）
观察主线	观察字形，观察大自然	发现所学汉字形、音、义和书写的特点。结合语文学习，观察大自然，观察社会	发现所学汉字形、音、义和书写的特点，感受不同媒介的表达效果
资料主线	梳理学过的字，感知汉字与生活的联系	有目的地搜集资料，共同讨论，尝试运用语文并结合其他学科知识解决问题	初步了解查找资料、运用资料的基本方法。利用图书馆、网络等渠道获取资料
表达主线	结合语文学习，用口头或图文等方式整理、表达自己在活动中的见闻和想法	运用书面或口头方式，并可尝试用表格、图像、音频等多种媒介，呈现自己的观察与探究所得	尝试写简单的研究报告，学写活动计划和活动总结，通过调查访问、讨论演讲等方式，开展专题探究活动
活动重点	热心参加校园、社区活动	学习组织有趣味的语文实践活动，在活动中学习语文，学会合作	策划简单的校园活动和社会活动，对所策划的主题进行讨论和分析，学写活动计划和活动总结
合作重点	交流讨论	学会合作，共同讨论	对所策划的主题进行讨论和分析，组织讨论

 案 例

"春天来了"活动

1. 第二学期刚开学，布置学生准备一个小本子，进行一个多月的观察。主题可定为"春天的脚步"，让学生连续观察，可以写写画画，养成记录的习惯。为了效果好，可以请家长帮忙。教师要经常督促学生观察的进程，指导观察与记录的方法，展示观察成果。

2. 等到春意浓的时候，组织进行"春天信息的发布会"，让学生用自己喜欢的方式说说慢慢来到我们身边的春天所带来的变化，包括自然界的变化、人们生活的变化等。

3. 除了连续的观察、记录和发布，还可以跟其他科目教师联合组织丰富的活动。比如，学生们学了关于春天的古诗，可以让学生们用熟悉的乐曲来吟唱古诗，也可以在课间，一边跳绳或跳皮筋，一边吟诵关于春天的古诗和儿歌。

该案例围绕"春天的脚步"这一主题，让学生用自己喜欢的方式说说慢慢来到我们身边的春天带来的各种变化，这样既可以培养学生的问题意识、参与意识，还可以培养学生的观察

能力；用吟唱、吟诵关于春天的古诗和儿歌的方式交流，突出语文味；和其他科目的教师们联合组织丰富的活动，突出趣味性。

四　教材内容解读

统编版小学语文教材的梳理与探究内容编排从一年级开始。第一学段学习内容渗透在"课后建议""思考题""选做题""语文园地""展示台""和大人一起读"等单元板块中，给语文教师留足弹性空间，教师可根据学生的兴趣自主设计梳理与探究学习活动，重点培养学生的学习兴趣和学习习惯。

第二学段学习内容渗透在精读课文后的"展示台"和被称为"小综合"的三年级下册《中华传统节日》、四年级下册《轻叩诗歌大门》中。这两个"小综合"穿插在单元教学中，与阅读教学、"语文园地"同在，且分别在课文的后面分散出示了两个"活动提示"，重点培养学生的学习方式和学习方法。

第三学段学习内容渗透在图文结合的"阅读材料"，教材的"小贴士""批注""气泡"等和被称为"大综合"的五年级下册《遨游汉字王国》、六年级下册《难忘小学生活》中。它们为学生自主合作、探究实践的语文学习提供了资源，激活了思维，给出了方向。两个"大综合"，取代了常规单元的教材内容，未编入阅读、口语交际、习作、语文园地等内容，是对梳理与探究的整体设计，重点培养学生的学习能力和学习态度。

第二节　梳理与探究教学实施策略

梳理与探究是《语文课程标准》中确定的四个语文实践活动之一，在每个学段都有分层次的教学要求。作为一种重要的语文实践活动，教师要在准确理解其内涵的基础上，从创建真实情境、立足字词句篇单元等方面来有效实施，并从深度解析六个学习任务群下的活动任务的新视角来拓展实施新路径。

一　梳理与探究的内涵特点

"梳理"是将已经学习的零散知识和积累的语言材料结构化，将言语经验转化为学习方法和策略，是经历回顾、辨析、整理和归类，由散到整、由点到类、由孤立到联系的过程。"探究"则重在发现生活、学习中的语言文字运用问题，通过观察、比较、预测、推理、判断、合作等语文或跨学科学习手段，寻找原因，查找资料，寻求对策，最终解决问题。梳理与探究，强调儿童在真实情境中主动对已有经验进行富有个性的整理，使知识结构化；强调儿童在梳理的基础上，展开探究，建构新的语文经验；引导学生观察语言文字现象，从中找到规律，学会发现和解决问题，提升语言的敏锐性，发展思维能力，加强实践运用。

梳理与探究作为一种语文实践方式，指向整合、融通、关联、优化等学习目标，正如陆志平先生所说，"通过学习者自身对所学知识的梳理，将所学知识结构化，融入并改善大脑中原有的认知结构。梳理与探究指向主动、个性、探究、建构，指向知识的情境化、结构化，也离不开语文素养的每一个方面"。

二　梳理与探究的教学实施

（一）全面理解把握教材，创设梳理与探究主题情境

指向语文素养的大单元教学中的"情境"是整合性的真实情境，贴近学生已有的生活经验，又符合当下兴趣的特定环境，打通日常生活实践与课程学习之间的联系；能调动学生熟悉的生活经验和语言基础，又与学习内容比较切合，容易激发学习兴趣和参与热情，引领学生将新知识融入原有的认知结构；它统领整个单元教学过程，成为学习活动的真正载体。

1. 在一个整合的大情境中顺势展开梳理与探究

如二年级上册以"家乡"作为大情境，教学《黄山奇石》《日月潭》《葡萄沟》等课文时，可以"美丽的中国行——我为祖国代言"作为其中一个学习任务，引导学生收集课文和生活中描写山川河流、风土人情的词语，在梳理、整合的基础上，尝试运用这些词语，表达自己对祖国对家乡的喜爱之情。

2. 专设以积累与梳理为主要实践方式的主题单元

如针对三年级学生积累了大量词语，但表达时难以恰当选用的现象，教师设计了"建一个词语宝库"主题单元。在真实的学习情境中，学生搜集、整理之前所学习的新鲜词语、成语、韵语，给词语分门别类地建一个"家"，创造属于自己的词语宝库。通过分享讨论，学生让自己的词语宝库更丰富、更有序、更好用。

（二）立足字词句篇单元，提炼梳理与探究活动要点

1. 字

以低年级为例，学生要认近 1600 个汉字。虽学生识字量小，但是汉字的象形、会意、形声等构字方法都向学生暗示着汉字内在的特点。通过梳理与探究，学生可发现其特点与规律，对唤醒识字热情、提高识字效率、增强文化自信都是大有好处的。如一年级下册《小青蛙》

一课要认12个生字，其中“清、晴、睛、情、请”5个生字都有“青”字，但这5个生字并没有编排在一起，而是和其他生字交错排列（图5-1）。

疒

qīng qíng yǎn jīng bǎo hù hài shì qíng qǐng ràng bìng
清 晴 眼 睛 保 护 害 事 情 请 让 病

图5-1　一下《小青蛙》

教学时，教师可先让学生圈一圈，找找本课要认的生字中哪些长得很像，再看看它们的偏旁，读读课文，想想每个字的意思，借助课文，初步感知“青”字族的生字音、形、义之间的关系。然后，让学生根据偏旁，结合字形，通过编顺口溜等方式完成准确识记。像“早晨出门天气‘晴’，瞪大眼‘睛’有精神，心字在旁好心‘情’，青青草地河水‘清’，有言在先把你‘请’”等顺口溜就自然地从学生的心里流淌出来了。课后，教师让学生继续探究还有哪些带“青”字的汉字，它的偏旁是什么，怎么理解它的字义。学生就会乐此不疲。在识记生字的过程中，学生了解了“青”字族，掌握了形声字的构字规律，并在今后的识字中能迁移运用。

2. 词

词语学习时，可用梳理与探究的实践活动进行知识的积累、建构。比如教学二年级上册第2课《我是什么》中的词语：

白云　乌云　朝霞　晚霞
雨点　霜冻　雪花　冰雹
小溪　河流　湖泊　海洋

学生朗读完以上三组词语后，再将这些词语从其特点入手进行梳理探究，这些词语是与什么有关的？孩子们可以梳理为与大自然有关，接着探究还有哪些表示大自然的词语？经过这样的语文实践活动后，孩子对知识的获得不仅仅停留在背诵识记上，而且能在实践过程中实现知识、能力、素养的转化。

3. 句

比如在学习二年级上册“有几个虫子怕什么!”“叶子上的虫还用治?”两个句子后，对这样类型的句子进行梳理与探究，将这两个句子换个意思表达，梳理出可以换成陈述句的方式来表达，意思基本不变。接着探究感叹句/反问句与陈述句表达的意思基本一样，但所表达的感情一样吗？学生在讨论后得出：所表达的感情不一样，感叹句和反问句所表达的感情更加强烈，更能表达出想要葫芦的那个人对蚜虫治疗的满不在乎和还需要治蚜虫的惊讶之情。通过“梳理与探究”这样的实践活动，有力地印证了想要葫芦的人不懂叶子和果实之间的关系。

4. 篇

比如完成《中国的世界文化遗产》一课的学习任务，依靠学生仅有的知识储备是不够的，教学重点是培养学生整理资料、运用资料的关键能力。首先，有目的地搜集相关资料，如历史背景、基本现状，把资料来源记录下来。其次，根据要介绍的内容，分类整理、筛选资料。如果资料不够完善，可以继续搜集、补充。最后，将整理后的资料用自己的话写下来，也可以引用别人的话，还可以使用图片、表格等辅助形式进行表述，在资料的综合运用中实现知识和技能的融会贯通。这些实践性活动明示梳理的要求，给出梳理的路径，盘活梳理的技能，促进学生逐步形成与之相适应的关键能力。

5. 单元

立足单元，让学生在真实的生活情境与语言运用情境中进行梳理与探究。如六年级下册第六单元中，"难忘小学生活"是一个大情境。学生在回忆的基础上采用多种形式进行梳理与探究，表达真实的师生情、同学情以及对母校的感激之情。一是借助时间轴回忆六年的小学生活，分享难忘的点点滴滴，绘制成长地图，进行"感恩有你"主题演讲；二是制作成长纪念册，编写目录，撰写卷首语，设置栏目，用语文的方式进行个性化设计；三是举办毕业联欢会，进行节目海选，制作海报、邀请函，撰写串词，等等。这些多元化、开放性的活动都基于集体生活中的真实需求，具有感召力。这样的梳理与探究对学生来说，不是负担，而是向往；不是枯燥的学习任务，而是乐此不疲的精神享受。他们从中能充分感受语文学习的成功和喜悦。

期末，教师可以引导学生对所学的字词进行梳理与归类，如"我的易错字盘点""我的新鲜词宝库""我的书法作品集"等，展现识字与写字的成果。还可以引导学生从多个角度对课文进行梳理，如根据课文的内容或阅读、表达的方法进行梳理，对整册教材的知识点和能力点进行梳理。这些有主题的系列实践活动，促使学生认识到知识模块与模块之间的内在联系，从而在头脑中建构起完整的知识体系。

（三）搭建有效的学习支架，分步设定梳理与探究

根据著名心理学家维果茨基的"最近发展区"理论，应按照学生智力的"最近发展区"来建立概念框架，通过"支架"的支撑作用，把复杂的学习任务加以分解，以便于把学生的理解逐步引向深入。支架的类型有很多，问题、建议、指南、图表等都很常用。

比如，二年级上册语文园地七"字词句运用"栏目的要求（图5-2）。

○ 读读下面的句子，说说有趣在哪里。
◇ "我要把大海藏起来。"于是，雾把大海藏了起来。
◇ 调皮的风拿了我的手绢，擦过了汗，扔到地上；又拿了妹妹的圆帽子，当作铁环滚走了。

图 5-2　二上语文园地七

教学时，教师可围绕题目要求"说说有趣在哪里"，分解学习任务，设计学习支架。

第一步，探究，发现句子密码。学生四人小组讨论，说说自己的发现，在汇报交流中，归纳小结这两个句子的趣味：这两句话都充满了想象。第一句描写童话里人物的言行，雾在故事里是一个小孩子；第二句把风当成人来写，让风有人一样的动作和感情。

第二步，复盘，唤醒生活记忆。学生自主回忆生活中见过哪些有趣的情景、画面，或者自己的脑海里冒出怎样有趣的事物、场景等，可以用笔简单画一画，也可以写一写关键词。

第三步，写话，展现句子趣味。学生选择例句中的一种写法写一写。引导学生各写一句并根据句子内容配上相应的图画。

有了这样的支架，学生"梳理与探究"的语文实践活动学习必然是有效的，因为他们知道自己学的是什么，该怎么学，学到什么程度才是优秀的。

三　新课标六个学习任务群下的梳理与探究活动任务解析

梳理与探究为四个语文实践活动之一，它在六个不同的语文学习任务群中有着不同的实施重点。

（一）"语言文字积累与梳理"作为基础型学习任务群，具有奠基与贯穿学习全过程的重要作用

"识字与写字"是这一学习任务群最重要的实践方式。"梳理与探究"的实施重点包括三个方面：一是引导学生根据需要，用多种方法梳理已经学过的常用汉字，把握音、形、义之间的联系，并主动尝试运用字词组成规律，识认生字新词；二是引导学生主动整理自己和同学的作业，留心观察周围世界规范用字、用词的情况，促进学生"识字与写字"能力的持续、主动提升；三是引导学生在真实的语言运用情境中，诵读名言警句、新鲜词语、精彩句段，并有意识地进行分类整理和交流，形成丰富的、结构化的语言积累，帮助学生更好地在生活中运用，增强文化自信。

（二）"实用性阅读与交流"学习任务群以"阅读与鉴赏""表达与交流"为主要学习方式

"梳理与探究"的实施重点包含三方面内容：一是指导学生阅读实用类短文时，提取和组合关键词句，梳理短文的说明要点与主要观点；二是引导学生用口头和书面的方式，将生活见闻的主要内容客观地梳理和表达出来；三是引导学生在写话、习作时，通过简要文字、表格图片等多种方法呈现信息进行表达。

（三）"文学阅读与创意表达"学习任务群主要的实践方式也是"阅读与鉴赏""表达与交流"

"梳理与探究"主要作用于学生阅读童话、寓言、诗歌等文本时，对主要内容、情节脉络、重要场景、人物形象、思想情感等学习内容的整体概括，用绘制思维导图、统计语言频次、编制小标题、比较阅读同类作品等方式，帮助学生感知文学作品，有效促进阅读理解的深化与表达能力的提升。

（四）"思辨性阅读与表达"学习任务群主要的实践方式仍是"阅读与鉴赏""表达与交流"，同时，用到"梳理与探究"的比例较高

一是在阅读有关科学的短文、跨媒介阅读时，引导学生梳理、提取相关内容，运用口头和图文结合的方式，表达自己的观点和思考；二是阅读富有思辨色彩的故事时，引导学生尝试运用列提纲、画思维导图等方式表达观点和道理；三是在日常学习和生活中，引导学生主动用图片、表格等记录、整理、交流自己发现的问题和思考，学习辨析、质疑、提问等方法。

（五）"整本书阅读"学习任务群的主要研究对象包括《小英雄雨来》《雷锋的故事》等表现英雄模范事迹的书籍、《稻草人》《爱的教育》等儿童文学名著、中国古今寓言以及中国神话传说等等

要引导学生运用"梳理与探究"的方法展开阅读，理清目录，发现各章节的关系，了解故事的主要人物、内容和情节，并借助表格、人物关系图等多种工具，用自己喜欢的方式讲述故事大意。

（六）"跨学科学习"学习任务群是达成"梳理与探究"第三条目标的重要载体

可以设计朗诵会、故事会、戏剧节等校园活动，引导学生以语文为基础，综合运用科学、美术、信息技术等学科知识，完成制作节目单、设计活动框架、梳理活动要点等任务。要引导学生参加丰富多彩的中华优秀传统文化主题活动，根据需要记录和梳理观察、了解到的主要内容，并能清楚表达自己的体验。还要引导学生关注日常生活，在发现问题、分析问题的基础上，尝试写简单的研究报告。

四　提供多样学习模式，拓展梳理与探究路径

（一）根据问题跨学科进行梳理与探究

低年级学生对自然、对身边的事物充满好奇。课文是学生探究自然、探究世界的一根引线。他们会借由课文中的话题、感兴趣的内容，或者还想继续了解的问题进行深入探究，并尝试在生活中对探究结果加以运用。

比如，学习了一年级下册《棉花姑娘》后，学生会质疑："蚜虫到底可恶在哪里？除了七星瓢虫，还有谁也可以治它？"有了问题的梳理，就有了探究的空间。教师可以提供文字、视频等资料，让学生阅读、梳理信息，探究原因，形成知识网络图。从整个学习过程看，学生亲历学习过程，在梳理知识的同时，增长了技能，发展了思维。

（二）结合生活实际进行梳理与探究

将生活中的问题转化为梳理与探究任务。比如，针对学生在生活中无序摆放物品的问题，教师可以在四年级开展"我是小小整理师"的跨学科学习，以"制定物品整理方案"为大任务。第一步，设计调查表，让学生观察自己的文具盒、书包、课桌、衣橱、房间等，从空间杂乱现象入手，并用表格、图示等方式进行统计分析，实时记录。第二步，让学生制定整理方案，通过小组讨论、合作学习，运用数学、科学、美术等学科知识，从类别、用途、使用频次、美观程度等角度，对常用物品进行分类整理，制作富有个性的分类标签。第三步，让学生采用书面和口头表达相结合的方式，展示分享自己的整理方案和成果。学生之间互相学习借鉴，真切感受以语文为基础的跨学科学习让生活更加美好。

（三）基于语文素养进行梳理与探究

统编教材五年级上册第四单元《少年中国说》（节选），语文要素对本文阅读的要求是"结合查找的资料，体会课文表达的思想感情"，对习作的要求是"学习列提纲，分段叙述"。教学时，在阅读鉴赏、表达交流的同时更需要梳理与探究的语文实践活动：①在梁启超先生心中，少年中国是什么模样？②当时的中国，究竟是什么模样？③少年中国和中国少年之间有什么联系？④今日中国少年的责任是什么？问题①和③侧重对课文的理解感悟，而问题②和④需要借助课外查找的资料作为支撑。课中还穿插设计一些辅助问题，为关键思辨问题提供思维支架。比如为什么不用清风明月而是用潜龙乳虎等来比喻少年中国；你认为还可以用哪些事物来比喻少年中国；"智、富、强、独立、自由、进步、胜于欧洲、雄于地球"，这些词语能否调换顺序；百年未有之大变局中，中国面临着哪些机遇与挑战；等等。问题是质疑的开始，是逻辑

思维、辩证思维的基础。新课标在各学段反复强调的"自己的奇思妙想""自己的发现""自己的观点"，渗透了批判性思维培养的意蕴。在本课第二自然段教学中，教师鼓励学生自主质疑就是为了凸显学生"自己的发现""自己的观点"。

总之，在实践层面落实"梳理与探究"时，应把握其内涵特征，引领学生通过六个语文学习任务群，围绕学习重点，在真实的情境任务中，主动而富有创造性地展开语文实践活动，从而发挥"梳理与探究"独特的育人价值。

 **案　例**

"识字与写字"教学中的"梳理与探究"实践活动任务设计
——以部编版二年级上册第三单元《妈妈睡了》为例

师：请同学们看一看这张图，仔细观察图上有什么？

生：有眼睛。

师：左边是一只睁着的眼睛，右边这棵树的枝条垂下来了，那眼睛垂下来，表示什么意思呢？

生：表示要睡着了。

师：那现在你能猜一猜这个字吗？

生：睡！

师：那大家看！谁在睡觉呀？

生：妈妈！

师：那妈妈睡觉是什么样子的呢？你能结合图片说一说吗？

生：（自由表达）

（评价语）师：我猜呀，妈妈一定很累很辛苦。

师：那妈妈为什么睡得这么熟，这么香呢？让我们一起去课文中找找答案吧！来，请同学们读读课题《妈妈睡了》。

生：《妈妈睡了》。

师：妈妈睡了，声音要轻柔一些，才不会吵醒妈妈，请大家再读读课题！

生：《妈妈睡了》。

任务一：初读课文，随文识字

师：下面请同学们轻轻地翻到语文书36页，自由朗读课文，标记自然段，读准字音，读通句子。图画不认识或读不准的字词。（学生自由朗读课文）

师：现在，请同学们跟随音乐，和老师一起走进这篇课文，对于不认识的字和读不准的字词，可以听一听老师是怎么读的。（教师范读）

师：现在，请同学们伴随着美妙的音乐声，学学老师的样子，一起读一读这篇课文，感受睡梦中妈妈的样子吧！

（评价语）师：从你们的朗读声中，老师仿佛看到了一幅温馨的画面！

任务二：了解方法，识记生字

师：这节课呀，这些生字宝宝要来帮助我们读好课文，你们想来认识它们吗？

生：想！

师：请同学们仔细观察语文书 37 页的生字宝宝，你有什么发现吗？（主要引导学生从读音、字形、结构三方面来解读）

1. 多音字识字"发"

师：组词+造句

（评价语）师：同学们的眼睛可真会观察啊！

师：那现在我们再去课文中观察观察妈妈睡觉的样子吧！那妈妈是什么时候睡着的呢？

生：哄"我"午睡的时候先睡着的。

师：你是在哪一自然段找到答案的呢？你能试着读一读吗？

生：（学生读第一自然段）

2. 学习"哄"字

师：这个字念"hǒng"，拼读，平时你们的妈妈是怎样哄你们睡觉的呢？（从声音、表情、动作三方面展开想象）

生：如唱摇篮曲，讲故事，轻轻地抚摸"我"……

师：这些都用到了我们的嘴巴，所以"哄"字是口字旁。

师：我们现在认识、理解了"哄"的意思，我们还要学会如何在田字格里正确地书写。

3. 学习"先"字

师：同学们生字写得这么棒！老师奖励大家一个谜语：牛之头，虎之尾，猜不着，别多嘴。老师提醒大家，这个生字藏在这一段话里，你们可以仔细观察。

生：先！

（评价语）师：同学们都是火眼金睛！

师："先"是表示顺序的词。那它的反义词是什么？

生：后。

师：你能给"先"组词吗？

生：首先，先后。

师：那让我们一起来写一写这个"先"字吧！

（评价语）师：作业工整又美观，3颗星！

（评价语）师：占格准确，认真又平稳！3颗星！

4. 学习"梦"字

师：妈妈睡得这么熟，这么香，那睡梦中的妈妈什么样呢？你是从哪里看出来的呢？

生：睡梦中的妈妈真美丽。

睡梦中的妈妈好温柔。

睡梦中的妈妈好累。

师：我们每个人都会做梦，梦中常常发生很多奇妙的事情，那你又什么好的方法，让大家记住这个"梦"字吗？

生：（自由表达）

师：你能给梦组词吗？并造一个句子吗？

（评价语）师：你真是一个××的孩子！

5. 学习"闭"字

师：睡梦中的妈妈如此美丽，你们能具体说一说妈妈美丽在哪里吗？

生：明亮的眼睛、弯弯的眉毛、红润的脸。

（评价语）师：哦，你观察得可真仔细！

师：是呀，那除了明亮的眼睛，我们还可以说什么样的眼睛呢？

生：水汪汪的眼睛、迷人的眼睛……

（评价语）师：同学们词语积累得真棒！

师：那我想生字肯定难不倒大家，请看这张图，你们能猜出它是哪一个生字宝宝吗？

生：闭！

师：那你们想知道古人是如何创造出这个字的吗？我们一起来看看吧！

（播放视频）

师：是呀，除了今天学习的"闭"，还有一些跟它相似的生字宝宝，老师也把它们请到了我们的课堂上，你们能找出来吗？

生：闪、间、问。

师：那有谁能试着给它们编一个顺口溜吗？（比如：才进门，就关闭。日进门，在中间。口进门，张嘴问。人进门，快闪开。）

（评价语）师：你们的回答精彩极了！老师给你们点赞！

6. 学习"紧"字

师：课文中的小朋友观察得可仔细了，看到妈妈的眼睛不仅仅闭上了，而且是——紧紧地闭着。

师：说说你有什么好方法记住"紧"这个字呢。

生：紧的反义词是松。

（评价语）师：你真聪明！又给我们提供了一种方法，让我们记住了这个生字宝宝！

7. 学习"润"字

师：妈妈的眼睛为什么紧紧地闭着呢？

生：因为妈妈太辛苦了，睡得太沉了，太香了。

师：是呀，连妈妈的眉毛也在——？

生：睡觉！

师：睡在妈妈——？

生：红润的脸上！

师："红润"是什么意思呢？你有什么好的方法记住这个"润"字呢？

生：（自由表达）

师：妈妈睡得很香，就连眉毛也安安静静，进入了甜甜的梦乡。让我们带着对妈妈的爱意，再一次来读读这一自然段吧！

生：（学生齐读）

8. 学生自主学习，合作探究"等、累、吸、汗、沙"（老师适当点拨）

（评价语）师：你真是一个爱动脑筋/灵活运用/认真思考的小朋友！

师：睡梦中的妈妈好累，你从哪里能够看出妈妈好累呢？

预设1：她乌黑的头发粘在微微渗出汗珠的额头上。

9. 学习"粘"字

师：在这个句子里，有一个动词是形容妈妈的头发和额头上的汗珠挨在一起了，你能找出来吗？

生：粘！

师：那什么是"粘"呢？（教师事物演示，将小红花粘在黑板上）刘老师把这朵小红花粘在黑板上，这个过程就叫"粘"。

师：妈妈的头发为什么会粘在额头上吗？

生：因为妈妈出汗了，头发被汗水粘在了额头上。说明妈妈好累。

10. 学习"额"字

师：在这个句子里，除了有我们今天认识的"粘"字，还有一个生字"额"（直接出示）。接下来，请同学们摸摸我们的额头（展示"额头、脸颊、颈部、下颌"）

生：（摸额头）

师：摸摸我的脸颊，脸颊。

生：（摸脸颊）脸颊。

师：摸摸我的颈部，颈部。

生：（摸颈部）颈部。

师：摸摸我的下颌，下颌。

生：（摸下颌）下颌。

师：同学们，刚才我们摸的这几个身体部位，都在哪里呢？

生：头部。

师：那请同学们仔细观察这几个生字，它们有什么特点呢？

生：它们都有一个共同的部件，页字边。

师：所以，页字边的字一般都和我们的哪里有关？

生：头部。

师：是呀，所以古时候人们在创造这类字的时候，含有"页"字边的字一般都跟头部有关，所以"额"是一个形声字。

师：让我们带着对"粘、额"这两个字的理解，再来读一读这句话吧！

生：她乌黑的头发粘在微微渗出汗珠的额头上。

11. 学习"乏"字

师：是啊，从这句话中，我们能感受到妈妈好累，那你们还从哪里看出妈妈很辛苦，很累呢？

预设2：窗外，小鸟在唱着歌，风儿在树叶间散步，发出沙沙的响声，可是妈妈全听不到。她干了好多活儿，累了，乏了，她真该好好睡一觉。

师：是啊！窗外这么多声音，妈妈都听不到，说明妈妈很累。这句话里，有一个字也表示"累"的意思，你找到了吗？

生：乏！

（评价语）师：同学们的思维真敏捷，反应真快！

任务三：走进生活，拓展识字

师：除了学好课文里的生字，生活当中的生字我们也要掌握，你瞧！在这里，你认识哪些生字呢？能用今天的识字方法来认识他们吗？（出示图片）（学生自己说，然后交流识字方法）

生：学生自由发挥，老师适当纠正。

师：通过小作者的观察，我们看到了一个怎样的妈妈呢？

生：美丽、温柔、劳累的妈妈。

师：那看到如此辛苦的妈妈，我们一起去给妈妈送上一些柔软的枕头吧！大家准备好了吗？

生：准备好了！

师：同学们，平时都是妈妈哄我们睡觉，那今天，让我们在这些生字宝宝的帮助下，再美美地来读一读这篇课文，让妈妈伴着我们的读书声，进入梦乡吧！

（评价语）师：看来我们5班的孩子个个都是小小朗读家！

师：那今天就请大家回家之后，把这篇课文美美地读给妈妈听，今天的课就上到这里，下课！

梳理与探究是一种语文实践活动，它的教学要求，具有特殊的意义和教学价值。正确解读其内涵，并提出合理的教学建议，有利于推进小学语文教学和研究，切实提升学生的核心素养。以上案例有以下特点：

第一，年段特点明显，突出基础性。识字与写字是阅读和写作的基础，是第一学段的教学重点，也是贯穿整个义务教育阶段的重要教学内容。"梳理与探究"的第一条要求就指向识字，强调对字形的观察，感悟部件之间的关系，根据结构特点梳理汉字，发展识字能力。在识记汉字的同时，强调识字方法的掌握、汉字文化的理解以及汉字与生活的联系。

第二，符合学生实际，富有趣味性。低年级学生对大自然和周围事物充满好奇，但又因步入学校正式学习不久，尚处于启蒙阶段，语言、文学知识面较窄，语文运用能力也较弱。"梳理与探究"的要求更多指向"参加""尝试"，通过开展猜字谜活动，师生、生生活动等多种有趣的方式方法来表达和体现探究的结果，不断激发学生学习的激情，培养学生口头表达能力、与他人合作探究的能力、自主学习的能力。进一步增进学生对汉字的了解，感受汉字的美，激发对祖国文字的热爱之情。

第三，联系生活，注重实用性。引导学生走进生活，在生活的场景下拓展认字。本学段的梳理与探究重在鼓励学生思考学习和生活中的问题，大胆提出自己的困惑，培养问题意识和思考习惯，有意愿、有兴趣用文字、图画等方式记录见闻、想法。鼓励学生把梳理与探究学习活动中学到的知识应用到日常的学习生活中去，继续探究汉字的相关问题，以深化对祖国文字的了解和情感。让学生做生活中的有心人，做学习的主人，学生也从中感受到汉字文化的无穷乐趣，树立学生的文化自信。

—本章知识结构导图—

小学梳理与探究教学

- 梳理与探究教学目标与教材内容解读
  - 第一学段教学目标解读
  - 第二学段教学目标解读
  - 第三学段教学目标解读
  - 教材内容解读
- 梳理与探究教学实施策略
  - 梳理与探究的内涵特点
  - 梳理与探究的教学实施
  - 新课标六个学习任务群下的梳理与探究活动任务解析
  - 提供多样学习模式，拓展梳理与探究路径

知识点检测

1. 如何开展梳理与探究学习指导？

2. 根据梳理与探究的要求和指导策略，拟一份梳理与探究学习的指导方案，相互讨论、交流。

第 六 章

小学语文教学评价

 学习目标

- ✦ 了解小学语文教学评价的基本理论。
- ✦ 掌握小学语文教学评价的基本方法与形式。
- ✦ 开展小学语文教学评价实践活动，初步实现理论与实践的结合。

 案例导入

有一次，贾志敏上《十里长街送总理》。一个小女生正声情并茂地朗读课文，读得实在太好了，闻者全都屏住呼吸，有几位听课教师还掏出手绢悄悄抹去泪水。读完，贾老师走到小女生跟前，问："有纸巾吗？"小女生点点头，从衣袋里掏出纸巾递给他。贾老师弯着腰，把脸凑到小女生跟前，说："帮我擦去泪水，是被你感动的。"泪水被擦去后，贾老师准备将纸巾扔进垃圾篓。小女生说："我想保存它。"后来，这位小女生成为上海电视台节目主持人，之后又成为英国皇家电视台华语节目主持人。

这包含评价的力量。

 **第一节 教学评价概述**

教学活动要有质量监控，这就需要构筑一个闭环系统。教师教，学生学，教与学之间必须要有反馈环节，如此才能检验教的效果、学的成效。教学评价就是重要的反馈平台，应该高度重视教学评价，有效地发挥评价的作用，促进教学质量的提升。教学评价是指在一定教育价值

观的指导下，以教学目标为依据，按照科学的标准，运用一切有效的技术手段，对所实施的各种教育活动、教育过程和教育结果进行测量，并给予价值判断的过程。

一 教学评价的原则

评价是一种判断行为，涉及行动，就应该有一个行事的准则，这就是原则。原则的存在就规定了评价实施的总体方向，有了方向，人就不会迷路，就能够确保评价沿着正确的道路前进。

（一）客观性原则

教育教学是学习知识的过程，不能模棱两可地糊弄，必须具有一则一、懂就懂的科学客观精神。客观性是指遵循客观的理念，按照科学的方法，设计可测量的方案，落实可核查的步骤，尽可能地反映教育教学的真实性，使之能够有效地规避主观随意性。依照客观性理念进行教学评价，即体现客观性原则。贯彻客观性原则首先要做到评价标准客观，不带随意性；其次要做到评价方法客观，不带偶然性；最后要做到评价态度客观，不带主观性。

（二）人文性原则

教学本质上是育人的过程，因此不能只在知识层面进行评价，必须引入人文性原则。所谓人文性，就是以人为本，尊重人性，充分肯定人的行为及精神，遵从和维护人的基本价值的行为特性。在课程标准里面，它表述为情感态度与价值观。贯彻人文性原则首先要树立人本思想，克服技术主义倾向；其次要坚持必要的定性评价方式，避免定量评价一统天下的现象发生；最后要保留学生的个性特色，纠正以普遍共性衡量一切学生的机械主义倾向。

（三）指导性原则

评价是反馈的手段，评价是为了提高，因此评价应当遵循指导性原则。指导性原则就是贯彻教与导的原则，其既检测知识与能力的教与学的效果，又考查过程与方法的体验与运用的情况，从而实现改进教与学的目标。贯彻指导性原则首先要建立知识与方法并重的理念，克服偏重知识考核的弊端；其次要掌握辩证思维的方法，避免执其一端，只看优点或缺点的不良倾向；最后要注意具体情况具体分析，提供一事一策的指导，防止以普遍性代替特殊性，罗列大而无当的说教。

（四）发展性原则

教育的价值指向是未来，未来是发展的结果，因此教学评价不能只是着眼当下，必须具有发展的眼光，贯彻发展性原则。贯彻发展性原则首先要树立发展的哲学理念，形成发展的思维，避免以静止的眼光看待事物；其次要建立矛盾的发展观念，激发内在的积极因素，克服不加分析盲目悲观的情绪；最后要增强方法论意识，研究发展的路径与方法，规避盲人摸象的手足无措。

 二　教学评价的方式 ━━━━━━━━━━━━

（一）过程性评价

1. 课堂学习评价

课堂学习评价要遵循"教—学—评"一体化的理念。"教—学—评"一体化，指的是教学目标、教学过程和教学评价要融合统一。课堂学习评价应注意以下几个方面。

（1）小组合作、汇报展示评价。

教师应提前设计评价量表，告知评价标准，引导学生合理使用评价工具，形成评价结果。注意观察小组成员的分工方式、讨论程序和对不同意见的处理，关注学生在发言和倾听发言时的规则意识和交际修养，借助评价引导学生反思学习过程。

（2）课堂提问。

通过教师提问学生回答，了解学生学习进度、语文素养掌握的情况，并根据这些信息，调整自己的教学。用课堂提问的方法评价学生，对问题的设计要注意目的性和适切性，课堂提问对象的挑选应注意针对性和差异性。

2. 作业评价

通过作业评价，教师可以及时了解学生学习质量、学习方法、学习态度以及学习习惯，及时满足学生学习过程中的要求。作业包括口头作业与书面作业、巩固性作业与预习性作业、知识性作业与实践性作业。

3. 对话性评价

用评语让学生具体认识到作业的情况。在评价中，教师的评语要根据不同情况灵活运用肯定性、征求性、指导性、欣赏性、交流性的语言，有利于学生接受并引起共鸣。

4. 阶段性评价

阶段性评价是在教学关键节点开展的过程性评价，旨在考察班级整体学习情况和学生阶段性学习质量，是回顾、反思和改进教学的重要依据。

（1）纸笔形式。

通过试卷、习作等纸面的形式进行测试。

（2）非纸笔测试。

设计综合的学习任务，如诵读、演讲、书写展示、读书交流、戏剧表演、调查访谈等。

应关注整本书阅读和跨学科学习的阶段性评价，采用读书笔记、读书报告会、读书分享会等方式引导学生高质量完成整本书的阅读；可通过观察报告、实验报告、研究报告等，评价学生跨学科学习的阶段性成果。

（二）终结性评价

主要是在义务教育阶段结束时进行的学业水平考试。按照《语文课程标准》的要求，考试命题应注重依据学生在真实情境下解决问题的过程和结果评定其素养水平。命题材料的选取要具有时代性、典型性和多样性，充分体现语文课程的特点。命题材料要能够体现问题或任务的对象、目的与要求，能够启发学生调动既有知识和资源解决问题、完成任务。

三 教学评价的标准

评价是一种评定判断，它是依据素材进行剖析后得出的结论。既然是判断，就必须有标准，否则就不能对素材进行剖析，也不可能得出正确的结论，因此必须明确标准。

（一）文化自信

文化自信是指学生认同中华文化，对中华文化的生命力有坚定信心。通过语文学习，热爱国家通用语言文字，热爱中华文化，继承和弘扬中华优秀传统文化、革命文化、社会主义先进文化，关注和参与当代文化生活，初步了解和借鉴人类文明优秀成果，具有比较开阔的文化视野和一定的文化底蕴。

（二）语言运用

语言运用是指学生在丰富的语言实践中，通过主动的积累、梳理和整合，初步具有良好语感；了解国家通用语言文字的特点和运用规律，形成个体语言经验；具有正确、规范运用语言文字的意识和能力，能在具体语言情境中有效交流沟通；感受语言文字的丰富内涵，对国家通用语言文字具有深厚感情。

（三）思维能力

思维能力是指学生在语文学习过程中的联想想象、分析比较、归纳判断等认知表现，主要包括直觉思维、形象思维、逻辑思维、辩证思维和创造思维。思维具有一定的敏捷性、灵活性、深刻性、独创性、批判性。有好奇心、求知欲，崇尚真知，勇于探索创新，养成积极思考的习惯。

（四）审美创造

审美创造是指学生通过感受、理解、欣赏、评价语言文字及作品，获得较为丰富的审美经验，具有初步的感受美、发现美和运用语言文字表现美、创造美的能力；涵养高雅情趣，具备健康的审美意识和正确的审美观念。

四　教学评价的功能

（一）导向功能

考核评价就是指挥棒，因此导向作用是其首要功能。用什么方法考核，评价什么内容，被考核者就会从这些方面进行准备、开展工作，以期在考核中获得良好的评价。正因为评价具有导向作用，所以需要正确使用考核评价手段，依据"为谁培养人、培养什么人、怎样培养人"的要求，从教书育人的视角科学设计考核评价内容，充分发挥评价的导向功能，引导学校培养社会主义事业建设者和接班人，引导学生德智体美劳全面发展。

（二）反馈功能

考核评价是一种检测，检测是对过去学习状况的确认，通过教学评价，教师和学生能够知道教学过程的结果，及时地获得反馈信息。教师获得评价的反馈信息，能够客观地反观教育教学工作，明白哪些方面做得好，哪些地方还有不足，及时地反思、调节自己的教育教学，从而提高教育教学质量与教学成效。学生获得评价的反馈信息，能够加深对自己学习状况的了解，从而确定适合自己的学习目标，调整自己的学习策略。教与学是信息的控制过程，教师输出信息，学生接收信息，在输出与接收之间必须有反馈，如此才能得知信息在传播过程中的损益情况，从而控制与调整信息的传播，以期达到传播的最优化效果。教学评价就是这个反馈系统，沟通教与学两个系统，旨在实现两者的平衡发展。

（三）检测功能

考核评价可以有不同形式，可以选择定性评价，也可以选择定量评价，以及其他方式的评价，但是评价本质上就是检测，因此一定具有检测功能。检测必须有标准，这一标准整体而言是课程标准设定的三维目标的标准，分项而言可以是各个专项检测的专项标准，依照达成标准的程度可以划分优、良、中、差不同等级。教学评价尽管不要求排等级，但其结果的类比性是客观存在的，教师掌握学生达成度的不同等级，有利于实施分层教学与因材施教，从而实现分层发展。学生知晓自己的层级分布，也能够取长补短或扬长避短，从而实现个性化发展。

1. 朗读百灵：一是"朗读章"的获得，凡是在小组朗读比赛中，在班级朗读比赛中，在课堂随机朗读中，获得成功就可获得1枚"小花"。二是"背诵章"，所规定的内容如能按要求背下来，就可获得1枚"小花"。获得8枚"小花"奖章的同学就可获得"朗读百灵小金星"1枚。

2. 学习状元：一是"快乐天使"，在课堂上能够积极发言，能够正确回答问题，得到同学公认的，在课堂上发言有明显进步的同学可以成为"快乐天使"。二是"读书小博士"，能够正确、流利、有感情地把课文读出来，并且能对课文的内容、写作方法、思想感情进行归纳，按照要求朗读和归纳5篇课文可获得"大拇指"奖章1枚。三是"作业章"，每天的作业，得一个优就可获得"大拇指"奖章1枚。收获8枚"大拇指"奖章并且是"快乐天使"的同学，可获得"学习状元小金星"一枚。

3. 写作能手：一是"作文章"，凡是能按照写作的要求，快速、高标准地完成作文，且书写认真的，90分以上算一个优，95分以上算两个优。一个优就可得"小脚丫"奖章1枚。二是"俊字章"，在写字中获得一个优就能获得1枚"小钥匙"，4枚"小钥匙"就可换得"小脚丫"奖章1枚。积累8枚"小脚丫"奖章，就可获得"写作能手小金星"1枚。

以上案例属于过程性评价，过程性评价重点考察学生在语文学习过程中表现出来的学习态度、参与程度和核心素养的发展水平，体现多元主体、多种方式的特点。

第二节　课堂教学评价

课堂是教学的主阵地，教学质量主要取决于课堂教学质量，因此必须强化课堂教学质量监控。课堂教学评价是教学质量监控的重要手段，实施科学的评价，就能有效地发挥评价的作用，从而提高教学质量。

一　课堂教学评价概述

课堂教学评价是以教学目标为依据，运用可操作的科学手段，在系统、科学、全面地搜集、整理、处理和分析教学信息的基础上，对教学活动过程及教学效果作出价值上的判断的过程，目的在于促进教学改革，提高教学质量。课堂教学评价具有导向功能、鉴定功能和检测功能，旨在反馈教学效果。

二　观课

（一）何谓观课

所谓观课，就是基于一定的教学理论，怀揣特定的教学目的，对课堂教学的整体情况进行客观、全面的观察。通过观察，对课堂教学状态进行如实记录，依照一定的教学理论进行分析和研究，并在此基础上提出改进课堂教学的意见和建议，从而促进学生课堂学习的改善和教师教学水平的提高。

在传统的教学活动中，观课活动通常叫作听课。什么是听课呢？所谓听课，就是教师依据一定目的和任务，前往同事教学课堂聆听其授课的过程。观课与听课的主要区别：一是关注点不同。观课重在观察整个教学过程，传统听课重在倾听教师讲课和学生回答。二是倾向性不同。观课倾向中立，听课倾向判断。三是师生观不同。观课是以一种平等的身份观察授课教师的课堂教学，听课是以一种评价者的身份聆听授课者的讲课。

（二）如何观课

首先，明确观察维度。在观课之前，需要研究授课内容，只有带着问题意识走进课堂，明确观课侧重点，避免盲目性，才能在"他教"与"我教"之间进行对比，寻找差距，提高自己的教学水平。否则，只会人云亦云。

其次，做好观察记录。观课应当采取课堂实录的方式详细记录教学过程，不仅记录教师的讲，还要记录学生的答；不仅记录教师的肢体语言，还要记录学生的学习状态；不仅记录静态的内容，还要记录动态的情况。总之，实录是第一要求。在此基础上，还要强调用心观察，不仅需要记录，还需要反思，提倡即时评价。（扫码研习窦桂梅《游园不值》课堂实录，学习观察记录的方法）

《游园不值》
课堂实录

最后，突出观课重点。理论上，观课应当观察课堂教学的整个过程、整体情况，但是由于班级教学的关系，学生相对较多，观课者精力有限，不可能面面俱到，因此需要确定观课重点。一般而言，观课只需要从教学目标、教学过程、学生动态、教学效果等几个方面观察，就可以相对全面地把握课堂教学状态了。

具体观课内容与步骤如下：

一是关注教学目标。这是观课之首要，也是考查课堂教学是否成功的关键，因此观课者必须明白授课内容的教学目标，也要思考当课教学呈现的教学目标，然后进行比对剖析。教学目标可以从以下方面确定观测点：①学段教学目标；②本课教学目标；③教学目标蕴含的教学理念；④教学目标的文本支撑内容；等等。

二是关注教学过程。过程既是目标的展开，也是实现目标的手段，还是检测目标与现实吻合度的平台，因此也是观课的重点。教学过程的观课可以从以下方面确定观测点：①课堂导入；②教学环节转换；③教师活动范围；④教学方法运用；⑤教学重难点突破；⑥教学板书；⑦课堂小结；等等。

三是关注学生动态。课堂教学必须以学生为本，因此观课的落脚点应该是学生，主要考查学生的精神面貌。关注学生动态可以从以下方面确定观测点：①抬头率；②看书情况；③学习活动参与率；④课堂纪律情况；等等。

四是关注教学效果。学生动态是表象，教学效果是核心，不管教与学的形式如何，最终的检测是教学效果，因此观课不得忽略教学效果的考查。关注教学效果可以从以下方面确定观测点：①教学目标是否实现；②教学重难点是否突破；③做题正确率与错误率；④学习方法是否掌握；等等。

常见的观课（听课）记录表见表6-1。

表6-1　观课（听课）记录表

观课（听课）人：　　　　　　　　　　　　　　　年　　　月　　　日

授课教师		课程名称		授课班级		
授课题目			授课时间		第　周，星期，第　节	
观（听）课记录				实时评价		
评价项目	评价要素	评价内容及标准			满分	赋分
教学态度（10分）	课前准备	准备充分，课堂教学资料完整、规范，教具齐备			5	
	精神面貌	仪表端庄，精神饱满，治学严谨，教风端正，为人师表，亲和度高			5	
教学内容（30分）	教学目标	教学目标明确，体现文本要求，符合学生实际			20	
	课堂容量	教学内容充实，知识点饱满，学生训练充足			10	
教学组织（20分）	课堂组织	体现以学生为主体，教师为主导的教育理念。管理到位，井然有序			10	
	教学环节	教学过程结构合理，层次分明，针对性强。教学环节完整，根据知识内容性质比重，时间分配合理			10	

续表

教学方法 （20分）	教学方法	教学方法灵活多样，贯穿启发式教学，善于激发学生的求知欲，调动学生的学习兴趣	15	
	教学手段	有效使用教学设施设备，充分利用现代教学技术辅助教学，突出教学直观性效果	5	
教学效果 （20分）	师生互动	充分发挥学生主体作用和教师主导作用，教以学习方法，课堂氛围活跃有序	10	
	学生反应	学生学有所获，学习积极主动，学生参与度高，练习度适当	10	
与授课教师 交换意见			总计	100

三　议课

　　观课是搜集材料的过程，获取材料就必须研究剖析，否则就是一堆死材料，没有任何意义。研究剖析可以是个人反思，也可以是集体议课，我们提倡采取集体议课的方式进行研究剖析，因为可以借助众人智慧，集思广益。

（一）何谓议课

　　所谓议课，就是在观课的基础上，观课者与授课者相互提供课堂教学信息，通过充分占有信息，大家平等协商、对话、交流，相互提供教学策略，以期相互参考、借鉴，从而达到共同提高教学艺术水平，提升课堂教学质量，促进教师专业能力提高的一种教研活动。

　　观课后的评议活动，在过去叫作评课。什么是评课？评课就是评价课堂教学情况，并且给予相应的价值判断。议课与评课有何区别？第一，主体性不同。议课的所有参与者地位平等，具有同等的话语权。评课则区分评议者与被评议者，存在着事实上的话语权力差异。第二，价值性不同。议课是本着平等对话原则进行协商讨论，评课则是具有一种居高临下的心态。第三，运用性不同。议课在于提出众多平行的解决方案，评课则是评课者提出自认为正确的解决策略。

（二）如何议课

　　议课的中心词是"议"，"议"就必须有素材，因此观课的搜集素材是前提。观课、议课是为了改进课堂教学，追求更高的课堂效率，因此，观课、议课应该成为学校教学研究的一种常态。观课、议课的落脚点在于教师从中获得体悟，并将这种体悟转化为未来课堂教学实践的行动指南，从而促进自身专业成长，锻造一支高素质的研究型教师队伍。

一是评议教学目标。是否达成教学目标是判定课堂教学成败的关键，因此这是议课的第一要义。教学目标可以由授课者在教后反思中陈述，也可以由观课者通过课堂教学过程进行归纳，特别是在观看教学录像，或名师教学展示课，授课者不能参与议课活动的时候，教学目标可以从以下方面确定评议点：①教学目标设定是否符合单元要求，是否体现本课教学特点。②教学目标设定是否符合学生实际（学情）。③教学目标是否达成。④教学目标蕴含怎样的教学理念。

二是评议教学思路。教学思路侧重教材处理，反映教师课堂教学的纵向脉络。教学思路是教师上课的脉络和主线，它是根据教学内容和学生水平两个方面的实际情况设计出来的。它反映一系列教学措施怎样编排组合、怎样衔接过渡、怎样安排详略、怎样安排讲练等。教学思路可以从以下方面确定评议点：①看教学思路设计是否符合教学内容实际，是否符合学生实际。②看教学思路的设计是否有一定的独创性，给学生以新鲜的感受。③看教学思路的层次、脉络是否清晰。④看课堂上教师教学思路的实际运作效果。

三是评议课堂结构。课堂结构也称教学环节或步骤。计算授课者的教学时间分配，能较好地了解授课者授课的重点、结构安排。课堂结构可以从以下方面确定评议点：①计算教学环节的时间分配，看教学环节时间分配和衔接是否恰当。②计算教师活动与学生活动的时间分配，看是否与教学目的和要求一致。③计算教学重难点与一般教学内容的时间分配，看是否在时间层面保证教学重难点。④计算优等生、中等生、差生的活动时间，看优等生、中等生、差生活动时间分配是否合理。⑤计算非教学时间，看教师在课堂上有无脱离教学内容，做别的事情，浪费宝贵的课堂教学时间的现象。

四是评议学生状态。课堂教学必须体现学生本位思想，不管是观课，还是议课，都不能只看教师，不见学生，因此关注学生的学习状态与精神面貌，就是观课与议课的重要内容。学生状态可以从以下方面确定评议点：①课堂纪律；②课堂训练；③互动发言；④自主与合作学习；等等。

五是评议学习成效。学习成效是评议课堂教学的重要依据，不管教师讲授如何精彩，不管课堂气氛如何热烈，学习成效不佳，都不是一堂好课，或者说没有达成教学目标。学习成效可以从以下方面确定评议点：①教学效率；②学生受益面；③重难点解决；④学习方法运用；等等。

《游园不值》
课堂教学评议

（前面研习了窦桂梅的《游园不值》，请再扫码研习本次授课的文本议课。）

常见的语文课堂教学质量评价表见表6-2。

表6-2　语文课堂教学质量评价表

评价母项及权重	评价子项	子项权重	子项得分	母项得分
A 教学目标 $K_A = 0.15$	A_1能否体现以学生为主体、启发思维、能力培养等现代语文教育观	$K_1 = 0.20$		
	A_2教学目标是否符合课标要求与学生实际	$K_2 = 0.30$		
	A_3知识传授、能力培养、美育要求、情感态度与价值观，是否明确恰当	$K_3 = 0.30$		
	A_4教学目标是否落到实处，目标达成度怎样	$K_4 = 0.20$		
B 教学内容 $K_B = 0.22$	B_1教学内容是否体现教学目标，做到重点突出，难点突破	$K_5 = 0.25$		
	B_2内容选择是否基于文本，能否贴近生活实际，适应现代社会需求，体现时代精神	$K_6 = 0.15$		
	B_3知识传授是否准确无误	$K_7 = 0.30$		
	B_4内容安排是否充实而恰当	$K_8 = 0.30$		
C 教学结构 $K_C = 0.15$	C_1教学结构是否涵盖第二、第三课堂，体现课内外结合的教育原则	$K_9 = 0.20$		
	C_2教学程序安排是否系统完整、层次分明	$K_{10} = 0.30$		
	C_3教学组织是否连贯有序、衔接自然、疏密有致	$K_{11} = 0.30$		
	C_4各环节处理（如讲、练、板书等）的时间分配是否合理	$K_{12} = 0.20$		
D 教学方法 $K_D = 0.20$	D_1教学方法的选择是否灵活多样，能否扬长避短	$K_{13} = 0.30$		
	D_2教学方法的选择与教学目标、内容、学生的实际情况等是否相适应	$K_{14} = 0.30$		
	D_3能否及时掌握学生的反馈信息，并采取相应的调控措施	$K_{15} = 0.20$		
	D_4各种辅助性教学手段的利用说明、演示与讲解的结合情况如何	$K_{16} = 0.20$		
E 教学基本功 $K_E = 0.10$	E_1能否使用标准、流利的普通话授课	$K_{17} = 0.20$		
	E_2教学语文是否准确、生动、简洁、有逻辑性	$K_{18} = 0.30$		
	E_3板书是否规范美观、简要有序、切合目标与内容、突出教学重难点	$K_{19} = 0.30$		
	E_4手势语、体态语等手段的使用是否恰当、自然、生动、有效	$K_{20} = 0.20$		

续表

评价母项及权重	评价子项	子项权重	子项得分	母项得分
F 教学效果 $K_F = 0.10$	F_1课堂气氛是否活跃而有序	$K_{21} = 0.30$		
	F_2学生能否主动求知、积极思维、认真听讲、大胆发言	$K_{22} = 0.30$		
	F_3单位时间内学生知识、技能掌握的程度如何，能力发展情况如何，是否有收获	$K_{23} = 0.20$		
	F_4优等生、中等生、差生是否各尽其智、各有收获，受益面能否达到70%以上	$K_{24} = 0.20$		
G 教学效率 $K_G = 0.08$	G_1有效教学时间占实际教学时间的比重是否足够大	$K_{25} = 0.40$		
	G_2单位时间内输出的信息量与学生接收的信息量之比例是否足够大	$K_{26} = 0.40$		
	G_3能否严格遵循教学计划，不加课，严格控制时间，不拖堂	$K_{27} = 0.20$		

注：根据韩雪屏等主编的《语文教学技能训练》修正

 学生学业评价

学生的基本任务是学习，学习就需要完成课程标准规定的学习任务。如何判定学生是否完成学习任务，学习效果如何，这些都需要一定的评价机制。虽然义务教育阶段不允许成绩排名，但是学业评价还是需要的，只是不能采取竞争性、选拔性升学式评价，因此我们应该掌握基本的学业评价方式。

一 学业评价概述

（一）学业评价的定义

学业评价即对学生学习学科知识的状况进行检测，考查教学目标达成度，由此判断其学科知识的掌握程度，以便教师有针对性地改进教学活动，提高教学质量，提高学生的知识建构能力。

（二）学业评价的内容

《语文课程标准》将教学内容分为识字与写字、阅读与鉴赏、表达与交流、梳理与探究几个部分，并根据语文核心素养从中华优秀传统文化、革命文化、社会主义先进文化、外国优秀文化、日常语文生活等方面，安排了"语言文字积累与梳理""实用性阅读与交流""文学阅读与创意表达""思辨性阅读与表达""整本书阅读""跨学科学习"等六个语文学习任务群。因此，对小学语文学习评价，应根据课程标准规定的目标和主要内容，抓住关键，突出重点，全面而综合地进行。语文学习评价不仅要评价学生语文基础知识的掌握，听说读写等语言能力的养成，而且还要从文化自信、语言运用、思维能力和审美创造四个方面对语文核心素养进行考核。依据这个总体要求，课标规定了各个学段应达到的基本要求，大家可以参看课标的学段指标。

（三）学业评价的方法

以促进学生全面发展为目标的教学评价，在评价方法上坚持量化评价和质性评价相结合，既重视学生学业成绩的评价，又关注学生行为表现的评价。

量化评价方法是把学科知识简化为数量关系，运用分数赋值的方法进行考核，进而对得分进行分析，从而给予学业成效以评价。质性评价方法是指在实际发生的教学情境中，通过搜集、整理和分析关于学生学业状况的丰富资料，用描述性的语言对学生学业成就进行的评定。常用的质性评价方法有档案袋评价法和表现性评价法。

档案袋评价法是指评价者和学生一起搜集、记录学生自己、教师或同伴做出评价的有关材料，学生的作品与反思，以及其他相关的证据和材料，以此来评价学生发展和进步的状况的评价方法。学生通过全程参与和记录，将档案袋评价法贯穿和融汇于日常的教育教学活动之中，使自己有充分的机会判断自己的学习质量和成长、进步的程度，有效地促进了评价与教育的有机结合。表现性评价法是一种让学生通过实际任务来表现知识和能力成就的质性评价方法。其实施步骤为：构建评价目标—制定表现性评价法的评分规则—创设真实情境—全面搜集评价信息—评价学生的学习成效。表现性评价法的主要特点体现在重视知识与能力的应用、使用现实中的问题、鼓励发散性思考、寻求多种答案等方面，因此能更直接、更实际地考查学生的学习成果。

 二　练习

（一）何谓练习

所谓练习，即为了学习某门学科知识或掌握某种能力而进行的专门性训练。练习是理论与实践结合的桥梁，实践倾向于在现实世界进行实际性运用，练习则更多表现为沙盘性操作，也就是运用文字符号虚拟现实情境，然后进行思维性质的模拟实践，从而达到学习学科知识或掌握学科能力的目的。

（二）如何练习

练习是检测学业的重要形式，也是最平常化的形式，它贯穿于教学活动的全过程，落实到每个教学单元，更执行到每一堂课。完整的课堂结构，都会安排练习的环节，或是课堂练习，或是课后练习。因此，练习之科学、有效操作显然非常重要，千万不能只是把练习当作一个教学环节来操作。

首先，抓住教学目标。练习是掌握理论、巩固知识、提升技能的重要手段，因此一定要抓住教学目标，依据教学目标设计练习与布置练习。教学目标要有宏观视野，至少着眼于本册教学内容，然后逐渐缩小到单元内容，直至缩小到单篇教学内容，如此才有高屋建瓴的把控与设计。在具体教学内容的练习设计与布置中，要有战术思维，从单篇教学目标出发，逐步开阔视野，思考单元教学目标，再上提至本册教学目标，直至整个小学阶段的教学目标。经过如此之由宏观到微观，从具体到整体的双向互动思考，教学目标就可以化入血肉，能够有效地指导练习的设计与布置。

其次，突出方法运用。练习不是为了做题，而是为了理解理论、掌握知识、提升技能，是为了借助练习掌握解题方法与学习方法，因此必须把方法放在突出位置，不能搞题海战术。教师应该自己先做题，把握练习包含的方法，以及其与课堂教学传授的方法及内容的联系，以期达到举一反三的练习效果。练习切忌抛开方法或不提示方法，只是盲目做题，如此就是简单的重复，不能培养学生解决陌生问题的能力，也不能提高其自学能力。

再次，设计多样形式。练习应该避免单一形式，要运用多种形式进行训练。一是穿插训练，在学习某一个专题知识模块时，可以穿插进行其他模块的小练习，以达到知识均衡的目的。二是专题训练，在学习某一专题时，教师可以设计一些对应的专题练习，检测学生对知识点的理解与掌握情况。三是限时训练，考试中学生有时得不到分，不是不会做，而是因为时间不够，来不及做，这就需要进行限时训练。四是综合训练，即综合各个方面的知识，对学生进行全方位的检测。五是强化训练，对一些难点、关键点和易错点进行强化练习，强化学生的答题技巧，提高方法的运用能力。六是补充练习，教师针对练习失误设计习题，给学生提供纠正错误的机会，使其加深印象。总之，作为教学手段的重要补充，练习的作用绝不可忽视，让练习形式多样化，既能满足教学的需要，又能达到事半功倍的效果。为此，本章提供统编版三年级下册第四单元的三套训练测试卷，分别是主题训练卷、基础达标卷与达标测试卷，请扫码研习练习的样式及设计的梯度。

训练测试卷

最后，着眼于发展评价。安排练习就必须有评价，否则学生没有做练习的动力。对于练习评价，传统的做法都比较保守，给分非常谨慎，不肯也不敢给高分。其实，练习只是平常的训练，不是终结性评价，因此练习评价可以相对宽松，可以给出鼓励分。练习评价不仅需要鼓励，还需要评价者具有发展的眼光，运用纵向比较的方法，适当给予进步分。教师可通过运用鼓励分与进步分的方式，激发学生的学习兴趣，引导其形成积极进取之心。

"你的文章写得有声有色，100分。"

"你结尾的两句既写了听到的又写了想到的，'想'是感受，不会感受就不会感人。为你这两句加10分。"

"你写的故事有意思，加10分。"

"你能引用学过的古诗和名言佳句，加10分。"

"你的作文篇幅比较长，加10分。"

"你朗读作文生动，加10分。"

"你写的'春天因雨而高兴，春天因雨而更绿'是诗的语言，加20分。"

"你的作文字写得很棒，字是人的第二张脸，字是人的名片，加50分。"

…………

这是"著名教学专家于永正讲堂活动"中于老师的一节作文教学课上的情景。于老师以"作文要写得有声有色"为主题对学生进行写作指导。很快，学生写出了一篇篇作文，于老师当堂评改。在于老师这里，学生很容易得到100分、110分、120分、140分、150分，因为于老师会以各种"理由"为学生加分。于老师以敏锐的目光，发现学生的点滴亮点，并大加赞赏。在教育中，教师应学会适时表扬，正确奖赏，面对学生的一点一滴进步，应及时给予肯定并合理评价。让教师肯定的眼神、关爱的话语成为学生不断进取的催化剂。

三　考试

没有考试就没有学习，考试作为教与学的反馈手段，必须得到充分、合理的运用。不能因为考试存在某种不足，就否定考试，考试是促进学习的充分条件。

（一）何谓考试

所谓考试，就是依据课程标准，按照所学内容，选取必要的方式，对学习者进行制度化的正式检测，以便获取教与学的量化成效。考试不同于一般检测，检测具有非正式性，表现比较随意而非制度化安排。考试也不同于练习，练习可以分散执行，没有严格的时间限制，也没有严谨的监督安排。

（二）如何考试

1. 命题原则

坚持素养立意。以核心素养为考查目标，通过识字与写字、阅读与鉴赏、表达与交流、梳理与探究等语文实践活动，全面考查学生核心素养的发展水平。

坚持依标命题。体现课程理念，严格依据学业质量要求命题，保证命题框架、试题情境、任务难度等符合学业质量要求。

坚持科学规范。题目表述简明、规范，材料选取具有典范性和多样性，评分标准有效反映学生核心素养发展水平，确保测试目的、测试内容、测试形式和评分标准的一致性。

2. 命题规划

重视命题规划，明确学业水平考试命题的目标要求，规定内容范围与水平标准；系统设计考试形式，一般采用纸笔测试，有条件的地区可以考虑逐步引入基于信息技术的考试形式。科学设计试卷结构，明确规定主观性和客观性试题的比例，倡导设计基于情境的探究性、开放性、综合性试题。对题型设计、题量和难度、评分标准等方面提出基本要求，充分展现学生在语文学习过程中形成的能力、方法，以及情感态度与价值观的综合发展情况。

3. 命题要求

考试命题应以情境为载体，依据学生在真实情境下解决问题的过程和结果评定其素养水平。命题情境可以从日常生活、文学体验、跨学科学习，也可以从个人、学校、社会等角度设置。

命题材料的选取要具有时代性、典型性和多样性，充分体现语文课程特点。命题材料要能够体现问题或任务的对象、目的与要求，能够启发学生调动既有知识和资源解决问题、完成任务，能够为学生解决问题、完成任务提供背景材料或知识支架。

题干设计应规范。主观题题干要简洁、明确，便于学生捕捉问题的核心信息；客观题题干要注意事实性信息的科学性和准确性。试题形式力求创新，鼓励增加开放性试题比例，以避免导向新的应试模式。要健全主观性、开放性试题的评分标准，根据学生的认知发展水平，对简单结构作答和复杂结构作答实行分级赋分。

（三）试卷分析

（1）考试概况。考试范围，试题类型，试题的难度与区分度，考试成绩统计。

（2）逐题分析。各题考试目标及评分标准，考生在该题所得均分，得分与失分的原因及典型答案举例。

（3）综合分析。从考试看学生的学习情况，从考试看教学工作存在的问

达标检测卷

题，提出今后改进教学工作的设想或建议。

这里提供一份试卷，统编版三年级下册第四单元达标检测卷，请扫码查看，然后剖析试卷出题是否遵循了我们所说的基本原则，也可以让小学生考试，然后进行试卷分析。

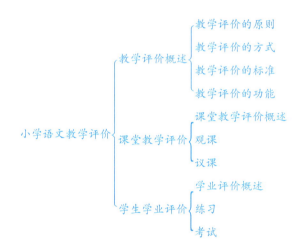

─本章知识结构导图─

小学语文教学评价

- 教学评价概述
  - 教学评价的原则
  - 教学评价的方式
  - 教学评价的标准
  - 教学评价的功能
- 课堂教学评价
  - 课堂教学评价概述
  - 观课
  - 议课
- 学生学业评价
  - 学业评价概述
  - 练习
  - 考试

📚 知识点检测

1. 名词解释。

教学评价   观课   议课   学业评价   练习   考试

2. 请你说说为什么要观课。

3. 选择一位名师的课堂教学录像，如李吉林《桂林山水》的教学录像等，先研习文本，撰写自己的教学设计，通过教学视频归纳执教者的教学目标、提炼教学重难点，然后重点从课堂组织、课堂结构、师生互动、学习成效等方面进行观课实录。

参考答案

4. 结合窦桂梅《游园不值》课堂实录，从教学目标、教学内容、课堂结构、学生状态与学习效果等方面进行议课，谈谈你的看法。如果由你来教这篇课文，你还可以怎么教？

5. 请你选择小学语文教材中的一篇课文，设计一份练习卷。

6. 请你选择小学语文教材中的一个单元，设计一份考卷。

第七章

小学语文片段教学与说课

学习目标

- 了解片段教学的概念和分类。
- 掌握片段教学的设计与实施。
- 了解说课的含义、作用及基本要素。
- 掌握小学语文说课的设计和实施。
- 了解微格教学的含义和特点。
- 掌握小学语文微格教学的设计与应用。

在 2019 年上半年的教师资格面试中，有这样一道题目：

请根据以下要求对《彩色的非洲》进行试讲：①重点讲解彩色的植物世界即可；②带领学生欣赏优美的语句；③合理设计板书。

有一部分考生在导入新课、学习前面几个自然段上花了不少时间，10 分钟过去了，还没开始欣赏彩色的植物世界，所以没有完成题目中规定的教学任务。

考生如何才能呈现相对完整的教学活动，如何做到重点突出、难点有所突破？这就要求大家对片段教学进行深入的研究。

第一节　小学语文片段教学

一　片段教学的概念

所谓片段教学，是相对于一节完整的课堂教学而言的。一般说来，片段教学是截取某节课的某个部分的教学内容，让教师进行教学，时间限定在十来分钟。也就是说，片段教学只是教学实施过程中的一个断面，执教者通过完成指定的教学任务，来表现自己的教学思想、教学能力和教学基本功。

二　片段教学的分类

（一）基于某一个知识点的片段教学

基于某一个知识点的片段教学，又称专题类片段教学，是指从某节课中抽取一个专题（或一个知识点、能力点，或一个教学环节）让教师施教，教师以此为目标进行教学。例如，《美丽的小兴安岭》，如果要求教师引导学生学习课文的"总—分—总"结构，则为专题类片段教学。

（二）基于课文某一段的片段教学

基于课文某一段的片段教学，又称节选类片段教学，是指从教材中选取某些片段进行教学，执教者根据节选的内容确定教学目标，设计教学方案，然后实施课堂教学。例如，《美丽的小兴安岭》，如果指定教师对课文的第2段进行教学，则为节选类片段教学。

三　片段教学的设计与实施

（一）片段教学的设计

1. 教材分析

教材是教学的依托，只有深入分析教材，读懂教材，才能确立准确的教学目标，确定教学重难点。教材分析主要从以下几方面进行。

（1）分析教材的内容和结构。透彻理解该节教材中的全部知识，深入了解该节教材所述内容的背景材料，要站在高屋建瓴的角度理解教材知识，要能解答该节教材中的疑难问题。

（2）分析教材的地位和作用。弄清该节教材在整篇教材或整个语文教材中的地位，课程标准对与其相关内容的具体要求是什么。

（3）分析该节教材的教学特点和关键知识点，选择合适的教学策略、方法，设计教学过程，考虑如何通过知识教学培养学生的能力和进行思想教育等。

2. 学情分析

学情分析主要包括以下几个方面：一是学生原有知识基础的分析；二是学生现有认知能力的分析；三是学生原有生活经验的分析；四是学生情感的分析；五是学生的身心特征的分析。

3. 教学目标的设计

根据该节教材的特点和《语文课程标准》的相关要求，基于学情，确定教学目标。教学目标要注意立足语文核心素养的落实与发展，体现文化自信、语言运用、思维能力和审美创造等方面的内容。

4. 教学方法的设计

小学语文教学常见的方法有朗读法、讲授法、观察法、示范法、比较法、实践法、练习法、读写结合法、背诵法、表演法、谈话法、讨论法、电教法、自主探究法、情境教学法等。在教学中，教师要根据教学内容采用相应的教学方法。

5. 学法的设计

小学语文的学法因学段和教材的要求、教学内容的不同而有所不同，正如教学有法，教无定法。同样，学习有法，学无定法，教师要引导学生灵活选用恰当、科学的方法。

6. 教学过程的设计

（1）确定教学流程。

教学流程一般按照导入新课、整体感知、深入研读、拓展和延伸、小结作业 5 个环节进行。

（2）合理分配时间。

片段教学的时间一般必须控制在 10 分钟之内。5 个环节的时间不能平均分配，要确保重点环节时间充足。建议导入新课用时 1 分钟左右，整体感知花 2 分钟，深入研读花 5 分钟，拓展和延伸花 1 分钟，小结作业花 30 秒钟。

（3）精心设计各个环节的教学活动、教学方式、方法和手段。

①导入新课。

导入新课要有明确的指向性，不能为导入而导入，必须与新授内容联系紧密，并且能有效调动学生的学习积极性，激发学生的学习兴趣。导入新课的方法一般有创设情境式、设置悬念式、讲故事、猜谜语、温故知新式等，可以单用一种方法，也可以综合运用多种方法。

②整体感知。

整体感知阶段的设计，要根据学段特点和具体的教学内容，采用相应的教学策略。第一学段的处理应该与第二、三学段的处理有所区别，在第一学段，特别是一年级上学期，教师要先进行范读，学生一边看教材，一边听；然后让学生自主阅读教材，标记出不认识的生字，学习拼读生字。到了第二学段，一般是教师提出要求，学生根据要求开展自主阅读，做到把文章读通顺，把字音读准确，初步感知文章大意，弄清文章写了什么。第三学段在这一环节的要求主要是概括课文主要内容，了解课文表达顺序。

③深入研读。

在初步感知文章大意的基础上，围绕课文内容或课后练习，以问题切入或展开，引导学生进行自主、合作、探究式学习，领悟重点句段，体会课文思想感情和关键词句表达情意的作用。总结有关学法，积累优美语言。引导学生诵读精彩句段，感受生动的形象和优美的语言；学习作者遣词、造句、构段的方法，从而达到深入理解文章内容、学习语言、发展思维、培养能力、提升价值观的目的。

④拓展和延伸。

根据教学内容的特点适当进行拓展和延伸，一般按照以下步骤进行：

A. 朗读全文，感受生动的形象；诵读精彩句段，感受优美的语言。

B. 领悟作者遣词、造句、构段的方法。

C. 读写结合，仿写片段。必须在课内完成。

D. 拓展阅读。可以安排在课外。

⑤小结作业。

一节课或一部分内容教完以后，说一段结语很有必要。结语要注意以下几点：

A. 概括：结语要做到提纲挈领，具有概括性。

B. 确定：用语要精确、简洁、肯定。

C. 强化：结语具有承上启下的特点，因此，小结要着眼于知识的过渡和拓展，着眼于思想感情的启迪和升华，教师的"点睛"之语，会使教学效果延伸到新的层面。

作业的布置要根据学段特点和教材特点，做到有创意，分量适度，难度适中，以实践性作业为主，少布置机械重复的作业。

7. 板书设计

要求：内容集中，语言精练，主次分明，丰富生动，清楚美观。

（二）片段教学的实施

1. 片段教学要注意详略得当

教师对片段教学内容应作详略取舍，切不可平均使用力量、面面俱到，对重点、难点要详讲，对一般问题要略讲，如果不分主次，必然会使听者感到茫然或厌烦。

2. 片段教学要善于创设（虚拟）课堂教学情境

片段教学要突出"教学"，切忌"读"和"背"教案。注意角色的转换、位置的更迭、语言的改变，以虚拟质疑、虚拟争论、虚拟辩论、虚拟活动等情境，使片段教学活泼生动，突出师生互动、生生互动，再现真切的教学情境。

3. 注意运用教学语言

如"我在教学中采取了什么样的教学方法"在片段教学中是十分忌讳的。在片段教学中，要运用课堂教学语言，要把听评课的教师看成学生，有问有讲，有读有说，有议论有评价，用你的语言变化将他们带到你的课堂教学中去，使之未进课堂却仿佛看到了你上课的影子，感受到你的课堂教学效果。

4. 片段教学要努力展示自身的素质

用板书来表现书法功力，用范读来表现朗读水平，用广征博引来显示自己的知识面，用优雅的教态、饱满的精神、洋溢的激情，以及"诗、画、音"感染听者。

总之，好的片段教学要做到目标明确，内容充实，逻辑性强，层次清楚，语言简明扼要，有改革意识，有见地，有特点。"牵一发而动全身"，小学语文教师要充分认识到片段教学的重要性，积极参与、探究片段教学，以片段教学为切入点，提高自身素养，营造良好的教研氛围，在认识到"实践是砺石，他人是我师，自身是关键"的基础上加强片段教学锻炼，必然能有效地提高教学水平，促进专业成长，更好地为教育教学服务。

《詹天佑》 片段教学①

《詹天佑》课文节选

詹天佑不怕困难，也不怕嘲笑，毅然接受了任务，马上开始勘测线路。哪里要开山，哪里要架桥，哪里要把陡坡铲平，哪里要把弯度改小，都要经过勘测，进行周密计算。詹天佑经常勉励工作人员说："我们的工作首先要精密，不能有一点儿马虎。'大概''差不多'之类的说法，不应该出自工程人员之口。"他亲自带着学生和工人，扛着标杆，背着经纬仪，在峭壁上定点、测绘。塞外常常狂风怒号，黄沙满天，一不小心还有坠入深谷的危险。不管条件怎样恶劣，詹天佑始终坚持在野外工作。白天，他攀山越岭，勘测线路；晚上，他就在油灯下绘图、计算。为了寻找一条合适的线路，他常常请教当地的农民。遇到困难，他总是想：这是中国人

---

① 2019 年下半年教师资格面试试讲真题。

自己修筑的第一条铁路，一定要把它修好；否则，不但惹外国人讥笑，还会使中国的工程师失掉信心。

铁路要经过很多高山，不得不开凿隧道，其中数居庸关和八达岭两个隧道的工程最艰巨。居庸关山势高，岩层厚，詹天佑决定采用从两端同时向中间凿进的办法。山顶的泉水往下渗，隧道里满是泥浆。工地上没有抽水机，詹天佑就带头挑着水桶去排水。他常常跟工人们同吃同住，不离开工地。八达岭隧道长1100多米，有居庸关隧道的三倍长。他跟老工人一起商量，决定采用中部凿井法。先从山顶往下打一口竖井，再分别向两头开凿，两头也同时施工，把工期缩短了一半。

铁路经过青龙桥附近，坡度特别大。火车怎么才能爬上这样的陡坡呢？詹天佑顺着山势，设计了一种"人"字形线路。北上的列车到了南口就用两个火车头，一个在前边拉，一个在后边推。过青龙桥，列车向东北前进，过了"人"字形线路的岔道口就倒过来，原先推的火车头拉，原先拉的火车头推，使列车折向西北前进。这样一来，火车上山就容易得多了。

这条铁路不满四年就全线竣工了，比原来的计划提早两年。这件事给了藐视中国的帝国主义者一个有力的回击。今天，我们乘火车去八达岭，过青龙桥车站，可以看到一座铜像，就是詹天佑。

（1）基本要求：了解杰出爱国工程师詹天佑的事迹。

（2）赏析重点语句，体会关键词句在表情达意方面的作用。

（3）试讲在10分钟以内。

教学过程

（一）导入新课

同学们，我们知道，中央电视台每年都在评选"感动中国"十大人物，在每一年评选的时候，我们都会被他们的精神感动。他们，在不同的年代，以各自不同的方式，深深地感动了一代又一代的人。有这样一个人，虽然他离我们生活的时代比较久远，但每一个中国人都不应该忘记他，他就是詹天佑。同学们，在我的心目中，詹天佑可以当之无愧地被评为感动20世纪的中国人物。今天，就让我们一起走进《詹天佑》，认识詹天佑。（板书课题）

（二）整体感知

1. 出示幻灯片——詹天佑肖像，介绍詹天佑。

明确：12岁留学美国，1878年考入耶鲁大学土木工程系，主持修筑铁路工程。他是中国近代铁路工程专家，被誉为"中国首位铁路总工程师"。他负责修建了京张铁路等工程，有"中国铁路之父""中国近代工程之父"之称。

2. 朗读课文，圈画出不理解的生字词。

3. 请同学们快速浏览课文，看看作者按照工程进展的顺序主要写了詹天佑主持修筑京张铁路的哪几件事。明确：勘测线路、开凿隧道、设计"人"字形线路。（板书：修筑过程——勘测线路、开凿隧道、设计线路）

（三）深入研读

1. 朗读课文，小组讨论并思考詹天佑在勘测线路时，他是怎么说的、怎么做的，又是怎么想的。请画出有关句子。

句子1：詹天佑经常勉励工作人员说："我们的工作首先要精密，不能有一点儿马虎。'大概''差不多'之类的说法，不应该出自工程人员之口。"

从这句话中你体会到了什么？

明确：严谨、一丝不苟的工作态度。

句子2：他亲自带着学生和工人，扛着标杆，背着经纬仪，在峭壁上定点、测绘。塞外常常狂风怒号，黄沙满天，一不小心还有坠入深谷的危险。不管条件怎样恶劣，詹天佑始终坚持在野外工作。白天，他翻山越岭，勘测线路；晚上，他就在油灯下绘图、计算。

读了这段话，你能谈谈你的体会吗？

明确：身先士卒、事必躬亲、以身作则的工作作风。

句子3：遇到困难，他总是想：这是中国人自己修筑的第一条铁路，一定要把它修好；否则，不但惹外国人讥笑，还会使中国的工程师失掉信心。

从这句话中你体会到了什么？你能把你的体会说出来吗？

明确：热爱祖国，为国争光的决心。

2. 詹天佑能够根据不同的地势采用不同的工作方法，尤其是创造性地设计了"人"字形线路，这表现了詹天佑怎样的特点呢？

明确：工作认真负责，工作能力强，有创新精神。

3. 学完这篇文章，用自己的话说一说有怎样的收获。

明确：詹天佑在帝国主义阻挠、要挟和嘲笑的情况下，在地形极为复杂的情况下，毅然接受了任务。是什么使他具有如此的勇气？那就是爱国。当遇到困难的时候，他首先想到的是"一定要把它修好"，因为只有这样，才能为国争光；两端凿进法，竖井开凿法，"人"字形线路的设计，更是他创新精神和杰出才能的体现。因此，我们要说，詹天佑是我国杰出的爱国工程师！（板书：杰出、爱国）

（四）拓展和延伸

詹天佑的事迹很令人感动，你还知道哪些感人的事件？

（五）小结作业

小结：教师总结。

作业：请为詹天佑写一篇颁奖词。

【板书设计】

　　本片段教学，属于节选类片段教学，教师根据《詹天佑》这一课的节选内容开展课堂教学。首先，以中央电视台"感动中国"十大人物的评选节目自然而又巧妙地揭示课题，激起学生的阅读兴趣。接下来，从整体入手，介绍詹天佑的生平，扫除阅读障碍，理清文章思路，整体感知文章写了詹天佑主持修筑京张铁路的三件事：勘测线路、开凿隧道、设计线路。然后重点研读"勘测线路"这一部分，引导学生采用小组合作的学习方式，通过抓关键词、句进行理解、体会，从而感受到詹天佑热爱祖国、为国争光的决心；又通过讲述法引导学生了解詹天佑开凿隧道的巧妙之处和设计"人"字形线路的创新之处，让学生感受到詹天佑工作认真负责、工作能力强、有创新精神。最后回归整体，进一步感受到詹天佑是一位杰出的爱国工程师，让学生对詹天佑的敬佩之情油然而生。在这个片段教学中，教师通过赏析重点语句，引导学生了解詹天佑是一位杰出的爱国工程师，感受詹天佑深厚的爱国情怀，体会关键词、句在表情达意方面的作用，既做到了目标明确、重点突出，也体现了教学的整体性，各环节之间既层次分明，又环环相扣。

第二节　小学语文说课

一　说课的含义和作用

（一）说课的含义

　　说课是教师在备课的基础上，面对同行教师或评委，系统地述说自己的教学设计及其理论依据的一种教学研究活动。说课是述说者和听者进行双向互动的活动。述说者把备课中的平面静态的隐性思维进行显现，听者对其进行评议，述说者和听者共同优化课堂教学设计。

（二）说课的作用

1. 说课是提高教师教学水平和教学艺术修养的有效途径

说课提供了学习、交流和共同研究的场所，它能把教师个体的教学思维置于集体的评议之中。说课者和评议者进行面对面的学习和交流。说课者从中吸收评议的意见，评议者也可以从说课中受到启发。不难看出，这对于提高教师教学水平和教学艺术修养具有重要作用。

2. 说课是提高教学质量的可靠保证

在说课活动中，说课者既要述说"教什么"（具体内容）、"怎么教"（具体策略），又要述说"为什么这样教"（理论依据）。有些备课和教学设计可能还不完善，通过说课活动，就可以在共同的探讨和研究中，修正不合理的教学内容和教学环节，充实教学理论，使教学设计更合理，更具有时效性。

3. 说课有利于发挥优秀教师的传帮带作用

优秀教师具有辐射效应，他们对教学理论的运用、教材的理解、教法的选择、学法的设计、教学结构和教学时间的安排都有独到之处，其教学设计具有示范性。说课可以充分地展示优秀教师的教学理念和教学风格，对缺乏教学经验的教师，尤其是正在培训的未来教师产生潜移默化的影响，能使他们"知其然，也知其所以然"。

三　说课的基本要素

说课主要包括以下八个方面的内容：说教材、说学情、说目标、说教法、说学法、说媒体、说设计、说小结。

（一）说教材

"说教材"是在研读课程标准和分析教材的基础上，说明教材的地位和作用，说明所教内容在单元、年级乃至整套教材中的地位、作用和意义，说明教材编写的思路与结构特点。明确教材的人文主题和语文要素，分析教材的重点和难点。

（二）说学情

学生是教学活动过程中最基本的因素之一，是学习的主体，对学生的充分认识，是取得良好教学效果的必要条件。"说学生"就是在充分认识、了解和分析学生的基础上，说明学生的年龄特征、知识水平、能力结构、认知结构、接受水平、当前的发展水平、潜在的可能发展水平，以及学生的共性和个别差异等。具体包括以下几个方面：

（1）说学生的知识和经验。说明学生学习新知识前他们所具有的基础知识和生活经验，这种知识和经验会对学习新知识产生什么样的影响。

（2）说学生的技能和态度。分析学生掌握学习内容所必须具备的学习技巧，以及是否具备学习新知识所必须掌握的技能和态度。

（3）说学生的特点和风格。说明学生的年龄特点，以及由于身体和智力上的个别差异而形成的学习方式与风格。

（三）说目标

"说目标"是指教师要根据教材特点和学情，说明通过本节课的教学所要达成的预期结果。"说目标"要注意以下几点：一是目标的全面性，既要体现人文主题，又要兼顾语文要素的落实以及语文核心素养的体现。二是目标的可行性，即教学目标要符合课标的要求，切合各种层次学生的实际。三是目标的可操作性，即目标要具体、明确，能直接用来指导、评价和检查该课的教学工作。

（四）说教法

教法是指教师为实现某个具体的教学目标而采取的方法或手段，以及为此而选用的教具。应在分析教材、学生和教学目标的基础上，在以教师为主导和以学生为主体的原则指导下，根据具体教学目标的不同要求而分别选择。

"说教法"就是要求教师说明，如何从学生的实际情况出发，根据小学语文的教学特点和目标要求并结合当前素质教育的要求，科学设计教学"任务"，综合选用读写结合、分组合作、自主探究等教学方法，以便学生在充分的语文实践和思维训练、情感体验中理解课文，学习遣词造句、布局谋篇的基本方法，提高听、说、读、写的能力，全面提高语文素养，此外，还要分别说明采用这些教法的依据。

（五）说学法

学法是指学生为达到某个具体的教学目标而采取的方法或手段，以及为此而选用的学具。学法的选择也是在分析教材、学生和教学目标的基础上，在以教师为主导和以学生为主体的原则指导下，根据具体教学目标的不同要求而分别选择的。但是学法的选择要充分考虑学生的情感、意志、兴趣等非智力因素以及年龄特点、认知结构特点、学科知识水平、能力结构特征、现有发展水平、潜在发展水平等，以便充分调动学生学习的主动性和积极性。

"说学法"不能停留在介绍学习方法这一层面上，要把主要精力放在解说如何实施学法指导上，真正意义上解决学生"怎么学"的问题。

（六）说媒体

"说媒体"就是要求授课教师在说课时，先交代上课时拟采用的教学（媒体）环境，自己制作或选用的教学软件，并说明选用教学环境和教学软件的理论依据或指导思想。

（七）说设计

一般来说，说课的这个阶段应该是"说过程"，但是由于说课是在上课之前的一次教研活动，因此，严格地说，传统意义的"说过程"应该是"说设计"，即说明教学过程设计。

"说设计"就是要把整个教学过程的总体安排，即时间分配和教学建议等介绍给大家，其中包括新课的引入、新课的展开、练习的设计、小结如何安排、作业如何布置、板书如何设计等，并且要说明这样设计的理论依据。具体来说，"说设计"通常要说清楚下面几个问题：

（1）说教学思路的设计及其依据。教学思路主要包括各教学环节的顺序安排及师生双边活动的安排。教学思路要层次分明，富有启发性，能体现教师的主导作用和学生的主体作用，还要说明教学思路设计的理论依据。在这一环节中要说清楚：教学设计的基本教学理念，在你的设计中体现了哪些新课标精神；你的教学整体思路是在哪些教育理论的支撑下展开的，也就是教学理论依据；你这样设计的意图是什么，力求达到什么目的，在实施中可能会产生哪些问题，你将如何引导、解决各种问题。

（2）说教学重点、难点的处理。教师在说课时，必须有重点地说明突出教学重点、突破教学难点的基本策略，也就是要从知识结构、教学要素的优化、习题的选择和思维训练、教学方法和教学媒体的选用、反馈信息的处理和强化等方面去说明突出教学重点、突破教学难点的步骤、方法和形式。

（3）说板书设计及其依据。板书设计要注意知识的科学性、系统性与简洁性，文字要准确、简洁。说依据时可联系教学内容、教学方法、教师本身特点等加以解释。

（八）说小结

"说小结"并不是对本节课的教学内容进行小结，而是要"小结"出授课者对本节课的设计思想，以及在本节课的教学中需要注意的一些问题。

注意事项：在实际的操作过程中，要根据具体的文本灵活处理，八个要素不一定要面面俱到，也不需要平均使用力量，要有所侧重。

三　说课的设计与实施

（一）说课的设计

说课，不是拿着教案或教学设计去说，也不是凭借头脑中的设想去说，说课要写出书面文稿，使述说的内容更有条理性和说服力。说课的设计实际上是指说课稿的设计和撰写。

1. 确立说课稿的人称

撰写说课稿要用第一人称。说课者述说的是自己"教什么""怎样教"和"为什么这样教"的问题，述说的内容是自己的教学设计及其理论依据。

2. 把握说课稿的结构

说课稿的结构可分为三部分：教学内容述说，即分析教材，确定教学目标、教学重点和难点；教学策略述说，即述说教学方法的选择、学法的设计、教学媒体的运用、教学时间的分配；教学过程述说，即述说教学结构、教学层次以及教学内容和师生间、生生间的双向活动。

3. 渗透教学的理论依据

教师的教学行为和学生的学习行为都是在一定的教学理论支配和调控下进行的。说课中用理论解说教学设计的每一个环节，才能使人"知其然"。教学的理论依据一般来自课程标准、教育名家名言、教育学和心理学中的理论。

（二）说课的实施

1. 要注意教师的形象

说课的过程也是教师仪表和气质的展示过程，因此，说课教师的穿戴要整洁大方、朴素自然。

2. 要注意语言的表达

听课的对象，一般不是学生，而是专家或同行，甚至还可能是领导，因此要注意说课态度和蔼、自信并充满活力，注意表情和称呼，普通话要标准流畅，语句简明扼要、清晰生动、逻辑性强，语言要富有感情、有感染力，最好富有个性，以体现自己的独特风采。

3. 要注意专业素养

说课要突出"说"字，要说思路、说方法、说过程、说学生、说训练，要注意详略得当，不可面面俱到，对重点和难点的处理、教学过程、学法指导等应该详说，而对教学目标、教法、媒体运用、时间安排等可以略说。

4. 说课整体要流畅

不要进行报告式说课，如说"许多123"。几个环节过渡要自然，比如，分析完教材后，要确定目标时，可以这样说："基于对教材的理解和分析，本人将该节课的教学目标定位为……""下面我侧重谈谈对这节课重难点的处理。"

说课是教学研究活动的重要形式，对提高教师整体素质、教学水平和课堂教学质量具有十分重要的作用：①有利于促进教师学习教育教学理论；②有利于提高教师学科教学理论水平；③有利于提高教师教学实践水平；④有利于教师将教育教学理论与实际教学相结合。只要我们认真钻研教材、深入研究学生、精心设计"说案"、灵活选择说法、准确实施"说程"，就一定能把课说得有条有理、有理有法、有法有效，说得生动有趣、绘声绘色，说出新意、说出水平。

说课：《青蛙写诗》

一、说教材

《青蛙写诗》是统编版一年级上册第7课的课文，处于教材承上启下的学习节点，指向善学。

依据统编版教材"同一个语文要素的学习螺旋递进，一年级下册的学习有一年级上册的基础，同一单元中后一篇课文中的学习有前一篇课文的基础"的设计理念，"认识逗号和句号"这一语文要素在教材中首次出现，学生初步感悟标点的停顿作用，为下一篇课文《雨点儿》"读出标点合理的停顿"的后续训练打下坚实的基础。

这是一首轻快、活泼的儿童诗，共有五小节。作者生动描绘了青蛙在雨天"呱呱"叫着，仿佛在作诗的情景，形象地将小蝌蚪、水泡泡和一串水珠比作了诗歌中的逗号、句号和省略号。

二、说学情

在能力方面，一年级学生的认字、识字能力不强，但经过大半学期的学习，已经具备一定的读懂课文的能力。

在注意力方面，一年级的学生注意力范围狭窄，不善于分配自己的注意力，注意力还不稳定和集中，容易受不相干事物的吸引而分散注意力。

在性格方面，一年级学生活泼、好动，模仿能力强，对事物充满好奇心。

三、说教学目标

（一）依据新课标对识字、写字教学的要求以及教材的特点，确定教学目标

1. 会写"下、雨"等4个生字，会识"写、诗"等11个字，认识两个偏旁：秃宝盖、四点底。

2. 学习用普通话正确、流利、有感情地朗读课文。

3. 创设情境，引导学生运用多种方法识字；借助具体事物，认识逗号、句号、省略号。

4. 感受对大自然的热爱，喜欢朗读诗歌。

（二）教学重点

1. 初步感悟课文内容。

2. 美观书写"雨"字。

3. 学习用普通话正确、流利、有感情地朗读课文。

（三）教学难点

运用多种方法识记生字，喜欢学习汉字。

四、说教法

1. 情境教学法。

借用字卡、简笔画、图片等形象直观的手段创设丰富多彩的教学情境，激发学生识字、写字、阅读的兴趣。

2. 实践法。

如：扩词，学习"串"字后，马上进行"一串什么"的扩词训练。

说话练习，用"下雨了，我们可以干什么"进行造句，为学生提供语文实践的机会。

3. "读、识"结合法。

将阅读与识字教学相融合，从阅读入手，迁移出汉字学习。然后回到课文中朗读感悟，从而巩固和深化了汉字的音、形、义的学习，在具体语言环境中识字，有效提高了识字效率。

五、说学法

1. 自主学习法。

学生通过朗读，借助拼音自主识字，学习独立识字。教师应创设丰富多彩的情境，调动学生的学习兴趣，引导学生运用多种方法快乐识字，提高学生自主学字的能力。

2. 感情朗读法。

通过多媒体课件，为学生创设故事情境，指导朗读"淅沥沥""沙啦啦"，感受小雨和大雨的变化，让学生喜欢朗读。

六、说媒体

在本堂课上，根据低年级学生的年龄特点，为了增强课堂教学的趣味性，我尽量采取直观教学手段调动学生的学习积极性，因而制作了精美的课件，并准备了漂亮的教学挂图和小青蛙、小水珠、小蝌蚪等有趣的头饰。

七、说设计

《青蛙写诗》这一课体现了统编版教材"更儿童、更语文、更促学"的价值取向，为了在教学中彰显"为了学习，为了儿童的学习，为了儿童的语文学习"的理念，我设计了如下教学过程：

（一）创设情境，激趣导入

上课开始，我先带小朋友们进行律动《小跳蛙》，然后导入主人公青蛙，通过青蛙寻找好朋友，成立青蛙合唱团，迎来合唱团第一课——《青蛙写诗》，随题识字。

（二）初读感知，词串识字

儿童识记生字是一个从模糊到清晰的过程，而感知是识字教学的起始阶段，在感知中读准字音、了解字义。通过学生自读课文初步读准字音、反馈识字情况、教师范读纠正字音，重点指导"雨"的书写、"们"的轻声发音、"雨点儿"的儿化音，指导朗读"淅沥沥""沙啦啦",充分发展学生的语言能力。用"下雨了,我们可以干什么"进行说话训练,学生自由发言。

（三）营造氛围,随文识字

识字是阅读的基础,是低年级的教学重点。如何让学生在轻松活跃的氛围中识记生字,既是教学的重点,也是教学的难点。教学中我采用随文识字的方法,将识字任务贯穿在课文之中。具体做法是以"青蛙写诗谁来帮忙"为主线,随机引出生字,引导学生用多种识字方法识记生字,如联系语境法。此外,低年级还要注意教师的范写和学生写字习惯的培养。

（四）分组扮演,感悟诗境

随文分散识字后,根据课文的情节性和连贯性,分组扮演角色,表演朗读,充分发挥儿童的表演天性。

（五）集中识字,悬念结束

教育家洛克说过:"教育儿童主要的技巧是把儿童应做的事,都变成一种游戏似的。"通过游戏"小小领唱员",集中识字,巩固生字,以"三个朋友变身藏到诗里,下节课一起玩捉迷藏游戏"设置悬念,结束课堂。

（六）说板书设计

本课的板书我力求简洁明了,将故事中的小蝌蚪、水泡泡、一串水珠与逗号、句号、省略号一一对应,板书要求会写的字:下、雨、个、们。学生通过板书对本课的内容和生字能够一目了然,更好地理解本课的内容。

【板书设计】

青蛙写诗

小蝌蚪	逗号（，）	
水泡泡	句号（。）	下　雨　个　们
一串水珠	省略号（……）	

八、说小结

各位老师,这仅仅是我的预设。如果真正上课,我会根据上课情况进行调整,注重课堂精彩生成。谢谢大家!

该案例按照说课稿的格式,遵循说课的原则,从说教材、说学情、说教学目标、说教法、说学法、说媒体、说设计、说小结等方面,对《青蛙写诗》这篇课文的教学设计进行了比较具体的阐述。纵观整篇说课稿,我们可以看出执教者到底教了什么、怎么教的,以及为什么这样教。该说课稿既体现了教师先进的教学理念、科学的教学依据,又展示了整个教学流程。在该说课稿中,教师对教材的分析、学情的分析都比较到位,教学方法的选择符合学生特点和教材特点。教学环节的设计环环相扣，衔接自然，教学重点突出，教学形式灵活多样，充分体现了一年级语文的教学理念：低年级的教学重点是识字、写字，宜采用直观形象的教学手段，营造一种轻松愉快的教学氛围，让孩子们在玩中学，在学中玩，在不知不觉中学习知识，发展语言，开发思维。该说课稿结构完整，内容具体，详略得当，是一篇比较规范的说课稿；当然也存在一定的不足，比如教学设计的理论依据不是很充分。

第三节　微格教学

一　微格教学的含义

　　微格教学（micro-teaching，亦称微型教学）是在教学理论的指导下，利用电教媒体（主要是摄录像媒体）将受训者的教学行为记录下来，再播放出去，对受训者的教学行为进行分析，针对问题提出改进方案，然后让受训者再次训练，再次记录下来，再次分析，指导受训者的教学行为达到确定标准的一种小型教学活动。它是规范受训者教学行为、培养受训者教学技能的一种有效方法。

二　微格教学的特点

　　第一，微格教学重点是对教学技能进行训练，让受训者熟悉和掌握课堂教学中的各种教学技能。目前，对教学技能的划分大致有十一种类型，涉及导入技能、结束技能、讲解技能、板书技能、教学语言技能、教学组织技能、提问技能、变化技能、强化技能、练习技能、多媒体教学技能。教学技能训练是从单项技能开始的，单项技能达到自动化的程度后，则要进行综合技能训练。综合技能训练是微格教学的最终要求和目标。

　　第二，在微格教学中，不仅要向受训者讲解微格教学理论，还要组织受训者观摩示范课，让受训者感知模仿，从而习得良好的教学技能。

　　模仿，是依照别人的行为样式，自觉或不自觉地进行仿效，作出同样或类似的动作或行为的过程，是学习的一种重要形式。在具体教学中，教师可选用具有较高水平的录像课让受训者观摩，或聘请优秀教师上示范课，也可以对完整的课堂教学录像课进行剪辑，根据教学需要，重新编辑归类让受训者观摩。同时，指导教师的每一节课也应该成为受训者的示范课。受训者观摩示范课，是将理性认识和感性认识有机结合，是把"示范者"良好的教学行为方式介入受训者的学习行为之中。这样，不仅能使受训者感到亲切、真实，而且能使受训者有意识地模仿，促使其不断地修正和弥补自己的教学行为，形成良好的心理和行为定式。

第三，角色扮演，改变传统的教学模式。围绕技能训练的内容，指导教师组织受训者有目的地进行实际训练，训练时要创设一个与真实课堂教学环境相似的模拟环境，并以微型班（一般 15 人左右）的形式进行训练。微型班由指导教师、受训者和模拟学生组成，模拟学生一般由受训者的同学或正在中小学学习的学生充当。这种训练模式，改变了传统的教师讲、受训者听的教学模式，是微格教学的中心环节所在。技能的掌握要经过长期反复的练习，否则就难以形成技能。角色扮演为受训者提供了练习的机会，受训者把备课时的设计、对技能的理解，用自己的行为表现出来，并同时进行录像，受训者由被动的听课者变为教学的参与者。这不仅发挥了受训者的主体作用，而且为其熟悉和掌握教学技能提供了条件。

第四，自我透视，规范良好的教学技能。这是微格教学的又一特点。当某一教学技能训练完成后，通过看录像获得信息反馈，以自评、互评、他评等形式对受训者的教学行为进行定性评价和定量评价，改过去只凭记忆、印象的概括评价为目标评价。录像记录了受训者的全部教学行为，这就为信息反馈提供了直观的评价依据，更为受训者提供了自我透视的视听形象。通过反复评价，受训者就能不断地规范自己的教学行为。

三　微格教学的操作应用

（一）微格教学的过程

开展微格教学前，首先要让受训者学习微格教学的基本理论，让受训者明确做什么，怎么做，为什么要这样做，并在此基础上进行单项技能训练。微格教学基本遵循学习—实践—反馈的过程，并循环反复。

微格教学过程一般分为六步（图 7-1）。

1. 理论辅导

讲解某项教学技能的理论，包括该技能的概念、应用目的、分类或构成要素、应用原则和实施要点，从而让受训者对该项技能有一个全面了解。

2. 观摩示范课

针对该项技能，选择具有典型性的示范课供受训者观摩，为受训者提供生动具体的视听形象，让受训者感知模仿。模仿理论表明，即使是复杂的社会性行为，也能通过完全的模仿获得。指导教师在引导受训者观摩示范课的同时，要加以讲解、说明，以帮助受训者"知其然，知其所以然"。

3. 受训者备课

受训者在编写教案前要确定所训练的教学技能。微格教学的目的是培养受训者的教学技能，特点是把课堂教学分为不同的单项技能分别进行训练，每次集中训练 1~2 个教学技能。编写教案时，受训者要认真钻研教材，然后针对某一教学技能的训练，结合教材内容编写一个 5~10 分钟的教学片段，重点考虑该项目技能的运用。

4. 角色扮演

受训者把备课时的设想和对教学技能的理解，用自己的行为表现出来，并同时进行录像，以便及时、准确地获得反馈信息。在教学中，角色扮演者（受训者）要与听课者（一般是受训者的同学）进行沟通配合，使"师生"双方真正进入角色，以便更好地完成训练任务。

5. 反馈评议

根据角色扮演的情况开展自评和互评。受训者、听课者和指导教师共同进行评价。在评价中，受训者一般首先进行自评，自我分析教学技能应用的方式和效果，总结成功的地方和不足的方面。在自评的基础上，小组成员之间开展互评，采用的方式是定性评价和定量评价。定性评价是从宏观的角度加以评价，是一种感性的评价；定量评价是根据某项教学技能的指标要素及其权重进行评价，并直接计算出受训者该项教学技能的成绩。互评在评价中是很重要的，它是一面双面镜，既能看到自己的优势和不足，又能看到别人的优势和不足，便于相互学习，取长补短。因此，受训者在互评中要坦诚相待，以理服人，乐于助人。指导教师要在评价的过程中进行适当指导。

6. 修改教案、改进教学行为

根据自评和互评的结果，受训者修改自己的教案，并进行第二次训练。在微格教学中，教学设计是重要的教学技能，是要特别加以训练的，但教学设计是静态的，它更多的是偏向心智技能；教学行为是动态的，教学设计必须通过教学行为加以实施，这样教学任务才能得以完成。微格教学更多的是侧重对受训者进行教学行为的训练。因此，在再次的训练中，受训者要

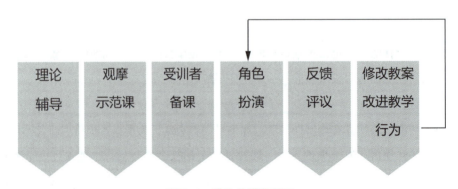

图 7-1　微格教学流程图

对教学行为中的不足加以改进，使教学行为达到规范的教学要求。

当单项技能经过训练，达到一定水平后，再进行综合技能训练，从而全面提高受训者的教学技能，达到培养目的。

在微格教学中，指导教师的作用是十分重要的，他们既是组织者和辅导者，又是示范者和评价者。因此，指导教师应深刻把握微格教学理论，认真组织和辅导受训者开展教学技能训练，并对受训者的教学行为作出积极的评价。

（二）小学语文微格教学的设计

小学语文微格教学设计是根据教学技能训练目标，围绕小学语文教学内容进行的教学片段设计。它包含两个方面：一是教学技能训练的总目标及某项教学技能训练要达到的目标；二是语文教学内容的目标，即以语文教学内容为依托对教学技能进行训练，训练时不能脱离语文教学内容应有的目标。

1. 小学语文微格教学设计的内容与要求

微格教学的设计，既要遵循课堂教学设计的原理和方法，又要体现微格教学的教学技能训练的特点。微格教学的设计包含三个阶段：第一阶段是前期分析，包括钻研课程标准和教材、教学内容分析、学习者分析、教学目标和训练目标的阐明；第二阶段是教学策略的确定，涉及课堂教学策略和教学技能策略的设计（其中包括教学方法的选择、教学活动的设计、教学技能训练的设计、学生学习活动的设计、教学媒体的选择）；第三阶段是微型课的教学设计，成果试行、评价、修改，也就是微型课的训练、微格教学方案和技能运用的评价和修改。第一阶段前期分析步骤叙述如下：

（1）钻研课程标准和教材。

微格教学的技能训练，虽然只是通过某一阶段的教学内容训练某项教学技能，但这一阶段的教学内容必须以教材内容为客观依据来组织。微格教学设计取决于受训者对教材的理解、分析和研究情况。

（2）教学内容分析。

教学内容分析，就是教师依据课程标准，结合学生的实际情况，在钻研教学大纲和教材内容的基础上，确定学生所应掌握的知识体系结构，突出教学重点，明确教学难点，以使教学更有成效。微格教学训练的教学内容，虽然只是某个概念、问题或过程，但也必须明确这一阶段教学内容在课程知识体系中的地位和关系，并分析这一教学内容的微观结构和内容组织。

（3）学习者分析。

学习者分析是微格教学设计的一个重要步骤，是分析教学起点、决定目标体系、选择教学策略、设计教学活动、制定评价方法和选择教具的重要依据。微格教学训练中的学习者，由受训者的同学来扮演，模拟训练课堂内存在着"师生"互动。学习者分析在微格教学设计中的重要性，不亚于其在一般课堂教学设计中的重要性。在进行微格教学训练时，指导教师主要引导受训者从两方面对学习者进行分析：一是学习者的一般特征；二是学习者原有的知识和技能基础。

（4）教学目标和训练目标的阐明。

教学目标是教师和学生通过教和学的活动所要实现的学生行为的变化，是教学过程所依据的目标，同时也是评价教学活动的依据。微格教学技能训练有着双重目标，因此其目标阐明一方面是将教学内容分解为若干知识点，确定每个知识点要达到的学习水平等级并用行为动词加以描述；另一方面，则是确定要训练的技能目标。受训者在阐明目标时应遵循以下几点要求：一是教学目标和训练目标都要明确、具体；二是便于考核和评价教学目标与训练目标是否达成；三是具有可行性，便于训练操作。

2. 小学语文微格教学设计方案的编写

微格教学设计，给出了微型课的框架，要付诸实践，特别是考虑到便于训练，还要把它落实为具体的方案，即微格教学教案。微格教学教案的内容包括以下几点：

（1）教学目标。

要符合课程要求，切合学生实际。表述要具体、确切。不可贪大求全，要便于评价。

（2）教师的教学行为。

按教学过程，写出讲授、提问、演示、举例等教师活动。

（3）应用的教学技能。

在教学过程中，教师的某些行为可以归入某类教学技能，应在其对应处注明。对重点训练的技能应注明其构成要素。这样便于检查教师教学技能的训练成果，训练教师对教学技能的识别、理解和应用能力。

（4）学生行为。

教师预想学生在回忆、观察、回答问题时的可能行为。对学生行为的预计是教师在教学中能及时采取应变措施的基础，体现了教师引导学生的认知策略。

（5）教学媒体。

将需要用的教学媒体按顺序注明，以便准备和使用。

（6）时间分配。

在教学中，预设教师行为、学生行为持续的时间。微格教学的时间为 10 分钟左右，要估算好每一教学行为所用的时间。

教案的编写，可用文字表达式，也可用表格式。文字表达式是用文字叙述教学内容和教学过程，类似于电影、电视脚本。表格式是通过表格反映教学内容和教学过程。

"触摸春天" 微格教学设计①

教学目标

1. 品析并理解描写安静抓住蝴蝶的三个句子及重点词语，训练口头表达能力。

2. 有感情地朗读，体会安静的内心情感，提高朗读能力。

3. 感受安静对生命的热爱和对美好生活的渴望。

教学重点

深入体会课文中详细描写主人公安静抓住蝴蝶的过程，并揣摩其心理。

教学难点

引导学生从盲童的角度，体会小女孩安静对生命的热爱和对美好生活的渴望，并努力去发现生活的美好。

教学方法

讲授法、问答法、表演法。

教具准备

多媒体课件。

教学时间

10分钟。

教学过程

一、课堂导入

"春天在哪里呀，春天在哪里，春天在那小朋友的眼睛里。"是的，春天在那小朋友的眼睛里。（以歌曲带入情境，导入课文）

二、品析语句

安静，是一个盲女孩，却拢住了一只在月季花上扑腾的花蝴蝶，真是一个奇迹。请同学们细读课文的第四、五、六自然段，并找出描绘安静拢住蝴蝶的过程的语句。

1. 安静的手指悄然合拢，竟然拢住了那只蝴蝶，真是一个奇迹！

（1）朗读句子。

（2）引导学生重点理解"悄然""竟然"等词语，学会运用词语。

（3）再次回读语句，感受其情感的变化。

2. 蝴蝶在她的手指间扑腾，安静的脸上充满了惊讶。

---

① 刘本武，李金国. 小学语文课程与教学［M］. 北京：北京师范大学出版社，2013.

（1）朗读语句。

（2）揣摩安静的心情，她为什么会感到惊讶？

（3）再次朗读，体会安静的心情。

3. 许久，她张开手指，蝴蝶扑闪着翅膀飞走了，安静仰起头来张望。

（1）分析安静的行为，为什么安静最后又将蝴蝶放飞了？

（2）重点体会"张望"一词，讨论安静到底能不能"望"到，为什么？

（3）在生活中，你有过哪些类似的经历？模仿例句，说一句话：

我"看"到了＿＿＿＿＿，我感受到了生命的力量。

（4）带着你对句子的理解再次朗读句子。

三、小结

通过品析安静抓住蝴蝶的句子，感受安静对生命的热爱，明白"谁都有生活的权利，谁都可以创造一个属于自己的春天"的道理。

四、作业

通过学习课文，了解了这么多感人的事迹，你从中受到什么启发？你想对自己说些什么？打开练习本，写几句话，送给自己吧。

【板书设计】

17. 触摸春天

拢住──→蝴蝶──→放飞

惊讶　　　热爱

　　该案例是一个 10 分钟的微格教学设计。该教学设计围绕第 17 课《触摸春天》的第四、五、六自然段的教学，确定了明确而具体的教学目标，对教学的重点、难点进行了科学定位，对教学方法、教学媒体的选用都比较恰当。教学过程紧扣教学目标，首先通过歌曲《春天在哪里》引出课题，这种方法既自然又符合儿童的认知特点，既能快速激发学生的学习兴趣，又能直接切入课堂教学的主题，可以说是一个快速且高效的导入方式。接下来是整个教学过程的重点部分：品味第四、五、六自然段，从字里行间感受安静对生命、对生活的热爱。在该案例中，受训者抓住三个关键句，采用分析、朗读、联系生活体验、讨论等方法引导学生走进文本，理解词句，感受安静内心的情感历程，体会到安静是一位热爱生活的盲女孩，从而受到启发。这一部分，基本上体现了以读为本、以生为本的语文教学理念。接下来是小结和作业布置，这两个环节简明扼要，同时又不失新意。这个教学设计做到了要素齐全，重点突出，符合微格教学设计的基本要求。当然也有一些不尽如人意的地方，比如设计中提到了表演法，但在教学过程中这个方法并没有体现，对学生学习反馈的预设不够，"以学生为学习的主体"这一理念体现得不是很充分等。

本章知识结构导图

知识点检测

1. 简述什么是片段教学，片段教学有哪些类型。

2. 简述什么是说课，说课有哪些基本要素。

3. 什么是微格教学？微格教学有何特点？

4. 请从小学语文教材中，自选一篇课文设计一篇说课稿。

5. 论述微格教学对于提高教学技能的重要性。

参考答案

参考文献

［1］宋运来. 小学教师专业标准案例分析［M］. 北京：国家行政学院出版社，2013.

［2］王崧舟，林志芳. 诗意语文课谱——王崧舟十年经典课堂实录与品悟［M］. 上海：华东师范大学出版社，2011.

［3］胡成方. 教学设计的"道法"与"技法"［J］. 中学语文教学参考，2016（1）：78-80.

［4］叶圣陶. 叶圣陶语文教育论集［M］. 北京：教育科学出版社，1980.

［5］郑立华. 口语与书面语关系论——文字仅仅是记录口语的符号吗？［J］. 广东外语外贸大学学报，2010（1）：25-28.

［6］沈方梅. 语文学科知识向学科教学知识的有效转化［D］. 上海：华东师范大学，2010.

［7］王从华，黄金丽. 语用：语文课程的学科特质与实践品格［J］. 赣南师范学院学报，2016（1）：116-120.

［8］周立群，王建峰，李尚生. 小学语文课程与教学［M］. 北京：教育科学出版社，2013.

［9］杨莉君，宋祖荣，谭晖. 幼师口语［M］. 5版. 长沙：湖南大学出版社，2018.

［10］夏家顺. 专业性：语文教学的必由之路［J］. 教育研究与评论（中学教育教学），2018（2）：5-9.

［11］黄梅芳. 浅析小学语文综合性学习的设计［J］. 当代教研论丛，2019（6）：48-50.

［12］蒋蓉，李金国. 小学语文教学设计［M］. 北京：高等教育出版社，2016.

［13］蒋蓉. 小学语文课程与教学论［M］. 北京：北京师范大学出版社，2015.

［14］韦祖庆. 教材研读不应忽视文章结构［J］. 湖南第一师范学院学报，2015（4）：41-44，99.

［15］朱自强. 儿童文学概论［M］. 北京：高等教育出版社，2009.

［16］叶圣陶. 文章例话［M］. 沈阳：辽宁教育出版社，2005.

［17］温儒敏. 温儒敏论语文教育［M］. 北京：北京大学出版社，2009.

［18］于漪. 语文教苑耕耘录［M］. 福州：福建教育出版社，1984.

［19］欧雯. 小学语文教学读写结合策略探究［D］. 上海：上海师范大学，2013.

［20］杨凡. 部编本小学低段"口语交际"编制研究［D］. 重庆：重庆师范大学，2019.

［21］王晓阳. 小学高段语文口语交际教学的研究报告［D］. 大连：辽宁师范大学，2010.

［22］李远. 小学语文口语交际课程目标的设计研究［J］. 才智，2019（10）：141.

［23］周伟. 小学语文教学中口语交际教学研究［J］. 语文学刊，2015（4）：172.

［24］许景娜. 核心素养下小学语文口语交际教学研究［J］. 亚太教育，2019（2）：42.

［25］李琦. 潮州市小学语文口语交际教学研究［D］. 广州：广州大学，2013.

［26］潘玮. 基于情境教学的小学中高段语文口语交际教学策略研究［D］. 杭州：杭州师范大学，2019.

［27］秦佩箐. 基于标准，把握特征，优化教学——小学语文统编教材口语交际教学的思考与实践［J］. 上海课程教学研究，2019（5）：22-25.

［28］吴忠豪. 小学语文课程标准与教材研究［M］. 北京：教育科学出版社，2016.

［29］蒋燕. 小学语文新课程教学法［M］. 西安：陕西师范大学出版总社有限公司，2017.

［30］吴忠豪. 小学语文课程与教学［M］. 北京：中国人民大学出版社，2010.

［31］刘本武，李金国. 小学语文课程与教学［M］. 北京：北京师范大学出版社，2013.

后　记

　　"小学语文课程与教学"是高等院校小学教育专业和语文教育专业的必修课程，是对未来从事小学语文教学工作的学生进行教育的一门重要课程，也是最具教师教育特色的核心课程。这门课程源于小学语文教学实践，其目标是帮助未来小学语文教师理解小学语文课程与教学的原理，提高未来小学语文教师教育教学实践能力、反思能力与研究能力，为未来小学语文教师专业能力的可持续发展奠基。随着教师专业化进程不断加深，小学教育专业和语文教育专业建设不断推进，传统的《小学语文课程与教学》教材，因注重理论知识的传授和教学经验的传播，忽视创新精神的培养和教学实践能力的训练，已经不能满足新时代教师专业化发展及专业建设的要求，本教材就是为实现这门必修课程的核心目标而编写的。

　　本教材的编写理念是"知识为本、能力为先、课证融合、简单实用"。其涵盖了小学语文教学常规、小学语文教学评价等理论知识；引导学生通过案例分析、扫码听课等加深对教学原理的理解，让学生在具体、真实的教学情境中进行体验感悟式学习，提高学生的教学技能；设计拓展阅读，融入教师资格考试学习内容，关注小学语文教学改革最新动向，有助于学生通过教师资格考试，成为帮助学生实现自我发展的资源；各章的学习目标、知识结构导图和知识点检测有助于学生梳理、总结和巩固每章知识点，做到简单实用。

　　本教材主要面向三年制、五年制大专层次小学教师培养专业的学生，总课时为 72 课时，一般安排在三年制大专的二年级下学期和五年制大专的四年级下学期。

　　本书由张廷鑫（川北幼儿师范高等专科学校）、宋祖荣（怀化师范高等专科学校）、姚世贵（宜春幼儿师范高等专科学校）担任主编；张涛（川北幼儿师范高等专科学校）、韦祖庆

（贺州学院）、杨丽萍（湖南民族职业学院）、苏丽琴（冷水江市桃园学校）、李梅兰（永州师范高等专科学校）担任副主编；曾晓洁教授（湖南第一师范学院）担任主审。具体修编分工如下：

第一章第一节（永州师范高等专科学校，陈真海、陈怡），第二节（怀化师范高等专科学校，帅泽兵、曾赛男），第三节（永州师范高等专科学校，吴芳）；第二章（湖南民族职业学院，杨丽萍）；第三章（湘南幼儿师范高等专科学校，唐谊锋、李仁、邓彦妮）；第四章（永州师范高等专科学校，李梅兰；湖南幼儿师范高等专科学校，匡薇；怀化师范高等专科学校，舒洲、宋祖荣）；第五章（川北幼儿师范高等专科学校，张涛、蔡德莉；四川省广元市实验小学，蔡敏）；第六章（贺州学院，韦祖庆；冷水江市桃园学校，苏丽琴）；第七章（娄底幼儿师范高等专科学校，阳小玲；岳阳市南湖小学，谢韵）。全书由张涛负责统稿、蔡德莉负责联络，四川省小学语文特级教师权友慧提供了参考意见。

本教材是在湖南省教育厅教师工作与师范教育处的指导下组织编写的。在此，向组织、关心、指导本教材编写的领导和专家们致以衷心的感谢！本教材在编写的过程中参考了大量文献资料，我们尽可能对所引用的文献和案例注明了出处，但也有一些优秀的案例和资料无从考证，对此，我们向引用作品的作者表示诚挚的感谢！对没有注明出处的案例和资料的作者表示歉意！

由于时间仓促、水平有限，本教材有不足之处，敬请读者批评指正。

编　者

2020 年 6 月